Zueignung

an den

Herrn Staatsrath Dr. **Gottfried Theodor Stichling**
zu Weimar.

———

Zu dem „deutschen Gaunerthum" des Herrn Dr. Avé-Lallemant zu Lübeck findet man auf der ersten Seite die Hohen Senate der vier Freien Städte Deutschlands genannt, welche die Widmung dieses vortrefflichen Werkes anzunehmen geruht haben.

Wenn ich es nun gewagt, einen der ehrlichsten Namen Deutschlands an die Spitze eines Häufleins „unehrlicher" Leute zu stellen, die noch lange keine Gauner waren, so weiß ich, daß der werthe Träger dieses Namens, der Herdersenkel, der Wielandsvetter, auch ohne Hinblick auf erwähntes Beispiel rathsherrlicher Vorurtheilslosigkeit, das ihm zugemuthete Schildamt freundlich übernehmen wird.

Empfange also, lieber Freund, was ich — nicht ohne Erinnerung an die gemeinsamen Studien unserer goldenen Jugendtage zu Heidelberg — für Dich erlesen und geschrieben. Eigne es Dir zu mit Deinem schönen Talent, den Ernst auch im Scherz, Erheiterndes im Traurigen, und die Sterne auch hinter den Wolken zu finden. Nimm hin diesen harmlosen Bericht von einigen Zügen deutscher Art und Unart, und beren Erscheinungen in meiner Vaterstadt. Dein ohnehin zu historischen Betrachtungen geneigtes und gern an den Grenzscheiden der Jahrhunderte weilendes Auge, es möge einmal den einsamen Hochbau der Bundesgerichte verlassen, es möge von den erhabenen Regionen der Erneftiner und ihrer erlauchten Mutter, sich abwärts senken zu den Hirten und Müllern im Thale, zu den emsig wirkenden Leinwebern der Städte, zu den fröhlich schwärmenden Spielleuten, wie zu ähnlichen mehr oder minder erfreulichen Gestalten der vaterländischen Vergangenheit. Vielleicht erkennt es hier selbst in düsterer Umhüllung manch Aechtdeutsches, nämlich Sinniges, Tüchtiges, Edles; auch hie und da, neben wüsten Trümmern, ein sonnig grünes Idyll, und, unter dem Unkraut der Kreuzwege — manch schönes Blümlein Ehrenpreis!

Hamburg, am 20. October 1862.

Dr. O. B.

Inhalts-Uebersicht.

Einleitendes Vorwort.

Diebe, Meineidige, Spitzbuben, sowie andere Schelme und notorische Missethäter sind aller Orten und zu allen Zeiten verdientermaaßen ebenso moralisch unehrlich, wie bürgerlich un=geehrt gewesen. Daneben aber unterlagen in der Deutschen Vorzeit einem gewissen Rechts = und Ehrenmangel: die unehelich geborenen Kinder, die Leibeigenen, sowie alle Wenden, Juden, Türken und Heiden. Und endlich lastete auch ein theils gesetz=licher, theils herkömmlicher Makel auf verschiedenen Gewerben und Dienstverhältnissen, deren Ausübung sich ganz wohl mit der (moralischen) Ehrlichkeit nach unserm Sprachgebrauch, nicht aber mit der vollen Ehrenhaftigkeit eines freien Deutschen nach da=maliger Anschauung vertrug. Die Auffassung der Sache: daß solch ein Makel nicht nur dem Genossen des anrüchtigen Ge=werbes oder dem Inhaber des mißachteten Dienstes persönlich, sondern auch seiner Frau und Nachkommenschaft anklebe, ver=mehrte ungemein die Zahl dieser Art unehrlicher Leute im heili=gen Römischen Reiche Deutscher Nation. Mit wachsender Cultur der neueren Zeiten milderte sich der strenge Ehrbegriff der alten Germanen mehr und mehr; es kamen humane Reichsgesetze hinzu, welche die bemakelten Gewerbe und Dienste ihrer Unehr=lichkeit entbanden, und diese lediglich auf das Henkerthum, cor=recter gesprochen: auf die mit demselben verbundene Abdeckerei, beschränkten, dergestalt, daß endlich nur noch im unweisen oder schalkhaften Volksmunde die traditionelle Unehrlichkeit einiger Gewerbe und Erwerbsbeschäftigungen fortlebt.

Die nachfolgenden Blätter überlassen nun die moralisch unehrlichen Leute ihrem Gewissen, wie dem dies- und jenseitigen Richterstuhle, — übergehen auch gänzlich die ferner genannten, durch Geburt, Nationalität oder Confession verrufen gewesenen, jetzt rücksichtsvoll emancipirten Mitmenschen, — und beschäftigen sich einzig mit der gewerblichen oder dienstlichen und oftmals sehr spießbürgerlichen Unehrlichkeit.

Ihre ersten Spuren finden wir schon bei den alten Deutschen, so weit deren einfaches Gemeinwesen eine Veranlassung dazu bot. Sie hing nämlich wesentlich mit der durch Waffenrecht und Waffenpflicht bedingten Standeseintheilung zusammen. Wer weder berechtigt, noch verpflichtet war, im Heer- oder Bürgerbann zu fechten, der gehörte auch zu keinem der anerkannten Stände, der war standeslos; und weil es außer der Waffenehre keine andere bürgerliche Ehre gab, so war er auch keiner Ehre theilhaftig, mithin, nach älterem Sprachgebrauch, unehrlich. Vom Standpunkte dieser Anschauung aus läßt es sich nicht verkennen, daß viel Schönes und Edles darin liegt, wenn jene Schwert- und Schildgenossen sagten: „Alle, die mit uns das Vaterland nicht vertheidigen können oder mögen, item, die wir für unwürdig achten unsrer Wehrpflicht und Waffenbrüderschaft, die gehören nicht zu uns, die können unserer Waffenehren nicht genießen." Die moralische Redlichkeit, sofern sie deren besaßen, blieb den Standeslosen unverkümmert, nur vom Genuß der Standes- und Ehrenrechte, welche den tapfern Angehörigen der sieben Heerschilde, kraft ihrer Kriegsbereitschaft und Hingebung für's Vaterland zu Theil wurde, mußten sie consequenterweise ausgeschlossen bleiben. „Das ist nun einmal so," sagen die frömmsten Nordamerikaner, wenn sie einen in ihre religiösen Conventikel eingedrungenen heilsbegierigen Neger zur Thür hinauswerfen. Das war nun einmal so bei den alten Deutschen, und die von ihnen hinausgeschobenen Ungeehrten, ja selbst die auf noch mißachteterer Stufe stehenden Leibeignen waren unendlich viel besser daran, als Uncle Tom's schwarz= und dunkelfarbige Sippschaft. Die Betheiligten wußten's und kannten's nicht anders, fügten sich, und trugen ihr Geschick (wie Justus Möser meint) mit demselben Gleichmuth, mit welcher die Genossen des 7. oder letzten Heerschildes sich darein fanden, daß sie nun einmal schicksalsmäßig nur gemeine Bannalisten waren und weniger Ehre genossen , als die zum 6. Schilde Gehörigen u. s. f. Und mit demselben Gleichmuth betrachten heut zu Tage schlichte, rechtschaffene Steuerpflichtige die glänzenden Ehrenvorzüge ihrer hochbewürdeten Mitmenschen, z. B. derjenigen, welche eines constitutionellen Staates höchste Staffel erklommen haben, nämlich einen Parlaments=, Landtags= oder Bürgerschafts=Sitz. Mit demselben Gleichmuth sieht der unbesteuerbare Proletarier dem ihm kaum verständlichen Drama eines Wahlkampfes zu, und weiß es nur nicht, daß er, der nicht einmal der ehrenvollen Betheiligung bei den Urwahlen theilhaftig sein darf, dem standeslosen Ungeehrten der Vorzeit völlig gleich gestellt ist. Und mit einem noch viel edleren Gleichmuth wendet der besitzlose, dunkle Ehrenmann sich ab von den Huldigungen, welche die verblendete Menge fort und fort dem ersten Heerschilde der modernen Welt, dem goldenen Kalbe, freiwillig tributirt, in dessen Augen er noch viel weniger ist, als ein gemeiner Bannalist, nämlich ein armer Teufel! Das Alles ist nun einmal so, das ist immer so gewesen, das wird auch, so lange die Erde steht, wenn auch in andern Ausdrucksformen, immer so bleiben.

Zu solchen standeslosen, ungeehrten Leuten der ältesten

Vorzeit gehörten beispielsweise, sofern sie nicht schon als unfreie Hörige in noch schlimmerer Lage waren, die Hirten, die Schäfer und die Müller; durch ihren zwar sehr idyllischen, aber wenig Erhebung darbietenden Beruf, welcher sie in Kriegs= wie Frie= denszeiten an die heimathliche Scholle fesselte, waren sie absolut verhindert, ins Waffenfeld zu ziehen. Sodann aber die unter den Begriff der fahrenden Leute fallenden Kämpfer, Gaukler und Spielleute aller Art, deren Standeslosigkeit sich von selbst ergiebt aus ihrer unsoliden, heimathlosen Lebensart. War der Ehrenmangel bei den Hirten und Müllern nur factisch, so war derselbe bei den Gauklern schon grundsätzlicher Natur, denn außer der Heimathlosigkeit war bei ihnen der Umstand, daß sie für Geld und Gut ihre Künste trieben, der Hauptgrund ihres Ehren= mangels.

Das waren die ersten Anfänge der Unehrlichkeit, von welcher hier die Rede ist. Sie wurde systematisch ausgebaut sowohl durch die in den allmählig heranwachsenden Städten zur Blüthe kommenden Zünfte, als auch durch das nach Deutschland ver= pflanzte Römische Recht.

Die Zünfte, über welche man jetzt den Stab bricht, ohne zu beachten, welche gültige Berechtigung ihnen innegewohnt hat, und welch einen Einfluß sie auf die Entwickelung des Kunst= und Gewerbefleißes, ja auf die frische Entfaltung des freien deutschen Bürgerthums geübt haben, — die Zünfte nährten einen anerkennungswerthen Geist der Ehrbarkeit und Ehren= haftigkeit. Wer kann es einer ursprünglich auch zu gottesdienst= lichen Zwecken verbrüderten Corporation makelloser Standes= genossen verargen, wenn sie nur solche Elemente in sich aufneh= men wollte, welche nach herrschender Anschauung ebenfalls im Vollbesitz bürgerlicher Ehre waren? Daß die wackern Zunft=

genoſſen nun des Guten zu viel thaten, daß ſie viel Ehren=
werthes wegen äußerer Zufälligkeiten ausſchloſſen, daß ſie in
einſeitiger Verkennung des Kerns der Sache zu viel Gewicht auf
die Schale legten, und allmählig ein eigenes Lehrgebäude von
ehrlichen und unehrlichen Handwerkern aufſtellten und eigenſinnig
verfochten, das ſoll nicht ungeſagt bleiben.

Unterſtützt wurden ſie in dieſem Beſtreben durch den Ein=
fluß des Römiſchen Rechts, welches das bis dahin in Deutſch=
land unbekannte Inſtitut des Scharfrichterdienſtes mit allen
ſeinen Conſequenzen hieher verpflanzt hatte. War bis dahin das
Vollſtrecken einer geſetzlichen Leib= und Lebensſtrafe irgend einem
Gerichtsverwandten oder ſonſt einem achtbaren Gaugenoſſen ohne
den geringſten Abbruch ſeiner Ehre aufgetragen geweſen (wie
wir unten genauer erfahren werden), ſo fiel es nun, wie in Rom,
als gewerbmäßige Handtierung und knechtiſcher Dienſt, leib=
eigenen Leuten, begnadigten Verbrechern und deren unehrlichen
Descendenten anheim, und wurde in durchgängiger Verbindung
mit dem ſchimpflich geachteten Abdeckerdienſt, durch eine Art
römiſcher Infamie des Carnifex gebrandmarkt. Folgerichtig waren
von derſelben auch des Henkers Leute mitbetroffen, und dem
ſchlecht diſtinguirenden Volksgeiſte lag es nahe, nun auch ver=
ſchiedene mit der Nachrichterei connectirende Staats= und Ge=
meinde=Dienſte, z. B. die der Amtsbüttel, Gerichtsdiener, Ge=
fängnißwärter, ebenfalls in den Kreis der Unehrlichkeit zu ziehen,
wodurch denn die Zünfte Urſache fanden, den Index der bei
ihnen verrufenen Gewerbe anſehnlich zu erweitern. Gegen Ende
des 16. und im Laufe des 17. Jahrhunderts kam das Unehr=
lichkeitsweſen zu einer ſo üppig gefährlichen Blüthe, daß, wie
oben gedacht, die Reichsgeſetzgebung dagegen einſchritt, aber erſt
ihren oft wiederholten Mandaten, im Verein mit der fortſchrei=
tenden, bekanntlich ſelbſt bis auf den Teufel ſich erſtreckenden

Cultur, gelang der günstige Erfolg, dessen unsere vorurtheils=
freieren Tage sich erfreuen.

Allerdings handelt es sich bei diesen Dingen hauptsächlich
um die äußerliche Ehre, welche nur die Flügeldecke der innern
wahren Ehre ist. Aber auch jene ist eine Macht im Menschen=
verkehr und verdient Beachtung, weil ein Kern, eine Gesinnung
darunter verborgen ist. Bei tieferem Eingehen in die vorliegende
Sache werden wir leicht gewahren, daß es derselben an solch
einem innern edeln Kern nicht gefehlt hat, da in den meisten
Fällen dem Ehrenmangel eine durch herrschende Anschauung be=
dingte Annahme vorhandener Unmoralität, mindestens ein Daran=
grenzen, zum Grunde lag. In vielen Fällen hat die Volks=
meinung als Judicium Parium den Ehrenmakel ausgesprochen
über solche vom Gesetze unverbietbaren Handlungsweisen, ja selbst
über nothwendige Dienststellungen, deren Ausübung entweder
die gute Sitte mißbilligt, oder welche ein wahrhaft anständiger
Mann mit seinem Ehrgefühl nicht zu vereinigen weiß. Das
innere Wesen der Sache existirt noch heute, nur daß wir die
praktischen Folgen der Vorzeit nicht mehr daran knüpfen.

Man denke sich nun auch die mit dem Ehrenmangel der
Gewerbe verbundenen Nachtheile nicht zu schreckhaft und grau=
sam. Die ursprünglich einigen derselben anklebende Rechtlosigkeit
war im späteren Mittelalter spurlos verschwunden. Der allge=
meinen Menschenrechte, so viel deren damals entdeckt waren,
entbehrte kein unehrlicher Gewerbsmann; sein Eid galt im Ge=
richt, und bis die Obrigkeit seine moralische Unehrlichkeit erkannte,
war er ihr so werth wie jeder andere Staatsbürger. Die Nachtheile
waren, abgesehen von dem versagten Eintritt in andere, nämlich
in ehrlichgeachtete Gilden, von geringeren Stufen mitbürgerlicher
Hochachtung und der daraus resultirenden stillschweigenden Un=
wählbarkeit zu den Ehrenämtern der Gemeinde, meist gesellschaft=

licher Natur. Es waren Schwierigkeiten und Hindernisse des Unehrlichen bei der Wahl seiner Hausfrau, bei seinen Bemü=hungen um ansehnliche Gevatterschaften, um gute Kirchenplätze, und um ein stattliches Leichengefolge für den Fall seines derein=stigen Abtretens vom irdischen Schauplatze. Justus Möser, dessen freisinnige Denkungsart Niemand bezweifelt, äußert in seinen patriotischen Phantasien (Bd. I. S. 367 und II. 159. 160) wiederholt seine Bedenken über die alle gewerblichen Ehrenunter=schiede aufhebenden Reichsgesetze, und meint, daß jene, zweckmäßig von ihren Auswüchsen befreit, für die Ehrenhaftigkeit der löb=lichen Zünfte wie des ganzen Mittelstandes, also für den Kern des Deutschen Bürgerthums, nur förderlich sein könnten. Auch Herrn von Heß (in seiner Hamburger Topographie Bd. III. S. 376) erscheinen die auf Kosten der Handwerkerehre übertriebenen Humanitätsrücksichten für die sogenannten Unehrlichen eher zu tadeln, als zu loben, da das lebendige, eifrige Point d'honneur der Zünfte keineswegs als blindes Vorurtheil beseitigt werden dürfe. — Den Gedanken aber, das ganze Zunftwesen wegzu=rasiren und eine sogenannte Gewerbefreiheit ohne Bürgerthum an die Stelle zu setzen, hätte von Heß wie Justus Möser sicher=lich auf das Aeußerste bekämpft.

Die nachfolgenden Mittheilungen können nun keineswegs auf das Verdienst einer erschöpfend gründlichen Behandlung des Gegenstandes Anspruch machen. Es sind die mehr oder minder ergiebig ausgefallenen Resultate gelegentlicher Studien, zu welchen die archivalische Beschäftigung des Verfassers Anlaß gegeben, aber keine ähnliche frühere Bearbeitung einigen Vorschub ge=leistet hat. Um so größer ist die Zahl der bei gegenwärtiger Zusammenstellung benutzten sachverwandten Werke aus älterer

unb neuerer Zeit, mit beren vollftänbiger Anführung ber Ver=
faffer feine Lefer, verfchonen zu bürfen geglaubt hat.

Bei ber Darftellung ließ fich bie fyftematifche Unterfchei=
bung ber unehrlichen Leute nach Gewerben. unb Dien=
ften nicht burchführen, ba bie älteften Erfcheinungen biefer
Art jebenfalls voranzuftellen waren. Die höchfte Staffel ber
Unehrlichkeit im ehrlichen Deutfchlanb, bie bes Scharfrichters,
erforberte fachgemäß bie umfangreichfte Behanblung.

Es lag nahe, in einem zweiten Abfchnitte auch bie mit ber
fcharfrichterlichen Stellung zufammenhängenben unehrlichen
Dinge barzuftellen, burch beren Berührung fich, nach bem Volks=
glauben, bie Schmach fortpflanzte, welchen Dingen fich bann
eine Betrachtung über bas unehrliche Begräbniß anreihen konnte.

Um enblich, nach fo manchen peinlichen Mittheilungen,
bas Ganze mit einem wohlthuenben Gegenftanbe fchließen zu
laffen, ift bann ber letzte Abfchnitt vom Ehrlichfprechen
hinzu gekommen.

Erster Abschnitt.

Von unehrlichen Leuten.

Erstes Capitel.

Von Hirten, Schäfern und Müllern.

Der Ehrenmangel dieser poetischen, malerischen Gestalten
der freien Natur will uns Stadt- und Büchermenschen anfangs
gar nicht zu Sinn. Bei ihrer Nennung denken wir unwillkürlich an die patriarchalischen Zustände der Erzväterzeit, an die
Hirten auf dem Felde bei Bethlehem; oder an Arkadiens
Damon und Phyllis, die sanften, liebevollen Hüter der Unschulds-
symbole, schneeflockiger Lämmlein mit blauen Halsbändern; oder,
wenn unsere Phantasie nicht soweit zurückfliegt, an die präch-
tigen Sennbuben des Alpenlandes, wie die Maler sie darstellen, — an die weißen wohlhabenden Besitzer romantischer
Gebirgsmühlen am brausenden Gießbach.

Dennoch achtete die deutsche Vorzeit diese Leute für unehrlich, zunächst, wie oben erwähnt, wegen ihrer durchweg
unkriegerischen Standeslosigkeit, welche vielleicht bei den meisten
mit ihrer angeborenen Unfreiheit zusammenfiel. Als die sieben
Heerschilde längst vergessen waren, da blieb doch den inzwischen
aufgeblühten Zünften der alte Makel dieser Leute so wohl im
Gedächtniß, daß sie ihnen und ihren Söhnen den Eintritt in
ihre ehrbaren Corporationen versagten. Manche unangenehme
Erfahrungen, welche eine häufige Verirrung jener idyllischen
Personen vom Pfade moralischer Redlichkeit darthaten, mögen
dazu beigetragen haben.

So mag denn die allzubequeme Gelegenheit manchen
reinlichen Müller verlockt haben zu unsauberer Aneignung
ungebührlicher Antheile des ihm anvertrauten Getraides, welch
uraltes immer neues Vergreifen man „Moltern" nennt. Genug
die Müller kamen schon sehr früh in den Geruch, daß sie

ärndteten, wo sie nicht gesäet, und zu Karls des Großen Zeit
stand es um ihre Reputation so übel, daß ihre Söhne von
allen geistlichen Aemtern und Würden ausgeschlossen waren.
Auch in den folgenden Jahrhunderten dauerten die Bauernklagen
über das Müllermoltern fort, was natürlich nicht geeignet war, die
alten bösen Erinnerungen zu verwischen, und in den Städten
nöthigten die gleichen Unrechtfertigkeiten zu besondern Sicher=
heitsmaaßregeln, die sich z. B. in Ulm bis auf die Schweine
erstreckten, deren nur drei zu mästen den Müllern verstattet war.
Vielfach floh man auch alle einsam gelegenen Mühlengewese,
weil haarsträubende Sagen von alldort vorgefallenen grausamen
Raub= und Mordthaten im Schwange gingen, und neben an=
muthigen Engelsmühlen gab's auch genug Schwarz=, Duster=
und Teufelsmühlen. Kein Wunder, wenn manche Landesherr=
schaft, bei Vertheilung der Justizlasten, den Müllern die Lie=
ferung aller benöthigten Galgenleitern auflub, durch welche
Angrenzung an den mit höchster Unehrlichkeit belasteten Henker=
dienst, natürlich ein neuer dunkler Schlagschatten auf das helle
Müllergewand fiel. Und wenn nun auch schon die Reichs=
polizeiordnungen von 1548 und 1577 die Müller sammt anderen
verkannten Ehrenmännern von aller Bemakelung vollständig frei=
sprachen, so wurden sie derselben im Volksmunde doch nicht ent=
bunden, so lange man ihnen nicht die fatale Galgenleiter ab=
nahm, welche nun erst recht, nämlich kraft uralten Herkommens,
ihnen verblieb.

Dies Alles gilt, streng genommen, nur für die poetischen
Wassermüller, da die prosaischen Windmühlen erst neueren Da=
tums sind, weshalb ihre von jener Verpflichtung unbetroffenen
Besitzer die volle Ehrlichkeit hätten beanspruchen können, wenn
nur das Moltern nicht gewesen wäre.

In Hamburg, wo es vormals viele Wassermühlen gab,
erfreuten sich die Müller einer sehr achtbaren Stellung. Sie
bildeten ursprünglich zwei fromme Corporationen, die St. Mar=
tinsbrüderschaft und die Brüderschaft zum heil. Kreuz. Erstere
hielt seit 1456 ihren Gottesdienst in der Martinskapelle der
St. Petrikirche, an dem von ihr datirten sogenannten Müller=

Altar; sie hatte in diesem Tempel auch ihre eigenen Kirchensitze
für Meister und Knappen, mitten unter den Gestühlen der ehr=
barsten Aemter, und ein stattliches Erbbegräbniß erworben.
Letztere war in ähnlicher Weise in der St. Marien=Magdalenen=
Klosterkirche angesessen. Beide bildeten zusammen eine anerkannte
Zunft, das Mülleramt, welches sich nicht nur „löblich", sondern
auch „ehrbar" schreiben durfte, waren mithin schon vor den oben=
gedachten Reichsgesetzen durchaus ehrlichen Rufes, wie sie denn
auch mit der Galgenleiter nicht behaftet waren. Den letzten
Rest des alterthümlichen Makels ihres Gewerbes hatten sie längst
durch ihre Wohlthätigkeit ausgelöscht. Sie hatten es nämlich
bis auf die neuere Zeit im guten Brauch, allwöchentlich in den
Gestühlen ihrer Kirchen reichliche Geld=, Brod= und Butterspen=
den an die Armuth auszutheilen. Die Martinsbrüder zu St.
Petri besaßen daselbst schöne Epitaphien und Gemälde. Und
das noch jetzt dort zu beschauende Bild Bendixens, darstellend
die Schreckensnacht am 24. December 1813, als die Franzö=
sische Gewaltherrschaft die brodlosen Armen hier einsperrte, um
sie am nächsten Tage zur Stadt hinaus ins Elend zu stoßen,
ist von der Martinsbrüderschaft des Mülleramtes der Kirche
verehrt.

Auch den Hirten und Schäfern redete man früher viel
Uebles nach. Das Sprichwort sagt grob: „Schäfer und Schin=
der — Geschwisterkinder," und zielt damit vermuthlich auf den
Gebrauch der ersteren, ihren verlebten Schäflein eigenhändig
diejenigen letzten Liebesdienste zu erweisen, welche man sonst
durch den Abdecker verrichten läßt; und freilich ist's nach der
Volksansicht ein unehrlich Thun, diesem verrufenen Mann in
sein verächtlich Gewerb zu greifen. Außerdem mag ihrem Be=
rufe die Verführung zur Aneignung des ihrer Hut anvertrauten
fremden Eigenthums so nahe liegen, daß die moralische Redlich=
keit vieler Hirten und Schäfer reichlich zweifelhaft sein soll. Und
leider war's in der grauen Urzeit der biblischen Patriarchen hier=
mit nicht besser bestellt. Das böse Beispiel des sonst so treff=
lichen Erzvaters Jacob, welcher in früher Jugend einmal in
Betreff der Labanschen Heerde solcher Anfechtung in räthselhafter

Weiſe unterlag (1. Moſ. 30), kann als erſtes Zeugniß gelten und hat gewiß viele Nachahmer gefunden.

Es kommt hinzu das eigenthümliche ſchweigſame Weſen und Treiben der meiſten dieſer einſamen Nomaden. Dem verborge= nen Schaffen und Wirken der Mutter Natur allzunahe, um ihr nicht einige als Heilmittel oder Weiſſagung verwerthete Geheim= niſſe abzulauſchen, haben ſie von jeher bis heutigen Tages in dem bedenklichen Ruf als „kluge, weiſe Leute", d. h. als Zau= berer und Hexenmeiſter geſtanden, — wegen ihrer unfehlbaren Sympathien und Prophetengabe von Vielen geſucht, befragt, be= ſchenkt, aber von Allen aufrichtig geſcheut und ſorgſam gemieden. Wie viele Hexen haben in ihren Verhören auf Hirten und Schä= fer, als ihre Lehrmeiſter, ausgeſagt. Abelke Bleken, die im Jahre 1583 in Hamburg verbrannte Hexe, hatte von Peter Went, dem Schäfer zu Ochſenwärder, ihre Künſte erlernt, wie von dem alten Hirten Rolf Moller, der bereits auf ſeinen Zauberglauben geſtorben war. Und wenn auch nur Wenige ſich gradezu dem Teufel verſchreiben, ſo mögen's doch Manche mit dem Schäfer Hans halten, welcher die Frage ſeines Paſtors, ob er dem Teufel abſage, mit einem wohlüberlegten feierlichen Nein beantwortete. Den Grund, weshalb er Bedenken trug, ſich als deſſen Feind zu erklären, gab er dahin an: „Ihr wiſſet wohl, Herr Paſtor, daß ich ein armer Schäfer bin, und muß Tag und Nacht im Felde liegen. Nun aber iſt der Teufel ein Schelm, der könnt mir gar leicht einmal einen argen Poſſen thun." So erzählt Dr. Bal= thaſar Schuppius, der berühmte Theolog, in ſeinem Tractätlein Salomo, 1657. —

In der That, es liegt ſogar in der Atmoſphäre manches ſilberhaarigen Viehhüters der Gegenwart etwas Unheimliches, und im Volk ſteht ein ſolcher nach wie vor in dem Geruch, daß ſein Wiſſen und Können nicht immer mit rechten Dingen zugeht. In einer waldigen Hügelgegend der Stift=Bremiſchen Haide vor etlichen Jahren vollſtändig verirrt, war die maleriſche Erſchei= nung eines alten Schäfers auf der Höhe eines Hünengrabes, gelehnt an den Stab, den klugen Spitz zur Seite und die Heerde

zu seinen Füßen, weniger dem Fuhrmann, als vielmehr dessen
Passagier höchst erfreulich. Wunderlich genug war dem Alten
die ganze Irrfahrt bis hieher genau bekannt. Mit durchbringen=
dem Seherblick seiner klaren Augen und mit einem fast moquan=
ten Lächeln seines intelligenten Gesichts (vielleicht über die son=
derbare Schwärmerei einer Lustfahrt in diesen Haiden) wies er
die Reisenden zurecht, welche dann nach mehr als einstündiger
Fahrt genau wiederum zu demselben Hünengrab kamen, auf
welchem der identische Alte in unveränderter Stellung nach wie
vor seine Heerde weidete. Der Fuhrmann, ein rothröckiger Po=
stillon aus der aufgeklärten Stadt Buxtehude, war Anfangs wie
versteinert, dann murmelte er leise einige grimmige Worte in
den Bart, die wie „verdammter Hexenmeister" klangen, wollte
auch nicht vom Wagen, um den Alten von Neuem zu consul=
tiren. Dieser sagte ihm nun so genau, als wenn er dabei ge=
wesen, an welcher Stelle er vor einer halben Stunde fehlgefahren
sei, und nach Anleitung einer neuen Belehrung, welche der Po=
stillon nur zwangsweise befolgte, kamen die Reisenden endlich
zum Ziel. Er blieb dabei, der alte Schäfer habe ihn verzaubert,
daß er den unverfehlbaren Weg nicht gesehen, und betheuerte,
er werde in seinem Leben solch einen unehrlichen Schäferkerl
nicht wieder als Wegweiser benutzen. Der Tourist hatte bei dem
entschiedenen Seherblick des Alten Anfangs vermuthet, in dem=
selben die Person des „alten Schäfers Thomas" entdeckt zu
haben, dessen Prophezeiungen Jahr für Jahr in allen Zeitungs=
läden und Buchhandlungen gedruckt zu finden sind, — indessen
für solche Culturstufe literarischer Speculation war jener allzu
naturwüchsig.

Hirten und Schäfer sind ebenfalls schon durch die erwähn=
ten Reichsgesetze von 1548 und 1577 ehrlich gesprochen, aber
mit so geringem Erfolg, daß es noch später vielfacher Erinne=
rungen und einer ausdrücklichen kaiserlichen Erklärung über ihre
vollkommene Zulässigkeit zu allen ehrlichen Zünften und Gilden
bedurfte, was in dem Patent über abzustellende Handwerksmiß=
bräuche vom Jahre 1731 wiederholt ist. Etwas früher, im
Jahre 1699, hatte Kaiser Leopold sich auch der früher über=

sehenen sogenannten Schweineschneider erbarmt, und sie milbiglich
für ehrliche Leute erklärt.

In großen städtischen Gemeinwesen kommen Hirten und
Schäfer nicht häufig und gewöhnlich nur etwa in Diensten spe=
culativer Schlachtermeister vor, welche ihren lebendigen Vorrath
weiden lassen, bis er reif ist zur Schlachtbank. Aus Hamburgs
Culturgeschichte ist daher wenig beizubringen. Indessen gab's
hier doch im Jahre 1723 einen Fall, welcher bewies, daß die
alte Vorstellung vom unehrlichen Schäfer noch hie und da spukte.
Damals pflegte nämlich in der mit Haidekraut bewachsenen Um=
gegend der einsamen Sternschanze ein baumlanger Schäfer, fast
so groß wie „Letwerenz sein Sohn", eine Heerde Schafe und
Hammel zu weiden. Als er eines Morgens daselbst seines Be=
rufes pflegt, wird er von Preußischen Werbeofficieren, unter
Anführung des königlichen Residenten Peter Evens, überfallen,
bewältigt, in eine vierspännige Kalesche geworfen und über
Eppendorf und Wandsbeck in das Holsteinische Dorf Trittau
entführt, wo wegen Pferdemangel ein langer Aufenthalt entsteht.
Der lange Schäfer, welchem das Glück, in der Potsdamer Riesen=
garde zu dienen, entschieden weniger lockend erschien, als sein
idyllisches Stilleben bei der Sternschanze, nahm hier seine Ge=
legenheit wahr, entsprang durch's Fenster, durchwatete bei Nacht
und Nebel den Bach und einige Sümpfe, und entkam glücklich
seinen Nachsetzern. Der Rath zu Hamburg, welcher die Entwäl=
tigung seines längsten Stadtkindes als Menschen= und Straßen=
raub characterisirte, unternahm sofort die erforderlichen Satis=
factionsschritte in Berlin. Inzwischen versuchten einige Freunde
des Residenten eine Beilegung des Handels zu ermitteln, und
fanden es unbegreiflich, wie man so viel Aufhebens um einen
armseligen Kerl mache, der sich hätte freuen müssen, durch den
ehrlichen Soldatenrock aus seiner miserabeln, unehrlichen Schäfer=
jacke zu kommen. Indessen blieben solche perfide Insinuationen
unbeachtet. König Friedrich Wilhelm I., bekanntlich sonst gegen
Vergehungen dieser Art sehr nachsichtig, fand sich in diesem Falle
um so mehr zur Strenge veranlaßt, als noch sonst allerlei gegen
Herrn Evens vorlag. Der Resident wurde also nicht nur

abberufen, sondern kam auch nach Spandau auf die Festung, —
und der lange Schäfer konnte fortan ungefährdet bei der Stern=
schanze seine Schafe hüten.

Manche arme Dorfgemeinde beobachtete vormals die naive
Oeconomie, den Hirtendienst mit der Schulhalterei zu verschmelzen.
Sommers hütete der Lehrer das liebe Vieh, und Winters erzog
der Viehhüter die liebe Jugend. Wurden im Herbste seine vier=
beinigen Zöglinge geschlachtet, so verfielen wieder die ungeschlach=
ten zweibeinigen seinem Bakel. Wenn es bei dieser Dienstcumu=
lation darauf angelegt war, den unehrlichen Viehhüter durchben
ehrlichen Schulmeister zu nobilitiren, so mag das Kunststück sel=
ten gelungen sein, denn gewöhnlich guckte aus dem treufleißigen
Pädagogen mit großer Entschiedenheit der göttliche Sauhirt her=
vor. — Wäre nur Jeder derselben so erfunden, wie der Prä=
ceptor in einem holsteinischen Dorfe vor hundert Jahren. An=
fangs konnten die Schul=Visitatoren gar nicht die eigentlichen
Lehrfächer entdecken. Rechnen? Diese schwierige Kunst verstehen
zu sollen, war dem wackern Lehrer schier befremdend. Schrei=
ben? „Eine feine Sache, seinen Namen schreiben können, ja,
wer das verstände!" Nun, dann doch Lesen? „Winters plagen
wir uns mit dem großen A=B=C, aber bevor wir's fertig krie=
gen, müssen die Kühe und Schweine wieder auf's Feld, und
Sommers verschwitzen wir's." Aber was treibt ihr denn? „Be=
ten und Singen." Und als nun ein halbhundert frische Kinder=
stimmen, das Vaterunser mit Morgen= und Abendsegen unisono
rythmisch herbeteten, und sodann den schönen alten Choral „Komm
heil'ger Geist" absangen, und alles höchst erbaulich und völlig
sonder Taktirstock ausgeführt wurde, da sagte der oberste Con=
sistorialrath gerührt: „Treib's nur so fort, du e h r l i c h e r
treuer Hirte!

„Ego sum bonus pastor, — ich bin ein guter Hirte," —
durch diese Worte hat Christus dem Hirtenstande die höchste
Ehrenauszeichnung vor allen andern Ständen gegeben; darnach
bekennen sich auch die christlichen Geistlichen als Hirten und die
Bischöfe führen den Hirtenstab als Symbol ihres Amtes. Wer
kennt nicht Johannes Falck's schönen Hirtenreigen, welcher anhebt:

„Was kann schöner sein,
Was kann edler sein,
Als von Hirten abzustammen!"

Und mit des Liedes Ermahnung wollen wir dieses Capitel
schließen:

„Laßt uns jederzeit
Arme Hirtenleut'
Halten werth und sehr in Ehren!"

Zweites Capitel.

Von Spielleuten aller Art.

Nicht nur von den Wildlingen der Tonkunst, den fahren=
den Musikanten und Bänkelsängern, sondern von Allen denen
ist die Rede, welche „um schnöden Lohn mit des Lebens tiefen
Ernst ein possenhaft Spiel treiben", also auch von Comödian=
ten und von Gauklern aller Art, und von den in der Deutschen
Urzeit vorzüglich gemeinten Kämpfern und Fechtern, den vagi=
renden Darstellern blutiger Kampfspiele. Die ursprüngliche Un=
ehrlichkeit dieser Personen ergab sich aus ihrer Standeslosigkeit,
welche in ihrem heimathlosen Mangel fester Wohnsitze begründet
war. Um sich ihre Subsistenz zu ersingen, zu erspielen, zu
erkämpfen, mußten sie umher wandern; nirgendwo seßhaft, konn=
ten sie keiner bestimmten Genossenschaft angehören, sie paßten
nirgendwo hinein, und mußten also braußen bleiben. Ihr hier=
aus folgender Ehrenmangel wurde aber noch ansehnlich gemehrt
durch die Mißachtung ihres Gewerbes. Denn, während selbst
die vagirenden unter den Musik= und Bühnenvirtuosen der rosi=
gen Gegenwart den höchsten Grad allseitiger Verehrung für sich
in Anspruch zu nehmen gewohnt sind, wurden ihre Vorweser
im grauen Alterthum äußerst gering geschätzt, und zwar keines=

wegs aus barbarischer Verneinung des Werthes der Kunst. So
hoch man nämlich den Kämpfer stellte, der freiwillig Gut, Blut
und Leben für's Vaterland in die Schanze schlug, der, folgend
der Ehre weißem Panier, in den Schranken des Tourniers um
die Siegeskrone stritt, eben so niedrig stellte man den Mann,
der lediglich für Geld und Lohn zu Anderer Kurzweil blutige
Kampfspiele aufführte, und dergestalt des edlen Kampfes höchste
Ziele: Vaterland und Ehre, travestirte. — Dichtkunst, Gesang
und Saitenspiel waren schon zur Bardenzeit Hermans des Che=
ruskers im allerhöchsten Ansehen. Einem freien Longobardischen
Sänger (der sicher kein „Spielmann" gewesen) gab Karl der
Große so viel Land und Leute zu Eigen, als der Schall seines
Horns berühren würde; vom Berge herab blies er, und so
mächtig, daß man es weit und breit hörte, und er sich eine
schöne Herrschaft zusammenblies. Auch die spätere Minnesänger=
Periode und ihr Nachhall, der Meistergesang, bestätigen es, wie
hingebend Poesie und Musik in Deutschlands Mittelalter gepflegt
wurde, wenn sie erschien als Uebung freien Herzensdranges, zur
Ehre Gottes, des Vaterlandes, seiner Helden und edlen Frauen.
Wer aber, nach damaliger Anschauung, diese schöne Gottesgabe
so herabwürdigen konnte, daß er Profession davon machte: durch
Singen und Saitenspielen für Geldgewinn zu Anderer Ergötzen
allezeit dienstbar aufzuwarten, den konnte man unmöglich achten.
In der hierin liegenden Entäußerung der eigenen innerlichen
Willensfreiheit erkannte man ein Aufgeben der Manneswürde,
ein „sich zu Eigen geben", das dem herrschenden Ehrbegriff
ebenso verächtlich erschien, als das Spielen mit dem Ernste, das
Darstellen unempfundener Gesinnungen und Affecte, um den
Preis von Geld und Geldeswerth. Man nannte sie und alle
ähnliche Kunstproducenten kurzweg „Spielleute", und ließ
es als Grundsatz gelten, daß unehrlich seien: „Spielleute
und Alle, die Gut für Ehre nehmen und sich für
Geld zu Eigen geben."

Man hat das Mittelalter oftmals die Flegeljahre des Men=
schengeschlechts genannt; correcter wär's, wenn man es mit der
Jünglingszeit vergleichen wollte. Obiger Grundsatz gemahnt in

der That an das etwas grüne, aber unendlich viel Schönes ent-
haltende, rasche Urtheil eines überbrausenden, edlen Jünglings-
gemüthes. Die wahrhaft hochherzige Gesinnung, welche sich
ausspricht in der unbedingten Unterordnung des Guts unter
Ehre, wie in der tiefen Verachtung der Entäußerung innerlicher
Freiheit und der Uebernahme geistiger Fremdbötigkeit, sie
erscheint bei ihrer ausnahmslosen Allgemeinheit ebenso jugendlich extrem als jugendlich idealisch schön, und — durch und
durch deutsch.

Diese Mißachtung der Spielleute war in der Vorzeit groß,
denn eine Art Rechtlosigkeit war mit der Ehrlosigkeit verbunden,
die sich, in Folge jenes Grundsatzes, sehr wesentlich unterschied
von derjenigen, welcher die obengenannten standeslosen, aber
nützlichen Hirten und Müller unterlagen. Eine Art Rechtlosigkeit war's, keine barbarische Grausamkeit, welche sich hauptsächlich bezog auf die Unfähigkeit zu gerichtlichen und andern
Ehrenämtern gewählt zu werden (von welchen ja schon die Heimathlosigkeit sie ausschloß), sowie auf weniger rücksichtsvolle pro-
cessualische Formen. Spielleute also konnten nicht als Schöffen
zu Gericht sitzen, nicht als Zeugen die volle Glaubwürdigkeit
beanspruchen, nicht durch einen bloßen Reinigungseid eine wider
sie erhobene Anklage entkräften. In Bezug auf Hab und Gut
wurde ihnen unparteilich Recht gemessen. Nur in Hinsicht auf
Injurien war ihr Recht, im wörtlichen Sinne, etwas schatten-
haft, aber consequenterweise genau ebenso wesenlos, als ihr
Anspruch auf Ehre. Die ganze Genugthuung nämlich, die einem
unverdient gekränkten Spielmann zu Theil werden konnte, bestand lediglich darin, daß man ihm den Schatten seines im
Sonnenschein gegen die Wand gestellten Beleidigers Preis gab.
Sothanem Schattenbilde durfte er dann einen Schlag an den
Hals geben, so derb wie er's mochte und vertragen konnte, wor-
auf das ihm zugefügte Unrecht gebüßt, der Schade gebessert war.
Dem beleidigten Lohnfechter bot man (aus Rücksicht auf sein
Gewerbe) „den Blick von einem blanken Kampfschilde gegen die
Sonnen", was wohl so zu verstehen ist, daß er an seines Wider-
sachers Spiegelbild in ähnlicher Weise Sühne nehmen durfte.

Stellen wir uns, wie billig, auf den Standpunkt der damaligen Anschauungen und Rechtsbegriffe, so erscheint uns diese, nach unsern Begriffen allerdings etwas kindliche Art der Sühne, ebenso consequent und scharfsinnig, als den Umständen angemessen. Wer Gut für Ehre nimmt, dem ist Ehre nur ein Schatten, darum mag er sich bei Kränkungen auch an den Schatten halten. Ein so fein geistiges Ding wie die Ehre, kann nur durch symbolische Worte und Handlungen mit mehr oder minder praktischen Folgen verletzt wie hergestellt werden. Und wenn man jetzt eine ausreichende Genugthuung findet im Degenkreuzen und Kugelwechsel (freilich auch für Viele ein Ueberrest der Symbolik mittelalterlicher Barbarei) oder im Ablesen einer gerichtlich formulirten Ehrenerklärung, allenfalls mit der praktischeren Beigabe einer Summe Geldes, — so begreift sich schwer, weshalb die sinnbildliche Handlung des Schattenschlagens, ohne contante Beigabe, sofern nur der Akt der Genugthuung gesetzlich darin anerkannt ist, eine so viel geringere Sühne sein sollte? Und deshalb darf man sich wohl erlauben, von des verehrten Jacob Grimms Ansicht abzuweichen, welcher nur eine Scheinbuße darin findet. Wären wirklich die Spielleute so rechtlos gewesen, daß Jeder sie ungeahndet beleidigen durfte, daß sie auf Genugthuung überhaupt gar keinen Anspruch gehabt hätten, so würde man auch nicht nöthig befunden haben, für sie diese Formen der Sühne gesetzlich auszusprechen.

Als die germanischen Rechtsbegriffe längst geläuterter waren und das römische Recht sich den alten Anschauungen hier klärend, dort verwirrend beigesellt hatte, da verharrten Spielleute und ihre Consorten doch noch lange in ihrer ungeehrten Weltstellung. Die aus Frankreich in die Deutschen Lande eingedrungenen Gaukler aller Art (unter welchen damals vorzüglich Affenführer eine Rolle spielten) wurden an vielen Orten mit Schimpf und Schande nach Hause gejagt, an anderen erst zu öffentlichen Arbeiten gezwungen, dann auch heimgeschickt. Durch ihr unermüdliches Wiederkommen errangen sie endlich die stille Duldung der Verachtung. Hier und da stellte man alle diese Vaganten unter ein verantwortliches Oberhaupt, genannt

Pfeifer-König, oder fahrender Leute König, welcher seine Banden
weniger in technischer Hinsicht zu dirigiren, als vielmehr sie po=
lizeilich zu überwachen hatte, was aber, vom heutigen Polizei=
standpunkt aus betrachtet, gewiß gleich Null war. Während sich
dann unter den heimischen Spielleuten allmählig ein Theil in
den Städten seßhaft machte, und ein andrer Theil durch Eintritt
in landesherrliche Hof= und Feldbienste sich Achtung zu erwerben
verstand, verblieben natürlich die vagirenden Genies aller Art
im Vollgenuß ihrer herkömmlichen Unehrehhaftigkeit. Eine der
ältesten Reichspolizei=Ordnungen verfügt: daß alle Schalksnarren,
Pfeifer, Spielleute, Landfahrer, Singer und Reimensprecher, eine
besondere, leicht erkennbare Kleidung tragen sollten, damit die
ehrlichen Leute sich desto leichter vor Schaden hüten und von
ihrer Gemeinschaft absondern könnten. Vielleicht läßt sich die
noch jetzt wahrnehmbare Vorliebe dieses leichten Völkchens für
bunte, phantastische Kleidung aus der Macht alter Gewohnheit
erklären.

Während dann spätere Reichsgesetze die Pfeifer und Trom=
peter, also die hauptsächlichen damaligen Tonkünstler, für ehrlich
erklären, reden sie noch mit unverstellter Verachtung über das
leichtfertige Volk „so sich auf Singen und Reimensprechen legt,
und darin den geistlichen wie den weltlichen Stand verächtlich
antastet, nämlich also, daß sie bei den Geistlichen Uebles singen
von denen Weltlichen, und bei den Weltlichen Aergerliches von
denen Geistlichen". Alle diese Sänger (mit gebührlicher Aus=
nahme „derer, so den Meistergesang singen") wurden als fahrende
Leute zu den Schalksnarren geworfen, und mit diesen nur dann
geduldet, wenn sie „der Fürsten und Herren Bestallungen auf=
weisen konnten." Das ernste Gesetz fügt hinzu: „item soll den
Weibspersonen hinführo das Springen verboten sein", —
welche auffallend strenge Zügelung zweifelsohne nicht von den
harmlosen Erhebungen jugendlichen Frohsinns, sondern von ge=
werbsmäßigen Ballet= und Seiltanz=Kunststücken zu verstehen
sein wird, welche man, der Würde edler Frauen ohnehin unan=
ständig, als unehrbare Schaustellungen auch den niederen Volks=
classen verbieten zu müssen glaubte.

Wenn nun auch längst aus den alten Spielleuten ein ge=
achteter und ehrenwerther Stand gebildeter und tüchtiger Musiker,
Schauspieler und anderer hierher gehöriger Künstler sich heraus=
gerungen hat, und wenn es auch längst keine gesetzliche Unehr=
lichkeit mehr giebt für die zurückbleibende Bande der Possenreißer,
Taschenspieler, Bänkelsänger und Gaukler aller Art, so können
dieselben, aus innern moralischen Gründen, doch nimmermehr
aus dem Bann jener Anrüchigkeit herauskommen, welche ihre
Vorweser einst traf, weil sie Gut für Ehre nahmen. Diesem
luftigen Volke kann zwar der Eintritt in ehrbare Gewerbe nicht
versagt werden, aber der Eintritt in die Familienverbindungen
des achtbaren Bürgerstandes wird ihm gewehrt bleiben, und ein
in der Natur der Sache liegender volksthümlicher Makel wird
nach wie vor dem Kleide der Unehre aller dieser Wild= und
Blendlinge der Künste aufgeheftet sein. Aber auch außer ihnen
ist der Spielleute Zahl noch immer Legion, am grünen Tisch,
wie anderswo. Manche edle Naturen reißt es fort, für eitlen
Glanz und trüglichen Schimmer mit dem Teufel ein Schach zu
spielen um die unsterbliche Seele; wie bald sind seine Officiere,
die Tugenden, genommen, der Thurm der Ehre gefallen! Für=
wahr, Gut für Ehre nehmen noch heut zu Tage unendlich viele
und oft sehr unkünstlerische Menschen, und dem Gott Mammon
geben sich für Geld und Papiervaluten tagtäglich ganze Schaaren
mit Vergnügen zu Erb und Eigen. Die alte gesetzliche Un=
ehrlichkeit ist aber bei den künstlerischen Spielleuten stehen ge=
blieben, und war aufgehoben, bevor es Börsenspielleute gab.

Nun etwas von einigen Arten der Spielleute.

Die schon früh zu geachteter Stellung gehobenen Trom=
peter und Paukenschläger, welche auch eine kaiserliche Ehr=
lichkeits=Erklärung für sich aufweisen konnten, bildeten bald durch
ganz Deutschland eine Art von Verbrüderung. Ihre festen Be=
stallungen, ihr Kriegsdienst bei der hochgeehrten Reiterei, ihr
Dienst an den landesherrlichen Höfen oder bei den Magistraten
der Reichsstädte gaben ihnen ein hervorragendes Ansehen, so
daß sie auf die Pfeifer und Spielleute des Fußvolks herabsahen
und den Thurmwärtern und Nachtwächtern keine Trompete, son=

dern nur das Horn gönnen wollten. Solche Feld- und Hof-
bestallungen nahmen sie für sich und für ihre ordnungsmäßig
ausgelernten Scholaren ausschließlich in Anspruch. Allerdings
waren sie bei der damaligen Kriegführung von Wichtigkeit. Zu
ihrem Dienst gehörte, abgesehen von fester Kenntniß und Ausführung der Signale, ein unerschrockener Sinn und tapferer
Muth, da sie die Angriffe der Reitergeschwader im Vordertreffen
begleiteten, und im blutigsten Schlachtgetümmel durch frische, herz-
erhebende Klänge die Kampfesfreudigkeit der Streiter erhielten,
die Flüchtigen zur Standarte zurück- und von Neuem auf die
Wahlstatt führten, und ausharrten, bis sie Victoria blasen konnten. In der Hitze des Gefechtes ließen sie des Rosses Zügel
fahren, und sprengten, in der linken Hand die Trompete, in der
rechten das Reiterschwert hebend, bald blasend, bald dreinschla-
gend in die dichtesten Reihen des Feindes. Darum erkennt auch
Kaiser Ferdinand II. in einem Privilegium von 1630 die mann-
haften Dienste, welche ihm und seinen Vorfahren am Regimente
die Feldtrompeter in schweren Kriegszeiten wider die Ungarn und
Türken, unter Hintansetzung von Gut, Blut und Leben, geleistet,
mit warmen Dankesworten an, und nennt ihren Beruf „eine
frei=ritterliche Kunst." Was wollten sie mehr?

Gedachten kaiserlichen Privilegii Ursprung ist dieser. Da
bereits im ersten Drittel des 30jährigen Krieges ihrer so Viele
auf dem Felde der Ehre geblieben waren, daß Mangel an ordnungsmäßig gelernten Leuten eingetreten, so hatten die Regimenter wohl oder übel allerlei fahrende Spielleute in ihre Bestallungen befördern müssen. Um diesem Nothstande und seinen
Folgen vorzubeugen, erwirkte nun eine Anzahl kaiserlicher und
kurfürstlicher Hof- und Feldtrompeter und Heerpauker (darunter
die guten Namen Marcus Armuth, Amos Kunst, George Luft
und Peter Paul Paustian) das gedachte Privileg, welches der
Kaiser, unter Beistimmung einiger Kurfürsten und anderer Reichs-
stände, den 24. October 1630 zu Regensburg erließ. Darin
wurde ihnen die allmählige Purification der Regimenter von
untüchtigen Subjecten und die Besetzung der Stellen mit Personen ihrer Corporation zugesagt, auch ihre Satzungen in Betreff

ihrer Lehrjungen und anderer zunftartiger Einrichtungen bestätigt. Makellos ehrliche Geburt von Eltern ehrlicher Herkunft und redlichen Wandels war Grundbedingung der Aufnahme für die Lehrlinge. Zu Gunsten dieser Trompeter= und Pauker=Zunft wurde den Thürmern das Trompetenblasen nur erlaubt auf ihren Thürmen, wie den Comödianten nur bei ihren Gaukel= spielen, keineswegs aber bei ehrlichen Hochzeiten, Kindtaufen und Gelagen, und der Kriegs= und Hofdienst blieb Thürmern wie blasenden Comödianten strenge verschlossen. Dagegen verwillküren sich alle ehrlichen Trompeter und Pauker, niemals mit Thür= mern, „Haustauben“ und Gauklern zusammen zu blasen, und erklären, „begebe sich ein ehrlicher Trompeter von der Kunst dennoch auf einen Thurm oder zu den Comödianten, so soll er der Kunst gänzlich beraubt sein.“

Eine kursächsische Verordnung vom 10. Juli 1650 bestätigt den letztgedachten Inhalt dieses Privilegs, weil auch in Sachsen der Mißbrauch eingerissen, daß erwähnte Unberechtigte (darunter auch wieder „Haustauben“ genannt werden) sich nicht mit dem begnügten, was ihnen gestattet, sondern bei allen Festen, Jahr= märkten, Kirmessen u. s. w. Posaunen bliesen, als ob es Trom= peten wären, und sich der Trompeten mit allerlei Ueppigkeit und Leichtfertigkeit bedienten, wodurch der ehrliche Trompetenschall zum höchsten gemißbraucht werde.“ Die Verordnung verbietet alle Contraventionen gegen den kaiserlichen Freibrief bei Strafe von 20 Mark löthigen Goldes. Was hier unter „Haustauben“ zu verstehen, ist nicht klar. Vielleicht nannte man die auf Zin= nen der festen Häuser (vulgo Schlösser) des Adels sitzenden Wächter oder Thurmwärter „Haustauben“, für welchen Ausdruck auch „Hausleute“ vorkommt. Weshalb die Thürmer unehrlich waren, werden wir später sehen.

Wie alle gewerblichen Corporationen die Neigung hatten, ihren Ursprung bis in's höchste Alterthum hinaufzuleiten, so erinnerten sich die Heerpauker gern an Mirjam die Prophetin, welche nach glücklicher Passirung des rothen Meers mit den vor= nehmsten Israelitinnen Gott zu Ehren mächtig die Pauken ge= rührt habe. Die Trompeter dagegen wiesen auf die nach Gottes

Befehl verfertigten silbernen Trompeten Mosis hin, und auf die mit denselben zu gebenden Signale, mit welchen Aarons Söhne, die Priester, betraut waren (4. Mos. 10). Ferner gedachten sie mit Stolz des berühmten Trompeter-Corps, welches die Mauern von Jericho um und um geblasen, sowie der Brüderschaft der 20 Priester-Trompeter bei Einweihung des Salomonischen Tempels; nicht minder belesen in der griechischen Geschichte zählen sie „den weltbekannten Trompeter Stentor" zu den Ihrigen, desgleichen den Collegen Achias, welcher bei den olympischen Spielen dreimal gekrönt und mit einem Standbild anerkannt worden. Uebrigens war der Erzengel Gabriel ihr Schutzpatron.

Sobald die Pfeifer in den Städten feste Wohnsitze erlangt hatten, um daselbst ihren musikliebenden Mitbürgern in Freud wie Leid ihre herzerhebenden Dienste zu widmen, thaten sie sich, nach herrschendem Corporationsgeiste, in geregelte Brüderschaften zusammen, welchen man bestimmte Vorrechte vor den fahrenden Spielleuten einräumte und sie schon dadurch von diesen unehrlichen Collegen aussonderte. Sie pfiffen und flöteten nicht allein, sondern sie exercirten auch alle übrigen damals bekannten musikalischen Instrumente, „nach ihrer Gelegenheit." Man nannte sie gewöhnlich (und noch bis Ende des letzten Jahrhunderts, s. Herrn Miller in Schillers Kabale und Liebe) „Kunstpfeifer." In den großen Reichsstädten erwählten sich die Magistrate aus ihnen häufig eine Art Hofkapelle, genannt Rathsmusikanten, welche sich besonderer Privilegien zu erfreuen hatten. Die Magistrate suchten eine besondere Ehre darin, ausgezeichnete Künstler für diese Stellen zu gewinnen, und schier räthselhaft ist es, wie die reiche und mächtige Stadt Bremen jemals in einen solchen Mißcredit hat kommen können, daß die Volkssatyre den Esel, den Hund, die Katze und den Hahn die Bremer Stadtmusikanten betitelt. Das Märchen (Nr. 27 in der Grimmschen Sammlung) führt sie freilich nicht als bestallte Kunstpfeifer gedachter Stadt auf. Aber es läuft doch auf dieselbe Persiflage der vormaligen Bremischen Musikzustände hinaus, wenn der alterschwache Mülleresel, bevor ihn sein Herr aus dem Futter schafft, heimlich sich aufmacht, um nach Bremen zu gehen und

dort Stadtmufikant zu werden. Auf weiterem Marfche nimmt
er noch drei andere abgelebte Hausthiere mit, die ebenfalls ihren
Herren entronnen find, um nicht todt gefchlagen zu werden, den
Jagdhund, der zu des Efels Lauteniren die Pauke fchlagen foll,
die Raße, die fich auf Nachtmufiken verfteht, und den Hahn,
der als Sänger Bedeutendes leiftet; „fo, fpricht der Efel, wir
gehen nach Bremen, wenn wir zufammen muficiren, fo muß es
eine Art haben." Zufällig ftoßen fie dann bei ihrer Weiterreife
auf eine wohlverproviantirte Räuberherberge, aus der fie mit
ihrer Mufik die Infaffen zum Tempel hinaus= und in die weite
Welt jagen; fie feßen fich in's warme Neft und find darin
fitzen geblieben, weil's ihnen dort fo wohl gefiel, daß fie gar
nicht mehr nach Bremen verlangten. ——

Daneben genoffen diejenigen Pfeifer, welche im Kriegsdienft
dem Fußvolk beigeordnet waren, aller verdienten Ehre des Krie=
gerftandes. Die Reichspolizei=Ordnungen von 1548 und 1577,
welche alle diefe Kunftpfeifer für ehrlich erklärten, haben ihre
großentheils bereits errungene geachtete Stellung in der bürger=
lichen Gefellfchaft eigentlich nur fanctionirt. Mit dem Aufblühen
der Kirchenmufik in den proteftantifchen Städten gelangten dann
auch die Organiften, Cantoren und Mufik=Directoren zu den
höchften Würden der Tonkünftlerfchaft.

In Ulm hatte man Stadtmufikanten feit graueftter Zeit;
fie theilten fich in gewöhnliche Pfeifer und Sackpfeifer. Lieblings=
inftrumente waren der Brummhart und die fchreiende Pfeiff;
alfo recht grob und fchrill mußte es klingen, wenn's fchön fein
follte. — Kaifer Sigismund ertheilte im Jahre 1434 der Stadt,
zum Dank für dort verlebte frohe Stunden, das Recht, auch
Drommeter und Pofauner halten zu dürfen, wofür der Rath
gewiß ehrerbietigft gedankt und zugleich verfchwiegen hat, daß er
fchon längft fo frei gewefen, fich diefer Künftler auch ohne kai=
ferliche Permiffion zu bedienen (f. Jäger, Ulm im Mittelalter).

Augsburg unterhielt zur Reformationszeit fechs Stadtpfeifer;
weshalb man fie nach dem weftphälifchen Frieden auf vier redu=
cirte, ift nicht bekannt; man fah übrigens damals weniger auf
die Zahl, als auf die Confeffion, denn nach der 1649 dort

durchgeführten Parität der Stadtdienste, wurden immer zwei katholische und zwei protestantische Stadtpfeifer angestellt.

In Halle gab's vor 1707 ihrer sechs, die nur Blasinstru=mente exercirten. Daneben stellte die Musenstadt noch eine Bande „Kunstgeiger" an, welche von nun an die Hochzeiten und Kindtaufen mit sanfterem Saitenspiel verherrlichten und sich später mit den blasenden Collegen vereinigten.

Zu Köln erschienen noch vor 50 Jahren bei feierlichen Processionen die Stadtpfeifer unter Direction des Stadttrom=peters Eisenmann in schönen kornblumenblauen Monturen mit weißen Vorstößen und Rabatten, auch mit dreikantigen Hüten, sowie „mit blauroth angelaufenen Gesichtern und immer dursten=den Kehlen", laut Berichts des Herrn Ernst Weyden in seinem lehrreichen Buche „Köln vor 50 Jahren."

Auch kleinere Städte und Landstädtchen wetteiferten nach Kräften mit den größeren. Bergedorf besaß schon 1630 einen privilegirten Stadtpfeifer, dessen Nachfolger 1677 zugleich Thurm=bläser war und sein Privileg auch auf die Vierlande auszudeh=nen vergebens trachtete. — Buxtehude's Stadtmusikant zählte, wie der Stadische, nach Jahrhunderten, und wenn vor 60 Jahren Herr Lauterbach mit seinen zwei Kunstpfeifergesellen den Schützen=zug melodisch begleitete, so wußte er's auch, daß er es war, der dem ganzen Feste diejenige taktvolle Würde verlieh, welche Buxtehude's Königsschießen von jeher auszeichnete. — Malchin in Mecklenburg hatte zu derselben Zeit mindestens einen, den Herrn Grützmacher, — und nur in dem benachbarten, jetzt plötz=lich berühmt gewordenen Stavenhagen, existirte in Fritz Reuters und Fritz Sahlmanns liebenswürdigen „Slüngeljahren" kein einziger Musikant!

Für Hamburg können wir den Ruhm einer musikliebenden Stadt unbezweifelt in Anspruch nehmen und durch Notizen aus den ältesten Kämmerei=Rechnungen beweisen, woselbst die abseiten des Raths an durchreisende Künstler freigebig gespendeten Ge=schenke verzeichnet sind. So z. B. gab man 1376 dem zur Hochzeit des Ritters Johann von Hummelsbüttel reisenden Pfeifer Johannes (vielleicht auch in Rücksicht auf diesen kriegerischen

Nachbar) eine ansehnliche Verehrung, welche auch den Stadt=
pfeifern von Lüneburg und Stade bei ihrer Fahrt zu den Gra=
fen in Oldenburg nicht vorenthalten wurde. 1386 beschenkte
man die Hofmusiker der Herzöge von Braunschweig und Lüne=
burg, und 1461 wurden auch die „Bremer Stadtmusikanten"
mit einer Spende bedacht.

Um 1350 gab's in Hamburg fest engagirte Raths= oder
Stadtmusikanten, Pfeifer und Geiger (fistulatores et figellatores
Dominorum Consulum oder Civitatis), unter welchen Meister
Wunder war, der 1381 mit neuer Kleidung versehen, aber schon
1385 für 24 Schillinge feierlich begraben wurde. Etwas später
finden wir eine Truppe von acht Musikern, darunter der blinde
Lautenspieler Hildebrand, und überhaupt mehrere „Lutenisten
und Citharisten" genannt werden.

In Hamburg ist allezeit die Musik hochgeehrt und bis auf
den heutigen Tag viel, sehr viel, fast allzuviel geübt worden,
Gott weiß es, und der im klaviervollen Etagenhause wohnende
Stubengelehrte weiß es auch! Daß nun in Hamburg, bei solcher
Anerkennung des Segens der Musik, ihre ächten, seßhaft gewor=
denen Jünger sollten für unehrlich gehalten sein, davon findet
man keine aktenmäßige Spur, vielmehr Merkzeichen des Gegen=
theils in Betreff solcher Spielleute, die des Bürgerrechts theil=
haftig geworden waren. Unehrlichen Standes konnte schon Jo=
hannes der Spielmann (tympanista) nicht gewesen sein, welchem
im Jahre 1283 ein Grundstück an der Alster im Stadterbe=
buche zugeschrieben stand, der also die Ehren und Rechte eines
erbgesessenen Bürgers in Anspruch zu nehmen befugt war, —
in gleicher Weise wie seine späteren Genossen, die wir im älteren
Bürgerbuche als „Spelman" und „Lautenist" verzeichnet finden.
Ehrlich geachtet werden also auch die in den Dienst der Stadt
getretenen und hier ansässigen Künstler gewesen sein, an deren
Spitze als Pfeiferkönig der Spielgraf oder Spelgreve das wich=
tige Departement der Hochzeitsmusik leitete, bis er sich in den
unmusikalischen, aber nahrhafteren Rathskuchenbäckerdienst verlor.
Schon im Jahre 1464 nahm Meister Hinrich der Kuchenbäcker
die neu engagirten Pfeifer in den Dienst der Stadt auf. Aber

auch den Nichtbürgern unter den Tonkünstlern, wenn sie nur tüchtige Musiker und sonst brave Leute waren, widmete man von Staatswegen Anerkennung genug. In einem paßartigen Document des Hamburger Raths vom Jahre 1538 wird einigen Spielleuten, nämlich dem Albert Fincke, Florian Kowall, Marten Buck und Felix Moller, „welcke uns eine tyblangk mit erem gespele der gigen gedenet“, nicht nur ihre ordnungsmäßige Beurlaubung, sondern auch, neben andern löblichen Qualitäten, ihre Aufrichtigkeit und Ehrlichkeit ausdrücklich bezeugt, weshalb der Rath ersucht, diesen guten Gesellen aller Orten eine freundliche Aufnahme, Gunst und Beförderung angedeihen zu lassen. Welche Behörde der Gegenwart würde sich herbeilassen, in so eingehender Weise den nach Brod gehenden Künstlern unter die Arme zu greifen? Uebrigens wird man dazumal bereits begonnen haben, den Spielmannsbegriff enger zu fassen, und so mögen denn die von ehrbaren Zünften ausgeschlossen gebliebenen Spielmannskinder lediglich solche gewesen sein, deren Väter in irgend einer Weise „flöten gingen“ durch's Land, oder sich fahrenden Gauklern beigesellten.

Von den Hamburgischen Rathsmusikanten, deren Anzahl unverändert acht blieb, ist es bekannt, daß sie insgemein sehr wackere Künstler waren, deren Dirigenten, z. B. Brauns, Hieronymus Oldenburg und Johann Kayser, sich auch als Componisten eines großen Rufes erfreuten. Nach Aufhebung des Instituts wurden i. J. 1818 die vier letzten Rathsmusikanten pensionirt: Schwencke, Hartmann, von der Henning und Süßmilch, Letzterer ein trefflicher Marsch- und Walzer-Componist, seiner Zeit Hamburgs Strauß und Lanner für alle Ballfeste der vornehmen Welt; desgleichen ihre zwei Expectanten Hartmann und Cohrs. — Geringer privilegirt war die eine aus 15 Mitgliedern bestehende concertirende Brüderschaft, welche man nach ihrer Gesetzesrolle „die Rollmusikanten“ nannte, deren Jura bereits so verschollen, daß ihr Verhältniß zu den 1784 erwähnten Collegen „von der Grünen Rolle“ unklar ist. Anno 1683 concessionirte der Stadtcommandant General von Uffeln jene sogenannten Rollbrüder zu der Musikbedienung aller bei hiesiger Garnison vorfallenden

Hochzeiten, in freier Concurrenz mit den Spielleuten des Regiments, deren Instrumente Pfeifen, Schalmeyen und Trompeten waren, während sie das Saitenspiel ausübten. Sie reverfirten sich dabei, von den Hochzeitern keinen Lohn zu fordern, sondern zufrieden sein zu wollen mit der Discretion, „so ihnen bei gebräuchlicher Aussetzung des Tellers" die Gäste für die Tanzmusik zufließen lassen würden. Auch versprachen sie, mit den Gästen sich „wohl zu comportiren", und zu Klagen keinen erheblichen Anlaß geben zu wollen.

Unter den Cantoren und Organisten gab es bis zur neuesten Zeit berühmte Virtuosen und Componisten: die Prätorier (eigentlich Schultze, Vater und Söhne), Thomas Sellius, Hans und Hinrich Scheidemann (von Letzterem ist die Weise: „wie schön leucht't uns der Morgenstern"), Bernhardi, bis auf Telemann, Emanuel Bach und Schwencke. Ein Autor vor 200 Jahren sagt: „an Sonn- und Festtagen hört man in den Kirchen Hamburgs eine so schöne Musik, als ob die lieben Englein im Himmel mitsammen biscantirten, also herrlich treiben's die Vocalisten und Instrumentisten; nicht minder ist das Collegium musicale, so Donnerstags in der Domkirche angestellt wird, eine wahre Gemüths-Erhebung zu nennen."

So hoch man nun auch diese ächten Künstler ehrte, so scheint man doch ihre pecuniäre Stellung etwas vernachläffigt zu haben. Wenigstens klagen fast alle Cantoren, die zugleich die Kirchenmusik dirigirten, über das Unzureichende ihres Gehalts, welches sie zwänge, ihre Kunst nach Brod gehen zu heißen. Gerstenbüttel exponirt bündig, „wie gedrücket hiesigen Orts die Cantorey, was Gott im Himmel erbarmen möge." Die Kirchensänger singen dasselbe Klagelied, und entschuldigen ihr öfteres Fehlen mit nothwendigen Kunstreisen nach Kiel, Gottorp, Hannover und Berlin, um des lieben Brods willen. Freilich waren unter diesen auch einige Quälteufel für den geplagten Director, z. B. der Tenorist, welcher, obschon ein gewesener Studiosus Theologiae, sich dennoch als frecher Verächter der Predigt, ja sogar des Beichtstuhls bewies, aller Ordnung Trotz bot, und mit schier unleiblichem Eigendünkel sang. Als er nun aber einst

„aus purer Chicane gegen den Director" absichtlich falsch into=
nirte, da sprang dieser im Zorneseifer auf ihn zu, und gab ihm
eine kräftige Maulschelle, in Folge welchen unkirchlichen Zwistes
er freilich einen Verweis, der Tenorist aber seinen Abschied bekam.

Geringer schätzte ein Theil der Väter der Stadt die welt=
liche Concertmusik. Ein Antrag der Oberalten im Jahre 1722
an den Senat entrüstet sich darüber, „daß Cantor Telemann
abermals in einem öffentlichen Wirthshause vor Geld eine welt=
liche Musik aufzuführen gesonnen, wobei allerhand Unordnungen
vorkommen können; dieweil nun alle Opern und dergleichen zur
Wollust anreizende Aufführungen, allhier außer der Marktzeit
unerlaubt, und ohne Consens des Raths wie der bürgerschaft=
lichen Vertreter nicht zu dulden, so erfuchen sie, dem Telemann
solche Musiken ein vor alle Mal zu verbieten." Der Rath indessen
war mehr für weltliche Concerte und wußte die Oberalten von
ihrer Strenge zu diffuadiren; jedoch durften sie (wie jede öffent=
liche Aufführung) zu Gunsten ernster Sontagsfeier niemals an
einem Sonnabende stattfinden, welcher Tag in neueren Zeiten
vorzugsweise für Concerte und Bälle benutzt zu werden pflegt. —

Die ganz allgemeine Mißachtung der Schauspieler
(Operisten wie Comödianten) ist bekannt genug; und Schütze
sagt in seiner Hamburger Theater=Geschichte, daß sie im 17. und
Anfangs des 18. Jahrhunderts noch immer als Gaukler und
Histrionen, wenn nicht mit der Infamie, so doch mit der levis
notae macula behaftet gewesen. Statt der unzutreffenden rö=
mischen Ausdrücke hätte er sagen sollen: mit der altdeutschen
Unehrlichkeit. Uebrigens gesteht er selbst, daß Character und
Wandel der damaligen Schauspieler im Ganzen ebenso verächtlich
gewesen wäre, als ihre Kunst.

In einem lehrreichen Aufsatze über die ältesten Schauspiele
in Hamburg (Zeitschrift für Hamb. Geschichte I, 132) hat Herr
Archivarius Lappenberg das Vorhandensein derselben im 13.
Jahrhundert nachgewiesen. Die feststehenden Ausgabeposten in
den ältesten Kämmereirechnungen für fremde Schauspieler, ent=

weder als Gnadengeschenke, oder als Gagen und Spielhonorare,
beweisen es, daß man damals das Schauspiel gewissermaßen als
zum Staatshaushalt gehörig betrachtete, und jedenfalls mehr dafür that, als in neuerer und neuester Zeit, was freilich in dem
geistlichen Gegenstande und Zwecke solcher Aufführungen seinen
triftigen Grund hatte. Neben jenen fremden Histrionen und
Mimen, welche hieselbst zur Fastenzeit die Passionsspiele, oder
zur Adventszeit Darstellungen der heiligen Nacht zur Anschauung
brachten, kommen im 15. Jahrhundert auch Histriones civitatis
vor, Schauspieler im Dienste und Solde der Stadt, welche man,
anderen Stadtdienern gleich, jährlich um Pfingsten ein Convivium
zu geben pflegte. Ein Geschenk um Gotteswillen, wie das zu
den Exequien des Histrionen Konrad, welcher 1467 bettelarm
gestorben war, wird oft genug vorgekommen sein, wenn auch
nicht allemal in der Form eines Schmerzensgeldes, wie das in
demselben Jahre der armen Wittwe gegebene, deren Gemahl in
der Hitze der Action von der Bühne gefallen und elend umge-
kommen war. — Daneben werden auch die vagirenden jocula-
tores und dimicatores, die Gaukler und Schaufechter, mit Spenden bedacht; aber unerachtet solcher Gunst und des gebührlichen
Quantums Bühnenapplauses wird man sowohl diesen als den
eigentlichen Schauspielern sicherlich keinen Schatten bürgerlicher
Achtung gezollt haben, wie denn auch kein Beispiel nachzuweisen
ist, daß dieser Art Spielleute das Bürgerrecht gewinnen durften.
Mit dem Aufhören der geistlichen Spiele sanken unzweifelhaft
ihre Darsteller noch tiefer in Verachtung, da sie des clericalen
Schutzes und ihre Stücke des biblischen Kerns entbehrten, während das an die Stelle gesetzte Drama nur zu oft nichts war,
als ein ungenießbares Product bodenloser Gemeinheit mit un-
motivirten Tugendphrasen.

Melius Unkraut, der niederländische Mime, welcher 1590
mit seiner Bande hier aufzutreten wünschte, wird die öffentliche
Meinung in Betreff seines Standes schwerlich gebessert haben,
wenn gleich er behauptete, so moralische Parabeln aufzuführen,
daß der Senat durch die Gestattung ihrer Darstellung, einen
sehr starken Beweis seiner Christlichkeit, dem Allmächtigen zu

Ehren, ablegen werde. — Hundert Jahre später sollen die Hamburger Geistlichen dem M. Veltheim die Kirchengemeinschaft verweigert haben. Mit seiner Gesellschaft (einer Bande relegirter Studenten) hier gastirend, soll er schwer erkrankt sich nach Versöhnung mit Gott gesehnt haben, worauf aber kein Geistlicher ihm das heil. Abendmahl habe reichen wollen. Andere Berichte verlegen den Ort solcher Excommunication nach Leipzig, und lassen in Hamburg dasselbe Erlebniß dem Schernitzky, Veltheims Hanswurst, passiren. Ja, Schütze erwähnt, daß noch in der letzten Hälfte des vorigen Jahrhunderts einige der würdigsten Mitglieder der gereinigten gesitteten Bühne, ein gleiches Schicksal wie Veltheim und dessen Possenreißer betroffen habe. Indeß läßt sich, ohne die Persönlichkeiten zu kennen, kein Urtheil fällen über solche hart scheinende und doch vielleicht nicht grundlose Ausschließungen, welche gewiß schon deshalb selten vorgekommen sind, als die Zahl der regelmäßigen Besucher des protestantischen Beichtstuhls unter den dramatischen Kunstgenossen zweifelsohne sehr klein war und noch ist.

Sogar bis in die romantische Sphäre der Herzensangelegenheiten drang die trennende Vorstellung vom unehrlichen Comödiantenstande. Der Bürgerssohn, welcher das Unglück hatte, sich in eine Bühnenheldin zu verlieben, that am vernünftigsten, wenn er gleich Anfangs auf das Glück der Ehe mit selbiger verzichtete, und um ihre Schwesterliebe bat. War seine Neigung so passionirt geworden, daß sie ihn zu heimlicher Verheirathung hinriß, so durfte er seiner Ausstoßung aus gesammter ehrbarer Familie, nebst Vaterfluch und Enterbung, gewiß sein. Daß ein ehrsames Bürgermädchen einem Schauspieler Herz und Hand geloben könne, das war gradezu undenkbar. Friedr. Ludw. Schröder, der große Künstler, soll's in seiner Jugend erfahren haben. Bei der Bühne zu Düsseldorf engagirt, lernte er die schöne Schulmeisterstochter eines benachbarten Dorfes kennen und lieben. Da seine Person und Unterhaltung ihr ersichtlich gefiel, so wagte er's, um ihre Hand zu werben. Wie groß aber war seine Demüthigung, als sie offen bekannte, daß sie ihn zwar als Menschen recht gern hätte, daß sie aber nun und nimmermehr einen

Mann heirathen könne, dessen Beruf es sei, auf öffentlichem
Theater — Possen zu treiben!

Die Achtungslosigkeit der Operisten und Comödianten
war auch in Hamburg sehr groß. Und wenn es Matheson ge=
lang, seine jugendliche Verirrung zur Opernbühne später der Mit=
welt vergessen zu machen, so bedurfte er dazu nicht nur seiner
großen Verdienste als Virtuos, Capellmeister und Theoretiker,
sondern er mußte noch den Ruhm eines Schriftstellers und Ge=
lehrten, sowie die Dignitäten eines Domvicars und Canonicus
vorspannen, um endlich, mittelst des diplomatischen Characters
als großbritannischer Gesandtschafts=Secretair und Holsteinischer
Legations=Rath, über all' den tausend Bedenklichkeiten der scru=
pulösen Hamburger Gesellschaft erhaben dazustehen.

Mit einer Theater=Direction machte man wenig Umstände.
Als im Jahre 1732 der wohlmeritirte Senator Matthias Mutzen=
becher das Fest seiner goldnen Hochzeit äußerst feierlich zu celebri=
ren gedachte, scheint ihn der Umstand, daß die Elite der Raths=
und andern Musikanten, deren er bedurfte, bei der hiesigen Oper
fest engagirt war, wenig genirt zu haben. Indem er seine Col=
legen, sämmtliche Herren Bürgermeister, Syndicos, Senatores
und Secretarios „dienstfreundlichst invitirte, ihn bei seiner Jubel=
hochzeit mit Dero ansehnlicher Gegenwart zu beehren, und da=
durch seine gerechte Freude über Gottes große Gnade beträchtlich
zu vergrößern" (welcher Einladung mit Vergnügen Folge zu
leisten versprochen wurde), trug Herr Mutzenbecher einfach darauf
an zu verfügen, daß an den Tagen der Solennität keine Opern
sollten gespielet werden, damit er die Musicos zur Aufwartung
haben könne. Und der Senat erließ sofort an die Susanne
Margaretha Kaiserin, damalige Directrice der Oper, den gemesse=
nen Befehl, an den gedachten Tagen keine Opern ansetzen
zu lassen.

Bekanntlich hat sich nach und nach bei allen festen Bühnen
ein ehrenwerther Künstlerstand herangebildet, und einzelne Künstler
und Künstlerinnen sind so hoch gestellt, daß sie mit dem Dichter
und mit dem König gehen, und mit ihnen wandeln auf der
Menschheit Höhen. Dennoch kommt bei dem Verhältniß des

bramatischen Künstlerstandes zu den übrigen gebildeten Ständen
noch immer viel auf die Persönlichkeiten an, und eine gewisse
Isolirung wird niemals von ihm zu trennen sein. Es sind
längst keine Ehrbegriffe mehr, welche hierauf influiren, es sind
andere Motive des Fernstehens, hauptsächlich: die unendlich große
Verschiedenartigkeit der Lebensweise, der Lebensauffassung, des
ganzen Ideen= und Wirkungskreises. Alle jene deutschen —
und besonders norddeutschen — Naturen, welchen das Kund=
geben ihrer Gefühle so schwer fällt, welche sich schämen Rührung
zu zeigen, welche die zarten Regungen eines warmen Herzens
oftmals in Kaltsinn, wenn nicht gar in Grobheit kleiden, be=
trachten das Hervortreten der Innerlichkeit bei Anderen entweder
als eine Affectation oder als eine peinliche Exaltation; und wenn
sie auch durch das Darstellen solcher Dinge auf der Bühne sich
unterhalten lassen, so können sie doch den mit fremden Gesin=
nungen prunkenden Darstellern zwar großen Bühnenapplaus,
aber schwerlich ihrem Beruf die volle mitbürgerliche Hochachtung
zollen. Der Contrast im Innern des Bühnenkünstlerlebens
zwischen der eigenen lustigen Stimmung und der dargestellten
tiefen Trauer, zwischen der empfundenen Sorge, Betrübniß, Ver=
zweiflung und der dargestellten Glückseligkeit, mithin diese Art
geistiger Unfreiheit mag bei Vielen nicht recht zum klaren Ver=
ständniß kommen, sonst würde man die Bühnenkünstler vielleicht
mehr bemitleiden, als wegen ihres Ruhmes glücklich preisen.

Wäre die Bühne wirklich ihrem Ideal entsprechend, eine
Anstalt zur wahren Veredelung des Menschengeschlechts durch die
Kunst, so würden wir die ihren Beruf also auffassenden Künstler
um so höher schätzen müssen, als uns jener nie abzuweisende
Conflict immer als ein großes Opfer philantropischer Selbstver=
läugnung erscheinen würde. Wo aber die Bühne bestenfalls nur
unterhält und ergötzt, wo des Künstlers Lebenszweck nur den
Beifall der amüsirten Menge zum Ziel hat, da treten auch die
übrigen Schattenseiten des Künstlerstandes, die leichte Verführ=
barkeit zu allen Eitelkeiten und Aeußerlichkeiten des Daseins, desto
greller hervor, da liegt der Vergleich mit den alten Spielleuten:

die Gut für Ehre nehmen und sich für Geld zu Eigen geben, nicht gar fern.

Diese unverkennbare Kluft, die den isolirten Stand der Bühnenkünstler von den übrigen gebildeten Gesellschaftsclassen trennt, wird vergrößert durch die ihnen eigene stete Beschäftigung mit eingebildeten Zuständen und deren effectvoller Darstellung, um welche sich ihr ganzer Gedankenkreis nothwendig drehen muß. Sie leben auf Brettern, welche die Welt bedeuten, wir auf Grund und Boden, welcher die Welt ist. Deshalb und in Folge ihrer kosmopolitischen Beweglichkeit, die sie noch immer zu einer Art Heimathlosigkeit veranlaßt, leben sie nur oberflächlich in dem Gemeinwesen des deutschen Bürgerthums, in dessen Inneres sie niemals eindringen können, in dessen Realität sie nicht hinein= passen. Wie schwer fällt es einer Bühnenheldin, sich an der Seite eines bürgerlichen Gatten in dessen kleinbürgerlichen Beruf und Familienkreis zu finden; wie manche kehrt zur Bühne zurück, deren erregender, berauschender Glanz sie zu mächtig lockt. Wo aber so wenig Gleichartigkeit der wichtigsten Interessen des äußern und innern Lebens, da entsteht, da bleibt die trennende Kluft.

Die Gaukler oder Joculatoren (Jongleurs) unter den alten Spielleuten mögen den damaligen Mimen ziemlich nahe verwandt gewesen sein. Beide findet man in anscheinender Ver= wechslung vielfach genannt in Hofdiensten geistlicher und welt= licher Fürsten vom 11.—14. Jahrhundert. Ebenso wenig unter= scheidet sie Adam von Bremen, wenn er als Characterzug Erz= bischof Adalberts mittheilt, daß derselbe die den gemeinen Haufen ergötzenden Gaukeleien der Mimen verabscheuet, den Vorspiege= lungen der Wahrsager, Stern= und Traumdeuter aber ein ge= neigtes Ohr geliehen habe.

Wenn nun auch Hamburgs Rath keine Stadtgaukler zu unterhalten sich bewogen fand, da er an den Stadtmimen genug hatte, so erzeigte er sich doch fremden Künstlern dieser Gattung gern gewogen. Die Kämmereirechnungen weisen z. B. reichliche Spenden nach, welche 1375 und 1376 die in Diensten des

Bischofs von Schleswig und des Grafen von Hoya stehenden
Joculatoren erhielten. Unter letzteren führte einer den mit seinem
verachteten Gewerbe seltsam contrastirenden Namen Schanden=
vynd oder Schandenfeind. Später kommen die Joculatoren
seltner, die Mimen desto häufiger vor. Aber noch im Jahre
1465, bei Gelegenheit der Anwesenheit des Königs und der
Königin von Dänemark, glaubte man das zu ihren Ehren ver=
anstaltete Schauspiel durch eingelegte Gaukeleien besonders würzen
zu müssen, und da Alles glücklich ablief, so gewährte man den
„Histrionen“, sowie dem „Joculator“, ein Geschenk von 7 Tha=
lern und 9 Schillingen.

Von den späteren Gauklern, deren Arten und Unarten
weltbekannt, ist nicht viel zu sagen. Sie sind geblieben, was sie
waren, und werden immer sein, was sie sind: Wild= und Blend=
linge der Kunst, in welcher Weise sie auch ihre immerhin artigen
Fertigkeiten produciren mögen, mit betriebsamen Flöhen oder
zierlichen Marionetten, oder als Feuerfresser oder als sonstige
noch nie dagewesene Wundermänner. Besonderes Geschick und
Fortuna's Gunst mag die Klügsten unter den Taschenspielern zu
sogenannten Professoren der Magie promoviren, oder die Ma=
tadore unter den Seiltänzern und den vom romantischen Nimbus
getragenen Kunstreitern beiderlei Geschlechts, bis zu einer gewissen
Glanzhöhe europäischer und sogar transatlantischer Berühmtheit
erheben: es sind doch eben nur Raketen eines Feuerwerks, die
prasselnd und blendend rasch aufsteigen und noch schneller ver=
puffen, während die meisten ihrer Consorten wie Pulverfrösche
am Boden ihre paar Funken versprühen. Wer kennt noch den
Namen Joh. Baptista Rossi, der mit seinen Pantomimen vor
100 Jahren die Welt entzückte? Sein Nachruhm besteht in dem
Papierblatt eines Archivs, darin der Magistrat einer Reichsstadt
ihm attestiret, daß seine „Luftspringer=Kunststücke“ das Publicum
wohl vergnüget haben, und daß er unverklagt und sonder Schul=
den zu hinterlassen davon gezogen sei. Und wenn die van Akens
und Kreuzbergs, diese praktischen Zoologen und Beförderer der
Thierseelenkunde, gewiß mit Recht die Anerkennung der Natur=
wissenschaft verdienen, so verdanken sie doch ihren Ruhm und

dessen klingende Valuta einzig ihrer malerischen Gruppirung unter den wilden Bestien, ihrem waghalsigen Spiel mit des Löwen Rachen, mit des Tigers Tatzen. Und dieser Umstand stellt sie wieder in eine gewisse Blutsverwandtschaft mit den niedrigsten ihrer Collegen: den Bären- und Kameelführern, welche mit Trommel und Querpfeife auf der Staffel der mittelalterlichen Affenspieler verharren, und so mißachtet geblieben sind, daß der ehrliche Matros, der seinen Seehund für 1 Schilling zeigt, sich schämen würde, für einen ihres Gleichen gehalten zu werden.

Unter den in neuerer Zeit abhanden gekommenen Gaukelkünstlern wären die Zahnbrecher und die Klopffechter besonders zu erwähnen.

Die Ersteren, nämlich diejenigen ärztlichen Charlatans, „Steinschneider und Wurmdoctoren“, welche vormals auf jedem Jahrmarkte „ausständen“, kennen von Person wohl nur noch wenige alte Leute. Auf seiner Tribüne stand der bebrillte, weltberühmte Doctor Paffnuzius oder Schnauzius Rapuntius von Neapolis, im goldbordirten Scharlachrock und mächtiger AllongenPerücke, welcher alle Sorten Morris'scher und Strahl'scher Pillen, alle Revalenta's und Malzextracte seines Zeitalters feilbot, daneben schadhafte Zähne mittelst der Kneipzange oder des Schlüssels ganz delicat ausbrach, und sonstige Operationen hinter dem discreten Vorhange im Hintergrunde verrichtete. Während dessen erhielt sein Famulus, der buntgefleckte Hanswurst, durch seine verteufelten Späße ein hochlöbliches Publicum dergestalt im schallendsten Gelächter, daß es das Angstgeschrei und Schmerzgeheul der gepeinigten Patienten vollkommen übertönte, und stets neue Schlachtopfer — wahre Schafe — in's Netz lockte. Zuweilen betraten diese Marktschreier noch entschiedener das Gebiet der Thalia. Auf ihren offenen Bühnen führten sie mit ihren Leuten förmliche Possenspiele auf, welche sich von den Farçen der eigentlichen Comödianten nur durch die schließliche Moral unterschied, welche allemal auf eine Apotheose der Pillen und Latwergen des Herrn Doctors hinauslief, welcher sie dann mit Stentorstimme feil bot. Ein solcher Heilkünstler war Mr. Fuchs, welcher für alle deutschen Jahrmärkte kaiserlich privilegirt zu sein behauptete,

als Augen=, Bruch=, Stein=, Wund= und Wurm=Arzt, mit
Kopf=, Brust= und Magen=Tristneth, nebst Spanischem Laxir=
brodt.   Im Jahre 1742 führte er im Hamburger Herbstmarkt
mit seinem Hanswurst und dreien Heyducken so tolle Schwänke
auf, daß die in unverschämtester Weise durch ihn verspotteten
Schneidergesellen einen Tumult erregten, der nur durch Waffen=
gewalt bemeistert werden konnte. — Diese burlesken Gestalten,
welche mit den polnischen Bärenführern die Prachtstücke jedes
ländlichen Jahrmarktes bildeten, haben leider vor der ängstlichen
Medicinalpolizei weichen müssen, und kaum noch erinnert an sie
die Redensart: er schreit wie ein Zahnbrecher!

Die Klopffechter des 17. und 18. Jahrhunderts kann
man ohne Zweifel als herabgekommene Epigonen der uralten
Kämpen betrachten, jener Campionen und Dimicatoren, wie man
die germanischen Gladiatoren auch nannte, von deren bedeuten=
dem Ehren= und Rechtsmangel wir oben vernommen haben. Der
Klopffechter verhielt sich zum Kämpen, wie dieser zum Turnier=
helden, ähnlich wie Bänkelsänger, Meister= und Minnesänger sich
unter einander verhalten. Bei dem kriegerischen Geist der Deut=
schen und ihrer Liebhaberei für Waffenübungen erhielt sich die
Fechtkunst lange in großem Ansehen, und die in Städten seß=
haften Fechtmeister, welche in ihren Fechtschulen die Jünglinge
wehrhaft machten, waren gewiß ganz geachtete Leute, zumal
wenn sie zuvor dem Kriegerstande angehört hatten. Verschieden
von ihnen aber waren die Darsteller ziemlich ungefährlicher Zwei=
kämpfe oder anderer Kampfspiele. Unter sich zu einer mystischen
Genossenschaft verbunden, nannten sie sich etwas räthselhaft:
„St. Marcus= und Lucasbrüder, Freifechter von der Feder, Fecht=
meister von St. Marco und Löwenberg, und angelobte Meister
des langen Schwerts von Greifenfels.“   Ein solcher war Hans
Jochim Ohlsen, der im Sommer 1754 in Hamburg seine „hoch=
adlige ritterliche Kunst“ sehen ließ, mit allen Gewehren stritt,
vom kürzesten bis zum längsten und umgekehrt, und zwar mit
einigen Dilettanten um 1 Ducaten, mit seinen Waffenbrüdern
aber bis auf's Blut. In den Pausen ergötzte sich das Publicum
am Pistolenschießen nach Türkenköpfen, am Pikenwerfen, und

besonders am Fahnenschwingen, einem artigen Kunststück, das auch bei Handwerksgesellen jener Zeit sehr beliebt und viel geübt war, wobei es galt, mittelst rascher, geschickter Schwenkungen der wallenden Fahne, eine Reihe von Figuren darzustellen.

Die Lust am Fechten erlahmte mit der Aufnahme der Schießübungen der Schützencorps. Je voller die Schießgräben, desto leerer die Fechtböden. Doch konnte noch 1789 der k. k. Fechtmeister Joseph Miré es wagen, in Schröders Stadttheater eine Reihe von Vorstellungen zu geben. Wann die letzten Klopffechter sich bis auf's Blut gepaukt, das ist nicht bekannt. Jedenfalls scheint schon längst der letzte des Geschlechts der St. Marcusbrüder mit Helm und Schild begraben zu sein, mit ihm sein langes Schwert von Greifenfels!

Aber wenden wir uns noch einmal zu dem eigentlichen Spielmann, zum fahrenden Musikanten. Ist er in seiner Art nur halbwegs ein richtiges Exemplar, so wird er in der Volksmeinung zwar nimmermehr aus dem Bann der Geringschätzung herauskommen, aber dennoch wird seine Erscheinung stets willkommen sein, weil er die schönen, neuen Lieder und Tänze bringt, deren man zur Herzstärkung im Alltagsleben bedarf. Das ist heute noch so, wie es vor 500 Jahren und länger gewesen ist, denn die Deutschen sind ein sehr musikalisches Volk. Immer finden wir die gleiche Mißachtung der Person des Spielmanns, dasselbe Wohlgefallen an seiner Kunst, denselben Eifer, die mit Lust gehörten Sänge und Klänge mit musikalischem Ohr im Gedächtniß festzuhalten und sie nachzusingen, nachzuklingen. Wie groß der Werth war, den man im Mittelalter auf die Musik dieser Spielleute legte, das erhellt u. A. auch aus der Wichtigkeit, welche der ernsthafte Rathsschreiber Meister Johannes, der Chronist der Stadt Limburg an der Lahn, dem Volksgesange beimaß. Gewissenhaft hat er von Jahr zu Jahr jedes neue Lied notirt, wie es von fahrenden Spielleuten verbreitet und im Volke von Jung und Alt gepfiffen und gesungen wurde. Da schreibt er fast auf jeder Seite: „um diese Zeit, in diesem Jahr, da pfiffe und sang man im deutschen Lande das Lied" — und dann folgt dessen Anfangsvers, z. B. „Schach, Tafelspiel beginn' ich will", oder: „Ach Scheiden, aber Scheiden, wie thut das Scheiden weh", oder das (sicherlich irgendwo factisch begründete) Trauerlied: „Gott geb' ihm ein verdorben Jahr, der mich gemacht zur Nonnen". — Die Spielleute besangen ja Alles, was das Volksgemüth erfreuen mag, Zauber= und Schaudermären, Räubergeschichten, Brand, Mord und Todtschlag, Liebeslust und Leid, und als lebendige Zeitungen die neuesten Weltbegebenheiten, nämlich Kriegs=, Schlacht= und Fehde=Abentheuer. Sie trugen das Lob tapferer Helden, wie den Ruhm edler Frauen von Land zu Land, und verbreiteten beispielsweise um 1350 in allen rheinischen Gauen ein Hoheslied von der wunderbaren Schönheit und der tugendsamen Holdseligkeit der Frau Agnes zu Strasburg, — wie wir dies von gedachtem Chronisten erfahren, der dadurch ihr Andenken verewigt. Derselbe berichtet auch, daß um 1360 ein Umschwung in der Dicht= und Musik= kunst stattgefunden, indem man damals die bisherigen „langen Carmina von sechs Gesätzen" in dreistrophige verkürzte, und die Art des Pfeifenspiels gänzlich veränderte. Meister Johannes freilich gehört (wie die meisten rechtschaffenen Geschichtschreiber) zu den conservativen Verehrern der alten Sitten. Er meint, das neue Pfeifenspiel sei lange nicht so gut als das alte, und beklagt es, daß die verblendete Menge der neuen Mode huldige. „Wer noch vor fünf Jahren ein guter Pfeifer war im Land, der däucht den Leuten jetzt die Kinderflöte zu blasen".

Das mag sich denn seitdem noch gar oft wiederholt haben, die Manieren und Weisen sind verändert, Lust und Liebe an Sang und Klang ist geblieben. Ja, die Deutschen sind ein sehr musikalisches Volk, und in reinster, naturwüchsiger Art dort, wohin der Einfluß großer Städte nicht mehr reicht, in ländlichen, waldreichen, gebirgigen Gegenden; dort ist eigentlich kein Mensch ohne Musiktalent, wie verschiedenartig es sich ausspricht im eintönigen Sommerabendsgesang der niedersächsischen Bauerjungen, wie im himmelhoch jauchzenden Jodeln und lustigen Schnadahüpfln der süddeutschen Alpenkinder. Und der fahrende Spielmann, bei aller persönlichen Mißachtung, deren er theilhaftig, ist noch immer der Lehrmeister des musikalischen Landvolks.

Da steht mitten auf dem freien Dorfplatz so ein Bänkelsänger in rother Weste, grüner Schnürenjacke und weißgewesenen Beinkleidern, mit Pfropfenzieherlocken zu beiden Seiten seines ziemlich wüsten Gesichts; er dreht seinen Leierkasten und singt das schöne Lied: „'S ist nichts mit den alten Weibern, ich bin froh, daß ich keine hab'", und seine Gefährtin neben ihm, die windschiefe, runzelvolle Matrone, vielleicht seine Gattin, singt in rührender Resignation oder stumpfer Gleichgültigkeit ihr eignes Verdammungslied mit: „Wer so einen alten Schimmel in seinem Stalle hat" 2c. Offnen Maules, aber mit hellen Vergnügungsblitzen im breiten Antlitz, umringt dicht gedrängt die liebe Dorfjugend das concertirende Paar, während weiter entfernt ausnahmslos alle Erwachsene vor die Thüren treten und achtsam lauschen auf Melodie und Text. Und kaum sind die beiden Spielleute zum Dorfe hinaus, so beginnen ein Paar halbwüchsige Buben mit dem Schlußvers: „Drum, ihr lieben Junggesellen, freiet ja keine Alte nicht", und dann singt und pfeift mindestens vier Wochen lang Jedermann im Dorfe, Jung und Alt, nichts Anderes, als dies verflucht spaßhafte Stückchen, und der Schulmeister wiederholt ärgerlich, was er schon oft gesagt: Wenn doch die Bauerschlingel nur halb so viel Gedächtniß hätten für meine Lehren der Weisheit und Tugend, als sie für die vermaledeiten Gassenhauer an den Tag legen.

Die Unverwelklichkeit des richtigen Gassenhauers bezeugt am klarsten der bald 200jährige immergrüne „liebe Augustin", dessen Text und Melodie ebenso ächt ist wie der Spielmann, der Beides geschaffen. Dieser ist zufällig kein namenlos verklungener Barde, wie die meisten Componisten landläufiger Volksmusik, sondern, dem Vernehmen nach, Niemand anders als ein wirklicher Meister Augustin selbst, eine festgestellte Persönlichkeit aus der Kunstgeschichte der Stadt Wien, und ein für seine Tage ebenso einflußreicher Mann des Volks, wie Strauß und Lanner für ihre Zeitgenossen. Seine normale Spielmannsnatur verrieth sich schon durch das sorglos fröhliche Gemüth und die ewig durstende Kehle, welche freilich manchmal des Guten zu viel that und jedem Andern den Vorwurf sträflichen Leichtsinns zugezogen haben würde. Eines Abends' — so heißt es — war unser Augustin, wie gewöhnlich, mit guten Gesellen in einer Vorstadt Wiens bei Spiel, Gesang und Becherklang so lustig gewesen, als wären die gerade obschwebenden, höchst betrübten Zeitläufte einer bösen Pestilenz für ihn gar nicht vorhanden. Daß der Wirth beim Scheiden um Mitternacht sich für die ver= jubelten Flaschen Augustin's letzten Heller, und da's nicht reichte, auch dessen Rock in Verwahrung genommen, — daß hernach, als er nun in gräulicher Sturmnacht umherirrte, auch Hut und Stock sich von ihm trennten, das Alles schor ihn in seiner Weinseligkeit so wenig, daß er dem unnützen Tröbel mit Schalk= heit nachsang: Fahret hin, fahret hin, Grillen geht mir aus dem Sinn. So weit war Alles gut und schön. Leider aber gerieth er bald darnach in seiner völligen Verbiesterung auf einen Ab= weg, welcher zu jener weiten Universalgrube führte, darin Wien's Gassenkummer seine Ruhestätte zu finden pflegte, nach anderer Meinung aber damals die Pestleichen verscharrt wurden. Arglos nähert sich der joviale Sänger im emsigen Zickzackschritte diesem schauderhaften Abgrunde, kein erleuchtender Strahl fällt durch's düstere Regengewölk auf seinen Irrpfad, kein rettender Stein des Anstoßes bringt ihn v o r h e r zu Falle, nein, er taumelt heitern Sinnes über den Rand, und stürzt regelrecht hinunter die jähe Tiefe der entsetzlichen Gruft, deren eigenthümlich weiches Terrain allerdings seine Glieder vor Zerschmetterung schützte, so daß er unten heil und gesund anlangte. Als er aus der Be= täubung des Schreckens ziemlich ernüchtert erwachte, und inne wurde, daß er nicht besser wie Daniel in der Löwengrube säße, nämlich in dem abscheulichsten Morast, aus dem wegen Steilheit der Seitenwände kein Entrinnen möglich, — da erschien es ihm doch als e i n Trost, daß seine Geige weder vom Wirth gepfän= det, noch vom Winde entführt, noch beim Sturze beschädigt war. Nur ein ton= und taktfester, ächter Spielmann kann in solchen Lebensmomenten zur Geige greifen, wie er that, indem er ihr Anfangs einige wehmüthige Klagetöne entlockte, welche aber bald genug aus dem Adagio in einen Sehnsuchtswalzer, und sodann in ein munteres Scherzo übergingen. Ein seinem erregten

Künstlergemüth inspirirtes Thema auf= und abwandelnd, sang er mit hellem Bänkelsängertenor ein improvisirtes Lied dazu, in welchem er seine desperate Lage ganz artig parodirte. Es war kein anderes, als das an diesem Aborte entstandene

> „Ach du lieber Augustin, Alles ist weg! weg! weg!
> Ach du lieber Augustin, Alles ist weg!
> Rock ist weg, Stock ist weg, Augustin selbst im Dreck,
> Ach du lieber Augustin, Alles ist weg!"

Und sein Spiel, sein Sang führte zu seiner Rettung. Einige früh Morgens zufällig Vorübergehende vernahmen mit Erstaunen diese rührend lustigen Klänge aus der Tiefe des Orkus, sie fanden den wohlbekannten Bruder Augustin mit dem letzten Rest seiner Kräfte geigen und singen, und entrissen ihn dem nahen Ver= derben. Daß er durch dies merkwürdige Erlebniß ein Held des Tages wurde, zu erwünschter Verbesserung seiner Finanzen, wie hoffentlich auch seines Wandels, das ist so natürlich, wie die allgemeine Verbreitung seiner Noth= und Hülfs=Aria, welche nicht nur auf allen Tanzböden Furore machte, sondern auch auf Flü= geln des Gesanges damaliger Possen und Operetten von allen Bühnen herab dem deutschen Volke mitgetheilt und von diesem dankbar in sich aufgenommen worden ist.

Ein ächter ganzer Spielmann war auch der, dessen Ge= schichte hier nicht fehlen darf, wenn auch ihr Inhalt bereits durch manche kindliche Lesebücher bekannt geworden ist. Es war ein ganz gewöhnlicher Dorfmusikant, ein sogenannter Bierfiedler, welcher Nachts von einer Hochzeit heimkehrend, mitten im Walde von einem hungrigen Wolf angefallen wurde. Waffenlos wie er war, griff er in der Todesangst nach seiner Geige, und strich so energisch darauf los, daß die Bestie ihre glühend rothen Augen zukniff, und nach Hundemanier leise mit einstimmte, ob vor Lust, ob aus Weh, das weiß man nicht. Dies Concert dauerte freilich zu des Spielmanns größtem Entsetzen etwas lange, denn bei jeder Pause zwang ihn des Unthiers Nahen zum neuen Auf= spielen aller Lieder und Tänze, die er wußte. Und so geigte er denn nach einander ab: „Du, du liegst mir im Herzen", und den lieben Augustin, und den Großvatertanz mit Kehraus, und

„Freut euch des Lebens", bis endlich gegen Morgen einige streifende Jäger den halbtodten Künstler von seinem grimmigen Musik= freunde erretteten. Deutschland hat aber an diesem Thierbän= diger einen Orpheus, der mehr ist als der berühmte Grieche, welcher bekanntlich ein Virtuos war, während unser Mann als simpler Dorfmusikant völlig dieselbe Zauberkraft entwickelt hat.

Und dennoch schlägt immer der alte Fettfleck vom unehr= lichen Spielmann wieder durch. Frau Ottilie Wildermuth, die sicherlich keinem Kinde wehe thun könnte, läßt im Tageslichte der Wirklichkeit unserer Zustände ganz richtig einen ehrlichen, zünftigen Flaschner von einem Oberamtsdiener sagen: „er ist sein Lebtag schon allerlei gewesen, Schreiner, Soldat, und, mit Respect zu melden, sogar Spielmann!"

Wenn ein fahrender Spielmann gewöhnlichen Schlages alt wird, wenn Wind und Wetter seine Finger und Instrumente gichtisch verstimmt haben, dann sucht er sich in irgend einem Dorfe als Häusling anzusiedeln, und vielfach glückt's ihm, neben seinem Aufspielgeschäft bei allen Festlichkeiten, sich als Naturalist im Flickschustern oder Schneidern ganz passabel durchzuschlagen, bis auch für ihn die große Pause eintritt, welche man Tod nennt. Selten ist so ein Spielmann verheirathet; und wenn er nicht etwa eine gleichgestimmte Spielmannstochter findet, so thut er auch besser unberathen zu bleiben, weil andere weibliche Naturen doch schlecht zu seiner Art passen würden. Vormals, als die Zahl der fahrenden Leute bedeutend größer war, gab's mehr Auswahl und folglich mehr Spielmannsehen, woher hätt's sonst die vielen Spielmannskinder gegeben, vor welchen sich die ehr= baren Zünfte verschlossen. Daß den in Dörfern seßhaft gewor= denen Spielleuten auch der Kirche Segen und Schutz nicht fehlte, geht hervor aus einer Traurede des berühmten Pastors Sack= mann zu Limmer bei Hannover (etwa um 1700), welcher seinen Bauern über Sir. 32, 5.: „Irret die Spielleute nicht", eindring= lich den Text auslegt, und ihnen alles Hänseln derselben ernstlich verbietet. Mit noch regerem Interesse redet ein etwas späterer Landgeistlicher jener Gegend bei ähnlicher Gelegenheit von den Verdiensten der beiden Spielleute seines Dorfes, und sagt: Wenn die Zwei zusammen kommen, so können sie ein Gelag wohl lustig machen, zumal wenn sie den alten deutschen „Hennele Knecht" singen, — wie im Anhang zu Sackmanns plattdeutschen Predigten des Breiteren zu lesen ist. Ländliche Spielleute bei festlichen Ausübungen ihrer Kunst zu beobachten, ist kein kleiner Genuß; in der Regel trifft man Originale unabgegriffenen Gepräges, wie große Städte sie selten aufweisen. Indessen kommen heut zu Tage auf einen Musikanten von Profession gewöhnlich mehrere ihm assistirende Dilettanten. Der dörfliche Leinweber, lang, hager und hektisch, pflegt die gellende Clarinette zu blasen; der hornirende Nachtwächter springt in die Bucht, und Schäfer und Hirten verstehen sich auch, neben der Schalmei, ganz wohl auf den großen Brummbaß.

Wenn endlich ein Spielmann ausgespielt hat, so giebt's in der Regel nicht viel Weinens und Wehklagens. Wo weder Weib und Kind, noch Hab und Gut gewesen, da ist auch wenig Freundschaft, und Morgen kann ein anderer Geiger kommen, der es eben so gut versteht. Der Todte liegt einsam und still in der Kammer, an der Wand hängt das verstummte Saitenspiel, daneben wohl auch ein welkes Kränzlein aus alter, ferner Zeit; und weht's durch's zerbrochene Fensterchen herein, so raschelt es leise im welken Laube, und schwirrt und klingt wunderlich in den Saiten. Beim Begräbniß fehlt Glockengeläute und Grabgesang; und für den, der lebenslang allen Menschen bei ihrem Wohl und Weh die besten Weisen ertönen ließ, die er wußte, für den giebt es nicht einmal zu guter Letzt einen Scheidegruß; still und kalt, ohne Sang und Klang wird der ärmliche Sarg bestattet an der unvermeidlichen Kirchhofsmauer. Nun hat er ausgetönt, er ist verklungen, und bald gänzlich verschollen; seine Lebens=Dissonanz aber ist hoffentlich in seligen Wohlklang aufgelöst; und war er hienieden „nur ein Geiger", so ist er nun vielleicht in unseres Herrgotts Himmels=Kapelle „auch ein Geiger." —

Unleugbar ist die ursprüngliche Volksmusik durchweht von dem geistigen Hauche jener vom Wesen der ächten Musik un=

trennbaren Poesie, davon einige blasse Ahnungen und zitternde Mahnungen sogar aus manchen alten Weisen des richtigen Spielmanns so rührend hervor klingen. Liegt doch in seinem ganzen Dasein, Thun und Treiben, bei aller äußeren Verfunkenheit, so manches Element für eine poetische Auffassung seines Standes. Deshalb ist er auch, nur ein wenig idealisirt, zur beliebten Person der romantischen Schule geworden, und häufig von ihr dargestellt, auch als Rattenfänger von Hameln, vorzüglich gern aber in der Gestalt jenes zauberischen Spielmanns, welcher im Frühling durch die Welt zieht, und mit süßen, sehnsuchtweckenden Weisen die jungen Tannhäuser aller Jahrhunderte verlockt in der Frau Venus geheimnißvollen Berg.

Und in der That, schon das heimathlose, abentheuernde Wanderleben des Spielmanns ist poetisch, aber doch nur die Schale jener genialen Grundzüge der ächten Spielmannsnatur, welche, wie jede Künstler= und Dichternatur, bürgerlich unpractisch und deshalb vielverkannt ist. Ihr einzig Patrimonium liegt ja im unsichtbaren Reich der Töne, hienieden ein Nachhall oder Vorklang der höheren Welt, eine tief=innerliche Musik des Gemüths, in welcher sie athmet, denkt, empfindet. Daher die Dissonanzen des Daseins, daher die Fremdschaft auf Erden, die Feindschaft des Philisterthums, das vielvergebliche Wähnen und Sehnen; daher auch Dein großes Irren, Dein rettungsloses Verirrtsein in dem weiten Raum zwischen Himmel und Hölle, Du armer, unglückseliger Friedemann Bach! — Und wahrlich, wie arg verfahren auch solch' ein Dasein ist, etwas von jenen Grundzügen hat einmal in jeder ächten Spielmannsnatur gelebt, welche die eigenen Schmerzen und Seligkeiten in sich verschließt und sie nur andeutend in den Tönen erklingen läßt, welche fremden Menschen zu Lust und Freude dienen. Und solche Spielmannsnaturen, wie sie mit oder ohne Instrument, bekannt oder unbekannt, alle aber unverstanden, durch die Welt gehen, sie suchen die verloren gegangene Himmelsmelodie, bis ihnen die Tonleiter zur Jacobsleiter wird.

Eine gar schöne Apotheose des klang- und liederreichen deutschen Spielmanns, und zugleich ein treues Bild von „Künstlers Erdenwallen", giebt uns die alte Volkssage zu Gmünd.

In dieser löblichen Schwäbischen Reichsstadt stand vormals ein reich geschmücktes Kirchlein, gewidmet der Orgelspielerin und Patronin aller Musikanten: der heiligen Cäcilia, deren Standbild nicht nur prächtig gekleidet, sondern von reichen Dilettanten auch mit goldenen Schuhen begabt war. Einst kam nun ein armer kranker Spielmann aus der Ferne in die Stadt gezogen, dessen bitterliche Noth noch mächtiger war als seine Kunst, denn das Saitenspiel ruhte still in der Tasche, der freundliche Liedermund war stumm und geschlossen. Da zog den Jüngling sein mühselig' und beladen' Gemüth hinein in die Capelle seiner Schutzherrin. Und wie er im brünstigen Gebet der Heiligen sein Herz ausschüttet, da beleben sich des Bildwerks Züge, und siehe, die hehre Gestalt beugt sich nieder, zieht den rechten Goldschuh aus, und wirft denselben mit freundseligem Lächeln dem armen Spielmann zu, welcher herzlich dankend und hoch erfreut die Kapelle verläßt, um das Geschenk beim nächsten Meister Goldschmidt zu verwerthen. Das war freilich von unserm Geiger ein sehr unbesonnener Schritt, aber so sind sie Alle die ächten Spielleute. Der Goldschmidt erkennt natürlich auf der Stelle den Cäcilienschuh und schleppt den wie aus dem Himmel gefallenen Unschuldigen zum Richter, welcher ebenso natürlich, wie Richter meistens thun, auf Visionen und Wunder gar nichts giebt. Er erklärt ohne viel Besinnen den Schuh für gestohlen, — wie sollte ein bettelarmer Landfahrer anders in seinen Besitz kommen? und verurtheilt diesen als einen abgefeimten Schelm und Dieb zum Galgen, wohin man denn auch sofort mit ihm sich aufmacht. Unter dumpfem Glockenschall und ernsten Bußgesängen zieht unser Spielmann fast mechanisch seine Geige hervor, und findet sich durch ihre tröstenden Klänge aus seiner Betäubung heraus. Und er geigt so wunderbar schön, daß die Mönchspsalmen verstummen, daß Jeder zuhorcht und mit innigem Mitleid auf das arme, junge Blut blickt. Desto williger gestattet man ihm seine letzte Bitte: vor dem Altar der heiligen Cäcilia sein Sterbegebet sprechen zu dürfen.

Vor dem Bilde der Heiligen, in Aller Gegenwart, geigt er nun noch einmal sein Lied, und legt die ganze Fülle seiner schuldlosen, todesbangen, hülfeflehenden Seele hinein, die eben den letzten Kampf ausringt und ergebungsvoll verzichtet. Und siehe! Alle gewahren es jetzt, was sein entzücktes Auge schauet: das Gewand der Heiligen bewegt sich, ein mildes Leuchten ver= klärt ihr Angesicht, und

> „Lächelnd neigt das Bild sich nieder
> Aus der lebenslosen Ruh,
> Wirft dem armen Sohn der Lieder
> Hin den zweiten gold'nen Schuh!
> Mit Erstaunen sieht's die Menge,
> Und es sieht nun jeder Christ:
> Daß der Mann der Volksgesänge
> Selbst den Heil'gen theuer ist."

So besingt Justinus Kerner, selbst ein theuerer Sänger des Deutschen Volkes, diesen wundersamen Moment, welchem sodann, nach so glänzender Unschuldserklärung, ein wahrer Triumph für den geretteten Spielmann folgte. Man gab ihm zu fernerer Genugthuung ein festliches Bankett auf dem Rathhause mit Rundgesang und Becherklang; aber aus dem lautesten Jubel wich der fremde Spielmann hinaus in die helle Mondnacht, und mit seinen Goldschuhen wanderte er weiter von Land zu Land, spielend und singend, bis er verdämmerte irgendwo in der wei= ten Welt.

Seitdem aber, und diesem Spielmann zum Gedächtniß, wird in Schwäbisch=Gmünd jeder Musikant wohl empfangen, und das Singen und Spielen ist an der Tagesordnung geblieben, wie Jeder= mann weiß, der nur einmal durch die Stadt gekommen ist. Und wer nicht anders tönen kann, der hält sich an's Becherklingen, und deßhalb ist Gmünd eine so lustige Stadt, daß sie aller Welt Freude ist, weshalb man auch ihren Namen herleitet von Gau= dium mundi, — Alles in Erinnerung an den Mann des Volksgesanges, der den Heiligen theuer ist.

Und nun zum endlichen Beschluß dieses Capitels noch eine kleine Geschichte von einem richtigen Deutschen Spielmann des vergangenen Jahrhunderts.

Vom Wohldorfer Spielmann.

Vor nunmehr bald 100 Jahren im Maimonat ereignete sich in dem Hamburgischen Forstorte Wohldorf ein viel betrauerter doppelter Unglücksfall. Der dortige wohlbekannte alte Spiel= mann, der so eigentlich keinen Namen führte, hatte sich zweifellos absichtlich bei Dubenstedt in die Alster gestürzt, ein daselbst am Schleusenbau arbeitender Zimmergesell war ihm nachgesprungen, um ihn zu retten: Beide waren ertrunken, der blühende Jüng= ling mit dem welken Greise! Von Jenem sagt der Bericht des Waldvogtes: daß er aus Oesterreich gebürtig, erst 24 Jahre alt, und der allerschönste Mensch gewesen, der in diesen Landen jemals gesehen. Seine Leiche hätten die Gesellen des Zimmeramts zu Hamburg mit großer Feierlichkeit abgeholt, wobei kein Auge trocken geblieben. In Betreff des alten Spielmanns aber fragte der Beamte bei dem Waldherrn an, ob ihm seiner Todesart wegen ein ehrliches Begräbniß zu geben sei. Und da er ihm ein solches ersichtlich gern gönnt, so fügt er mit einer ganz un= gewöhnlichen Theilnahme einen kurzen Lebensabriß des alten Mannes hinzu, um die darin liegenden Milderungsgründe der That seinem Gebieter kund zu thun.

Darnach, wie nach anderen derzeit über ihn eingezogenen Nachrichten, war denn dieser seltsame Spielmann etwa 60 Jahre früher zu allererst in's Wohldorfer Revier gekommen, mit den fremden Spielleuten, die bei den drei Hochzeitstagen eines großen Bauern zu Dubenstedt die Musik gemacht. Bei dieser Gelegen= heit mochte er sich — so ging hernach das Gerede — in ein sehr schönes junges Mädchen, des Bauervogts Tochter, verliebt haben. Schon nach einigen Monaten war er allein wieder ge= kommen, hatte den Leuten umsonst aufgespielt, keinen Mangel blicken lassen, und sich viel auf dem Hofe des Vogts zu schaffen gemacht. Dazumal erzählten sich auch die Weiber, wie sein an= muthiges Spielen und Singen das Mädchen so gewonnen habe daß sie wiederum ihn von Herzen lieb gehabt, daß aber der Vater, als er's entdeckt, sehr zornig geworden sei und nichts von Heirathen habe hören wollen, da er seine Tochter keinem unehrlichen Spielmann gebe, und Spielmannskinder als Enkel zu haben, nimmermehr sein Verlangen. So ging damals das Gerede in der Leute Munde, obschon Niemand gewisse Kunde darüber gehabt. Darnach war eines Tages der fremde Spielmann aus dortiger Gegend verschwunden, und Jahre lang hat man nichts von ihm gehört. Er mag sich wohl in Kriegsdiensten, oder sonst nach Art seiner Profession in fernen Landen umher getrieben haben, und Gott wird wissen, was für Schicksale ihm dort begegnet sind.

Indessen mußte das junge Mädchen dem Vater gehorsamen und nach dessen Willen und Gebot einen reichen Bauer zu Bargstedt heirathen. Sie war immer ein stilles Kind gewesen. Man hat auch später nicht viel mehr von ihr vernommen, und kaum zwei Jahre darnach ist sie zu Grabe getragen.

Diese alten Geschichten waren bereits vergessen und verschollen, als plötzlich eines Tages, etwa zehn Jahre nach seinem ersten Auftreten, der fremde Spielmann wieder erschien, und sich in Dubenstedt nieder zu lassen begehrte. Solch' Ansuchen schlug ihm jedoch die Obrigkeit dieses Holsteinischen Dorfes rundweg ab, da er über seine Person, Herkunft, Heimath und sonstige Verhältnisse schlechterdings jede Auskunft verweigerte. Als er nun auf Hamburgisches Territorium übergetreten, und sich Nachts im Neuhäuser Schleusenhause, Tags aber in den Forsten beim Herrenhause aufhielt, da traf es sich günstig, daß der Waldherr eben anwesend war und beim Lustwandeln den fremden Spielmann musiciren hörte, einmal auf der Geige, nachmals auch auf der Sackpfeife, worüber der ernste Herr in eine solche Gemüthserregung kam, daß er dem Waldvogte befahl, dem armen Kerl in Gottes Namen einen schicklichen Platz zum Ansiedeln anzuweisen. Als solchen wählte sich dieser die kleine Wiese, da, wo die Wohldorfer Aue zur Alster geht, seitwärts von der Waldhöhe, mit der Aussicht auf Dubenstedt. Hier baute sich der Spielmann, der über seine Herkunft und Heimath auch fernerhin jede

Anfrage unbeantwortet ließ, mit gar geschickten eigenen Händen eine saubere Hütte, wie man sie hier zu Lande niemals sieht, fast gänzlich von Holz, mit grün bewachsenem Vordach. Und in dieser Hütte hat er seitdem „in die 50 Jahre ganz mutter= seelen allein gewohnt, sintemal er sich nicht verheirathet, folglich weder Weib, noch Kind, noch Freundschaft jemalen gehabt.“

So lange, als die älteren Leute in Wohldorf sich auf ihn besinnen konnten, war er ihnen immer als ein zwar stilles, aber sehr freundliches, altes Männlein erschienen, und der Waldvogt meinte, es sei was ganz Apartes an ihm gewesen, wozu auch seine oberdeutsche Sprache beigetragen, weshalb er Anfangs dem geringen Mann schwer verständlich. Der Bargstedter Herr Pastor aber, zu dem er alle Sonntage in die Kirche und oftmals in den Beichtstuhl gegangen, hat von ihm gesagt, er sei unerachtet seiner fremden Mundart doch ein guter Christ. In seiner Pro= fession war er allgemein sehr beliebt. Bei allen Kindtaufen, Hochzeiten und Erndtefesten der ganzen Gegend hat er stets auf= spielen müssen, womit er ein gutes Stück Geld verdient. Die jungen Leute aber mochten seine fremdländischen Weisen so gern, daß der Tanz nur halbe Lust war, wenn er nicht aufspielte. Zur Winterszeit hatte er auch manchen Erwerb mit Schneiderei für die Jägerburschen und Andere, die nicht zum Bauernstande zählten; denn seine Wämser waren von einem sonderlichen Schnitt, den die Bauern nicht mochten, weil sie stets am Alten hängen. Daneben baute er seinen Garten und zog, außer dem Gemüse, so viele schöne Blumen, wie man sie sonst nirgend sah. Sein Musiciren, wenn er's für sich allein trieb, war ganz ausnehmend schön. Die Geige hat er gestrichen, wie kein Ande= rer; auch auf's Waldhorniren hat er sich verstanden, und in stillen Frühlingsnächten ist's schier zum Verwundern gewesen, wie er geblasen. Den Leierkasten oder die Drehorgel hat er sehr verachtet, dagegen hat er die Sackpfeife mit zween Schal= meien so fein tractiret, wie schon zu jener Zeit sonst gar nicht mehr gehört worden.

Umgang hat er, weiter als ihn seine Profession mit den Leuten zusammengeführt, keinen gehabt. Den Stadtmenschen ist er meist aus dem Wege gegangen. Und wenn Herren des Raths mit ihren Familien und Gästen zur Sommerszeit sich im Herrenhause erlustiret haben, hat er sich wohl etwas versteckt gehalten, und vor ihnen nicht gern aufspielen mögen. Manche von den Herrschaften aber sind zu seiner Hütte gegangen, haben die artige Gelegenheit derselben und die raren Blumen bewundert, auch von fern seinem Musiciren zugehorcht. Seine Lebensfreude hat er, außer an seinem Gespiele und den Blumen, auch an den Vögeln des Waldes gehabt, denen er das Futter gestreuet, so daß ihrer viele beständig auf dem grünen Plan vor seiner Hütte sich eingefunden. Am liebsten hat er die Walddrossel gehabt, mit der man ihn fast menschlich hat reden hören. Er hat sich auch meisterlich auf den ganzen Waldgesang verstanden, und jedwede Vogelstimme so täuschend nachahmen können, daß es die Jäger oftmals geirret, wenn sie durch den Forst gegangen sind.

Von den Kindern war er ein sehr großer Freund, und täglich saßen, von Wohldorf wie von Dubenstedt, kleine Häuflein derselben vor seiner Hütte, woselbst sie spielten, bis er heraustrat und mit ihnen sich beschäftigte. Dann erzählte er ihnen allerhand Geschichten aus der Bibel und andere, auch alte Märlein, vom hörnenen Siegfried und ähnliche, auch viele lustige Schwänke. Desgleichen sang er ihnen die allerschönsten Lieder vor, die er wußte, geistliche wie weltliche, bis sie ihm dieselben nachsangen. Und manchen Vorübergehenden hat's das Herz erfreut, wenn er die fröhliche Kinderschaar um den silberhaarigen, alten Mann sitzen sah und ihre hellen Stimmen so lustig klingen hörte.

In den letzten Jahren ist er hinfällig und gebrechlich geworden, so daß er zu Hochzeiten und Tanzfesten nicht mehr gegangen. Vom letzten Neujahr bis auf Fastelabend hat er seine Hütte kaum verlassen; aber beim ersten Grünen des Frühlings ist er wieder oftmals im Walde und auf der Neuhäuser Schleuse bei Dubenstedt gesehen, hat auch alle Morgen die Kinderschaar um sich versammelt gehabt. In den ersten Maitagen ist er einigen Leuten sehr unruhig erschienen, man hat gesehen, wie er die zitternden Hände gerungen, als ob er schwer kämpfen müsse; wie er denn auch laut mit sich selber geredet, und mehrmals das Sprüchlein aus dem Propheten Jesaias vor sich hergebetet: „Aber das zerstoßene Rohr wird Er nicht zerbrechen, und den glimmenden Tocht wird Er nicht auslöschen."

Der Waldvogt schloß seinen wohlwollenden Bericht, indem er sagte: „Es ist fürwahr dieser Greis, wenn auch ersichtlich im Kopfe nicht ganz richtig, doch zeitlebens ein grundgutherziger Mensch gewesen, der keiner Seele was zu Leide gethan, vielmehr gern Allen was zu Liebe, wie er's gekonnt und gewußt. Und was ihn jetzo, an die 85 Jahre alt, noch in's Wasser getrieben haben mag, — Böses kann's nicht gewesen sein, — das weiß allein der große Gott, der auch einzig kennt, was eigentlich ihn vor Zeiten aus seiner Heimath gerissen, und was vor Schicksale und Herzeleid er in jüngeren Jahren ausgestanden hat!"

Bis nun des Waldherrn Antwort nach Wohldorf kam, lag die Leiche des alten Spielmanns in seiner stillen Hütte. Dorthin hatte man sie gleich gebracht und auf's Bette gelegt, als man sie aus dem Wasser gezogen und getrocknet; die müden Augen waren geschlossen, und auf dem alten, lieben Gesicht lag ein sehr friedlicher, feierlicher Ausdruck. Blumen, Vögel und Kinder hatten verwundert zugeschauet, und nicht begriffen, was man mit ihrem alten Meister vorhabe. Und als am andern Morgen die Kinder, ihrer Gewohnheit nach, wieder zur Hütte kamen, und der Alte fort und fort schlummerte, und sie allmählig inne wurden, daß seine freundliche Seele weggegangen sei, um nimmer wieder zu kehren, da sind sie allesammt in ein lautes, schmerzlich betrübtes Weinen ausgebrochen und die Vögel des Waldes haben in traurigen Tönen eingestimmt in die Wehklage um den lieben alten Freund. Und am nächsten Morgen sind die Kinder wieder gekommen, haben Anfangs geweint und gewehklagt, dann aber zu spielen begonnen, erst ein wenig still, dann etwas lauter, bis Eins von ungefähr ein geistlich Lied zu intoniren begonnen, das der Alte am liebsten von ihnen gehört; das haben denn Alle mit kindlichem Eifer zu Ende gesungen und dann nach Kinderweise fröhlich weiter gespielt.

Inzwischen ist des Waldvogts Wunsch, dem alten Spiel=
mann ein ehrlich Begräbniß zu verschaffen, in Erfüllung ge=
gangen. Der Waldherr hat's gern bewilligt, in der Stille, an
der Kirchhofsmauer des Pfarrdorfes Bargstedt. Und wie der
wackere Beamte dies ausrichten will, da wird unvermuthet sein
gutes Herz hoch erfreut durch die lebendige Betheiligung der
Bauern in Wohldorf und Dubenstedt.

Ob die rührende Wehklage der unschuldigen Kinder um
ihren heimgegangenen alten Freund diese sonst so trägen Herzen
geweckt? ob sie sich erinnerten, wie einst auch sie als Kinder ge=
hangen an dem alten Mann, wie er sie gehegt und gepflegt mit
Liebe und Güte, wie sie die besten Freuden ihrer Jugend, ihres
Lebens, ihm verdankten? genug, es erboten sich so viele Leute
zur Leichenfolge, daß lange keine so ehrenvolle Bestattung im
Kirchspiel vorgekommen, als diese, welche einem Fremdling galt,
einem armen alten Spielmann. Auf dem Wagen des Duben=
stedter Vogtes, unter dem Vortritt der Jägerburschen des Ober=
försters, gefolgt von einer großen Menge Leidtragender, langte
der Sarg auf dem Bargstedter Kirchhofe an. Tönte hier auch
kein Glockengeläute, so sang doch der Schulmeister mit seinen
Kindern am offnen Grabe, und der Herr Pastor sprach ein schö=
nes Gebet zu aller Anwesenden Andacht und Erbauung.

Die Hütte des alten Spielmanns zerfiel bald und der
Garten verwilderte. Aber noch lange Zeit kamen die Kinder
regelmäßig zum Spielen hieher zu dieser Stelle, wohin eine
liebe Gewohnheit sie zog. Dann wuchs eine neue Generation
heran, die auch hier zu spielen pflegte, aber ohne etwas zu wissen
vom alten Spielmann. Da hatte schon längst der Rasen der
Wiese sich seines alten Gebietes wieder bemächtigt, und mit dich=
tem Grün die kleine Stätte überzogen, wo vormals so manches
Jahr ein einsam Menschenherz still getrauert und sein heimlich
Leid in sich verschlossen, um der Außenwelt die Liebe und Freund=
lichkeit, die es bewegte, in desto friedlicheren Klängen wohlthuend
zu offenbaren.

Drittes Capitel.

Von Badern und Barbierern.

Eins der ältesten und seiner Zeit nützlichsten städtischen Gewerbe, das der Baber, ist schon früh der Unehrlichkeit anheim gefallen. Seit Verbreitung des orientalischen Aussatzes in den abendländischen Gegenden erkannte man fleißiges Baden für eins der wirksamsten Vorbeugungsmittel, und deshalb legten nicht nur barmherzige Mönchsorden und Magistrate, sondern auch Privatpersonen solche heilsame Badestuben an, deren Haupterforberniß ein mächtiger Schwitzofen war. Auch stiftete man, zum jenseitigen Heil der eigenen oder befreundeten Seelen, wohlthätige Badeanstalten, in welchen arme Leute gratis behandelt wurden, die sogenannten Seel=Bäder. In Norddeutschland nannte man von diesen Stuben die Baber auch Badstöber. Daß sie dabei auch andere der Körperpflege gewidmete Dienste, Haarschneiden, Rasiren, Bartputzen, sowie Aderlassen, Schröpfen u. dgl. verrichteten, das lag nahe und war ihren Kunden bequem. Wenn man sie nun allgemein mit der Unehrlichkeit belegt findet, so fragt man billig warum? Schwerlich einzig wegen der allerbings zuweilen recht widerlichen und ekelhaften Functionen eines vielseitigen Babers jener Zeit; verberbliches Quacksalbern wird's auch nicht gewesen sein, was ihnen dies Odium zu Wege brachte; ebenso wenig wird der Umstand, daß die Badestuben der eigentliche Heck= und Brüteplatz unseligen Stadtklatsches und die Wiege der sogenannten Salbabereien zu sein pflegten, den Eignern an den Hals gegangen sein. Aber daß jene Locale in grauen Zeiten eine gewisse unehrbare Tendenz angenommen hatten, daß sie notorisch als Herbergen der Leichtfertigkeit angesehen wurden, das war der sehr moralische Grund des Ehrenmakels, welcher deshalb nicht unverdienterweise die frivolen Baber traf.

Jene Tendenz der Badestuben war — hoffentlich in Folge reumüthiger Besserung ihrer Eigner — wohl schon verschwunden, als Kaiser Wenzel in Gefangenschaft gerieth und aus selbiger

durch Susanna, die heroische Bademagd, errettet wurde. Erfüllt
von Dankbarkeit, lohnte er nicht nur ihr persönlich diesen Dienst,
sondern er begnadigte auch alle ihre Collegen, sämmtliche Bader=
genossenschaften, mit einem herrlichen Freibrief (vom Jahre 1406).
In diesem Privilegio decretirt der Kaiser, daß der Bader Handwerk
in allen Erb= und Reichslanden den besten der andern Hand=
werke völlig gleich gemacht und als makellos ehrlich und rein
überall anerkannt werden solle. Zu mehrerer Heiligung ihrer
Hausaltäre wird ferner allen Juden, Heiden und andern Un=
christen streng geboten: der Bader Wohnungen und Badestuben
gänzlich zu meiden, und jedermänniglich verboten, die ehrlichen
Bader zu schmähen oder verkleinerlich von ihren redlichen Dien=
sten zu reden. Wer aber sie oder ihr reinliches Handwerk den=
noch böslich antasten würde, der soll sonder Gnade dem kaiser=
lichen Zorn verfallen, sein Vermögen an die geschmähte Bader=
zunft abtreten, und obendrein seines Kopfes verlustig gehen!
Daneben ertheilt der Kaiser seinen lieben Badern ein sinnreiches
Zunftwappen; im güldenen Schilde ründet sich eine knotenweis
verschlungene Aderlaßbinde, in deren Mitte ein grüner Pa=
pageienvogel prangt, — vielleicht eine scherzhafte Anspielung
kaiserlichen Humors auf die weltbekannte Redseligkeit seiner
Günstlinge.

Leider hatte dieser Freibrief nicht allgemein den gewünschten
Erfolg. Vermuthlich, weil Wenzel den Scharfrichter seinen Ge=
vatter zu nennen pflegte, da er dessen Sohn aus der Taufe
gehoben, und übrigens zur Zeit der Erlassung jenes Diploms
längst als deutscher Kaiser in den Ruhestand versetzt, nur noch
als böhmischer König fortwirkte; genug, das Privileg wurde
wenig respectirt und von einer Kopfkürzung wegen Verkleinerung
der Baderei ist keine Rede gewesen. Die vornehmeren Zünfte
verharrten noch Jahrhunderte lang bei ihrem Vorurtheil gegen
die Bader, deren Söhnen sie die Aufnahme versagten. Man
muß freilich gestehen, daß sie auch damals keineswegs ohne
alle Verschuldung waren, und namentlich durch eine gewisse Rück=
sichtslosigkeit gegen den öffentlichen Anstand, den Tadel aller
Ehrbaren provocirten. Was soll man dazu sagen, wenn man

z. B. erfährt, daß die Breslauer Bader bis 1419 ganz ungenirt mit bloßen Beinen auf den Gassen umher stolzirten? Erst in gedachtem Jahre gelang es den Vätern der Stadt, den löblichen Entschluß ihrer Corporation zu Stande zu bringen: daß fortan keiner von ihnen, weder Meister noch Gesell, „baarschenkelig" ausgehen dürfe, „es sei denn, Einer wäre krank oder käme just vom Bade, oder trüge ein so langes Gewand darüber, daß man seine Beine nit sehen könne", — bei Strafe eines Pfundes Wachs, und zwar um der Ehre des Handwerks willen. Vermuthlich war also nur der Ehrenpunkt, etwa ihren verhaßten Rivalen, den wohlgekleideten, zierlichen Barbierern nicht nachzustehen, der Beweggrund dieser Bekehrung zu Anstand und guter Sitte. Die Neigung zu einer gewissen Vernachlässigung vollständiger Bekleidung findet sich auch noch viel später bei den Badern, z. B. bei denen zu Hamburg, welche erst im Art. 18 ihrer Ordnung vom Jahre 1649 den Grundsatz aufstellten: „es soll fortan kein Badergesell oder Lehrjunge baarfuß oder mit dem Badehute ausgehen, bei 4 Schill. Strafe; Wer's siehet und verschweiget's, soll gleiche Strafe geben." Hier ist noch der berühmte Hans Kranich zu erwähnen, um 1620 Besitzer der Anno 1369 zu frommen Zwecken gestifteten Baderei an der Saale zu Jena, dessen unaufhaltsamer flux de bouche die Veranlassung gab, daß man alles geistlose Phrasengewäsch Saalbadereien nannte, wie ältere Autoren behaupten. Die Reichspolizei-Ordnungen von 1548 und 1577, welche die Ehrlichkeit der Bader wiederholt aussprachen, mögen von den halsstarrigen, größeren Zünften, namentlich in den Reichsstädten, in diesem Betreff noch längere Zeit unbefolgt geblieben sein, bis endlich die mit der Zeit völlig veränderte Handtierung der in einfache Bartscherer und Wundärzte niederen Grades verwandelten Bader, ihr allmähliges Verschwinden vom Schauplatze selbstständiger Corporationen anbahnte.

In Hamburg sind Bader vor 1250 nachzuweisen. Sie saßen in guter Nahrung und wirthschafteten weise, wie die schönen Namen zweier Badstöver um 1370, Hinrik Sparebrot und Harm Spisewinkel, bezeugen, — und konnten, Hein Vorriber an der Spitze, schon vor 1375 eine anerkannte und bestätigte Zunft bilden. Deshalb scheint auch der Staat ihre volksthümliche Un= ehrlichkeit vollständig ignorirt zu haben. Ihre Mitglieder genossen des Waffenrechtes und standen pro patria gemeinsam mit den vornehmsten Zunftgenossen und freien Bürgern auf den Wällen der Stadt, und dem erbgesessenen Badermeister war der Besuch der bürgerschaftlichen Convente ebensowohl gestattet, wie jedem Haus und Erbe besitzenden Bürger.

Philander von Sittewald sagt freilich irgendwo in seinen wunderlichen Gesichten (1650): es sei fürwahr ein elend Ding um einen Arzt oder Wundarzt, „dem nimmer wohl ist, es sei denn andern Leuten übel“, — indessen können wir der Heil= kunbigen Hülfe niemals lange entbehren, und thun daher wohl, sie durch Ehrerbietung und Höflichkeit bei guter Laune zu erhal= ten, damit sie uns nicht zu sehr plagen, wenn wir ihnen in die Hände fallen.

Weshalb nun eigentlich die kunstverwandten Barbierer der übeln Berüchtigung ihrer badenden Stiefbrüder nicht ent= gangen sind, das ist schwer zu sagen, wenn es nicht etwa die Gemeinsamkeit vieler Dienstverrichtungen und die Aehnlichkeit mancher Characterzüge war, z. B. Quacksalberei und Salbaderei (m. s. Figaro, „den Cicero aller Barbiere“ in Sevilla), welche sie in gleiche Verdammniß brachte, obschon ihnen niemals, wie den Badern, unehrbares leichtfertiges Wesen, oder unpassende Vernachlässigung der Formen äußeren Anstandes nachgesagt worden ist. Wären sie lediglich bei dem edleren Theil ihrer Beschäftigung stehen geblieben, bei der Wundarzneikunst, und hätten sie dieselbe wissenschaftlich fortzubilden verstanden, so wür= den sie gewiß eine höhere Stufe in der bürgerlichen Gesellschaft eingenommen haben. Da sie aber um besserer Nahrung willen, concurrirend mit den Badern, zu den Bärten ihrer Mitmenschen griffen, so erreichte sie die Nemesis, indem man sie mit diesen in demselben schwarzen Topf des Makels warf. Und so sehr sie darnach trachteten, sich als Collegium Chirurgorum anerkannt zu sehen, so wurden sie allgemein doch stets nur Bartscherer oder Balbierer genannt.

In der Volksmeinung waren indessen auch die humanen chirurgischen Dienste, welche die bestallten Amts = und Raths=barbierer den gefangenen Missethätern, vorzüglich den vom Henker mit der Tortur angegriffenen Inquisiten zu widmen hatten, Grund genug, um einen Schatten auf die ganze Corporation zu werfen; denn des Henkers Infamie war so groß und ansteckend, daß jeder directe Contact mit seinen Functionen, so wie das Berüh=ren der bereits unter seinen unehrlichen Händen befindlichen Ma=leficanten den honettesten Mann beschimpfen konnte.

Genug, auch den Barbierern klebte trotz ihrer wohlthätigen Künste ein Ehrenmakel an, welcher sie und ihre Kinder von den meisten Handwerksgilden ausschloß. Die Goldschmiede zu Köln z. B. nahmen sie nicht auf, wie aus einigen Documenten aus den Jahren 1472 bis 1525 hervorgeht, in welchen der Rath zu Hamburg es einigen hiesigen Goldschmiedegesellen behufs ihrer Aufnahme in Köln bezeugt, daß Keiner von ihnen sei „weder Bartscherers, noch Badstövers, noch Linnenwebers, noch Spiel=manns Kind." Hoffentlich werden dergleichen Beschränkungen nach den obengedachten Reichsgesetzen von 1548 und 1577 nicht weiter nöthig gewesen und ihre hier ausgesprochene Ehrlichkeit nach und nach allgemein anerkannt worden sein.

In Hamburg ist jedoch von ihrer früheren Unehrlichkeit keine Spur zu bemerken. Noch bevor sie sich in eine Genossenschaft zusammenthaten, gab's einzelne „rasores und barbitonsores", z. B. 1299 den Meister Papelin, welcher mit Grundeigenthum angesessen, also Bürger war und zwei Söhne hatte, welche Prie=ster waren. Einige 30 Jahre später mag der Barbier auf dem Hopfenmarkt gelebt haben, den wir aus einem Schalksstreiche Till Eulenspiegels kennen. So wird's noch Mehrere gegeben haben, aber erst 1452 vereinigten sich die hiesigen Bartscherer zu einer geistlichen Brüderschaft, deren Patrone St. Cosmas und St. Damianus waren, „die heiligen Aerzte und Märtyrer." In der Dominicaner=Klosterkirche zu St. Johann war ihr Altar, wie die letzte Ruhestätte der Amtsgenossen noch jetzt auf dem St. Johannis=Begräbnißplatz sich befindet. Den Altar schmückten die Meister und Meistersfrauen bestens, sie schossen zusammen zur Anschaffung von Kleinodien, vorzüglich eines „güldenen Stückes" u. f. w., fast 30 Mark. Die am meisten opferten, waren Meister Jacob Cord, Anna und Grete Engelke, die gaben je 1 Mark, und Meister Hinrik Steen, der gab 15 Mark und noch dazu vier Kannen. Denn er war vermöglich und „der Herren Arzt", was man später nannte Rathschirurgus. Er hatte schon früher dem Altar einen neuen Kelch geschenkt, mit seinem Markzeichen auf dem silbernen Fuße. Und bald darauf, Anno 1468, gab der Rath den Bartscherern Gesetze und Privilegien, und sie bestimmten folgende Dinge zum Meisterstück: braun, gelb, grau und grün Pflaster (Jennensye), Unguentum album et furcum, ein Incarnativ, Mundicativ et Defensiv, ein Apostolicum und ein Popolicum oder Populeum (die Handschriften variiren hier). Später wurde das Meisterstück nicht mehr für erforderlich erachtet und abgeschafft, dagegen eine Prüfung eingeführt.

Uebrigens hielten unsere „ehrsamen und kunstreichen Meister" des Barbiereramtes (wie sie sich jedenfalls seit 1577 schrieben und schreiben durften) sehr streng auf ehrbare Sitte und distinguirten zugleich, in Contraventionsfällen, äußerst scharf zwischen Meister und Gesellen. Wenn (nach ihren Artikeln von 1577) ein Meister in Herzensangelegenheiten einer schweren Anfechtung unterliegt, so soll er (abgesehen von der gerichtlichen Buße) solch Vergehen „sonder Gnade bessern mit drei Tonnen freien Bieres", welche Sühne natürlich seinen Mitmeistern zur Gemüthsergötzung diente. Macht sich aber desselben Vergehens ein Gesell schuldig („ja, Bauer, das ist ganz was anders"), so hieß es: „der soll nicht würdig sein hier ferner als Gesell zu dienen, oder jemals hier Meister zu werden." Uebrigens gaben die Meister in den Artikeln von 1601 ihren Gesellen eine Reihe trefflicher Lehren zur Aufrechthaltung guter Lebensart und höflicher Sitten. Dahin zielt das Gebot, bei den Högen oder Festen weder „den würdigen Namen Gottes, noch den bösen Mann zu nennen, so lange die Tonne Biers läuft; ferner das Verbot: „ein Bock oder Messer, noch andere schädliche Wehre, auch keine Würfel oder Karten unter der Mahlzeit bei sich finden zu lassen;

weiter die Verfügung, daß die Schaffer von etwa laut werdenden Mentemacher, Zänker und Haberer, um des lieben Friedens willen, zur Thür hinausstoßen soll und ihn also in der Güte wegweisen; und endlich die nicht aus Rumohrs Schule der Höflichkeit stammende Vorschrift: daß ein Jeder sich im Trunke also vorsehen möge, „daß er sich nicht breche, wovon andern Gesellen Essen und Trinken vergehen möchte."*)

Zwischen Badern und Barbierern gab's ewigen Krieg. Fortwährend mußten die armen Bader, längst überflügelt von den jüngeren Barbierern, ringen und kämpfen gegen deren Angriffe auf ihre bescheidene Nahrung. Stolz auf ihre solideren Kenntnisse der Chirurgie, sahen die Barbierer nicht nur mit Verachtung auf die abgenutzten Badekappen herab, sondern sie trachteten auch darnach, den älteren Halbbrüdern das unschuldige Aderlassen und Bartputzen durchaus zu verleiden, und sie lediglich auf ihre werthlosen Badestuben und allenfalls auf die Adern und Bärte der alten Hospitaliten im heil. Geiste zu beschränken, auf welche sie allerdings urkundlich verbriefte Anrechte besaßen. Gleichwohl waren die Bader schon lange vor Entstehung des Barbieramtes im Besitze dieser Körpertheile ihrer sämmtlichen Mitbürger gewesen, und vertheidigten sich nun auf's Aeußerste. Zu einer Zeit, wo der Kalendermann gewohnt war, diejenigen Monats- und Wochentage zu bezeichnen, an welchen wegen günstiger Constellation der Gestirne „gut Aderlassen und Schröpfen" sei, waren diese chirurgischen Verrichtungen von sehr reellem Werthe. Der leidige Brodneid veranlaßte dabei die Barbierer zu manchen gehässigen

---

*) Aehnliche Vorschriften zu Gunsten der feinen Lebensart kamen auch in andern Zunftgesetzen vor. In der Anno 1669 veranstalteten neuen Redaction der Hamburger Schuster-Ordnungen von 1370—1605 heißt es Art. 9.: „Wenn das Amt in der Kirche oder sonsten beisammen ist, und ein Meister dem andern den bösen Feind wünschet oder sonsten selbigen im Munde führet, der soll 1 Rthlr. Strafe geben. So Einer den Andern der Lügen beschuldigte, oder ihn an einen unhöfischen Ort weisete, desgl. 1 Rthlr.; greift aber Einer dem Andern an die Ehre und schilt ihn einen Schelm, der soll geben eine Tonne Bier, wie sie läuft, davon, wie von allen Strafen, der Amtsherr die Hälfte genießen soll."

Insinuationen voll schielender Streiflichter auf die vormals
übliche böse Berüchtigung des Badergewerbes, wobei sie der eige=
nen ähnlichen Lage völlig vergaßen. Vergebens trachtete der
kaiserliche Friedens = Commissarius Graf Windischgrätz, welcher
freilich eigentlich wegen wichtigerer Versöhnungsversuche Anno
1674 hier weilte, den armen Badern das sehnlichst gewünschte
Recht der Aushängung mehrerer Barbierbecken vor ihren Rasir=
stuben zu verschaffen; des mächtigen Staatsmanns Einfluß schei=
terte an dem Felsensinn des Widerparts. Zu Anfang des vo=
rigen Jahrhunderts gediehen die Animositäten zu den handgreif=
lichsten Thätlichkeiten. Die zum Rasiren harmlos ausgehenden
Badergesellen wurden von zornigen Barbierergehülfen meuchlings
überfallen, stark geschlagen und ihrer Scherbeutel schmählich be=
raubt, wofür ihre gerichtliche Satisfaction so dürftig ausfiel,
daß sie an die Schattenprocedur der alten Spielleute erinnerte.
Im Jahre 1705, bei Gelegenheit einer ähnlichen, bis vor das
Forum der Bürgerschaft gedrungenen Differenz, erschien eine
gottlose Charteke, betitelt „die nothleidende Gerechtigkeit der Bar=
bier und der daran hangenden bürgerlichen Freiheit" 2c., worin
diese Künstler über namhafte Rathsherren und Graduirte sich
beschwerten, welche von Badern und andern Pfuschern sich rasi=
ren ließen. Da ermannten sich die Bader zu einer gedruckten
Vorstellung, daß die Barbierer wider Wahrheit, Recht und Tu=
gend, wider Gott und Menschen sich versündigten, wenn sie die
Bader zu den Pfuschern zählten. Sie besannen sich auch sehr
passend auf die bewußte Bademagd Susanna, und rieben in
dieser Denkschrift ihr herrliches Privilegium Kaiser Wenzels vom
Jahre 1406 den Barbierern unter die hochgetragenen Nasen. *)
Da diese „sich nicht entrötheten", die Bader als Pfuscher des
Barbiereramtes brandmarken zu wollen, so war's ein Act der
Vergeltung, wenn nun Seitens der Beleidigten die Barbierer
als „Böhnhasen des Baderamts" an den Pranger gestellt wurden,
was die Barbierer einer „beispiellose Ausverschamtheit" nannten,

---

und darüber schier außer sich geriethen. Sie ließen nämlich eine Schmähschrift drucken, deren sonderbarer Titel lautet: „Die durch bessere Gegenvorstellung entblößten Baber, ihrer mit Feigenblättern beschmückten Vorstellung entgegengesetzt." Indessen deckte doch wohl das Oel= und Lorbeerblatt des kaiserlichen Freibriefes die Baber so gut, daß sie auch ferner im Genusse des Aderlassens (wofür ja auch ihr Wappen redete), wie des allgemeinen Bartputzens, neben den gleichberechtigten Barbierern, geblieben sind.

Solche auch außerhalb Hamburg vielfach vorkommende Eifersucht unter den verwandten Heilkünstlern förderte oft böse Dinge zu Tage. In einer gewissen Stadt, wo ebenfalls die veralteten Baber vom Culturfortschritt der Barbierer überholt waren, klagten diese einstmals (übrigens vor etlichen hundert Jahren), daß schon wieder ein Baber, und sogar auf offener Straße, das unbefugte Aderlassen betrieben habe. Das Gericht inquirirte, und siehe, es kam heraus, daß Jemand vom Stickfluß betroffen auf der Gasse niedergestürzt war. In wohlwollendster Absicht hatte ein vorübergehender Baber jene gemeiniglich heilsame Operation auf der Stelle an ihm vollzogen, da seiner Ansicht nach schnellste Hülfe von Nöthen. Es war auch eine beträchtliche Menge Bluts herausgeflossen, vielleicht aber etwas zu viel, denn der Patient war noch unter des Babers Händen Todes verfahren, — ob troß, ob wegen des Aderlasses, das blieb unerörtert, denn der Casus wurde hauptsächlich dadurch merkwürdig, daß die zur buchstäblichen Anwendung des Gesetzes sich bekennenden Schöppen den Baber platterdings enthaupten lassen wollten, weil geschrieben stehe: „Wer auf offner Straße Menschenblut vergeußt, der soll des Todes sterben." Nicht ohne Mühe überzeugte der Oberrichter die Schöppen, daß sie Schöpfe seien, und dem unbefugten Aderlasser die erlittene Todesangst für genugsame Buße anrechnen müßten.

Wenden wir uns zum Schlusse dieses Capitels von diesen kleinlichen Spießbürgerlichkeiten der Barbierer zu einem aus ihrer Mitte hervorgegangenen großen Mann. Peter Carpser, geb. 1696, gest. 1759, eines hamburger Barbierers Sohn und selbst

Mitglied dieser Corporation, war als practischer Chirurg der Erste seines Zeitalters, hochgeehrt im In= und Auslande, als Mensch ausgezeichnet durch alle wahren Tugenden ächter Cultur und Humanität. Sein gastliches Haus war der Sammelplatz aller einheimischen und fremden Größen, und die Düsternstraße, in welcher es stand, wurde durch ihn dergestalt illustrirt, daß man sie über 50 Jahre lang nur die Carpserstraße nannte, was aber jetzt vergessen ist. Wenn man die begeisterten Schilderungen seiner Zeitgenossen lieset (z. B. in den von Dr. Unzer heraus= gegebenen Trost= und Condolenz=Gedichten an Carpser beim Tode seines einzigen Sohnes, oder in Herrn von Grießheims Tractat über Hamburg), so begreift man nicht, wie es möglich war, dieser Gasse den alten, düstern Namen zurückzugeben. Hoffentlich wird der Schillerverein, welcher Lessings hiesige Wohnung ent= decken und mit einer Inschrift bedenken will, auch das leichter aufzufindende Haus Carpsers passend bezeichnen, etwa mit den ihm gewidmeten, schönen Worten des Dichters Hagedorn (der auch noch der Gedenktafel harrt). Hagedorn sagte nämlich bei Carpsers Tod: „Wünscht Aerzten seine Kunst und Kö= nigen sein Herz."

Viertes Capitel.

Von den Leinwebern.

Laut allgemeiner Ansicht der Kundigen soll das Gewerbe der Leinweberei eine so vielfache und bequeme Verführung zum Betruge darbieten, daß kluge und vorsichtige Leute keinem Weber trauen; und da dies schon zu Olims Zeiten ebenso gewesen, so kamen dieselben in Mißachtung und in den Bann der unehr= lichen Leute. Entweder hieß es, sei das Garn gefälscht, oder der zum Steifen der Fäden erforderliche Kleister nicht aus rein= lichem Getraidemehl, sondern aus unsauberen, schmählichen Sub=

ftanzen gefertigt, oder das Längen= und Breitenmaaß eines
Stückes unrichtig. Allgemein aber klagten die Frauen, welche
ihr Garngespinnst zum Weber schickten um Linnen zurück zu
empfangen, daß sie bei seinem uncontrolirbaren Werk über alle
Maaßen arg verkürzt würden, denn wenn sie, vielleicht etwas zu
sanguin, drei Stücke erwarten zu dürfen meinten, so waren die=
selben beim Empfang regelmäßig auf zwei zusammengeschrumpft,
und des Webers Kindersegen prunkte in neuen Hemden. Wenn
man bedenkt, daß Fälschungen ganz ähnlicher Art bei jedem ver=
wandten Gewerbe vorkommen können, so begreift man schwer,
weshalb grade die Leinweberei so schwer für die Vergehungen
Einzelner büßen mußte. Vielleicht ist hier der Einfluß der Frauen
erkennbar, die sich überhaupt sehr ungern betrogen sehen, am
heftigsten aber sich erboßen, wenn's ihre Herzensangelegenheiten
betrifft. Zu diesen aber gehört bekanntlich der Linnenschrank,
da das schöne, weiße, feine, kunstreich gewebte Drell aller tugend=
samen Hausfrauen inbrünstig geliebtester Schatz ist, welchen nur
mit Rothwein zu betropfen schier als Verbrechen gilt. Die Hol=
steinerinnen sagen daher: „Veel Linnen im Schapp is hemliken
Riekdom, knapp Linnen in de Kist is hemlike Armod." Jetzt
soll's damit anders sein, und eine würdige Hamburgerin erklärte
kürzlich, das bündigste Merk= und Wahrzeichen des jetzigen Zeit=
geistes in der Aussteuer junger Frauen zu finden: viel Seide,
viel Spitzen, unendlich viel Baumwolle und blitzwenig Leinwand,
viel Prunk und Luxus, wenig Solides, — was man hierorts
auch ausdrückt: „haben fix und ünnen nix."

Jedenfalls hielt man schon in der grauesten Vorzeit die
Leinweber für unehrlich, und deshalb (und vielleicht um ihnen
eine heilsame Admonition zur bußfertigen Einkehr nach innen
zu geben) betheiligte man sie in vielen Ländern Deutschlands
bei den schimpflich geachteten Galgenbauten, wozu doch ihr kunst=
reiches Handwerk sie gar nicht zu qualificiren scheint. Der be=
rühmte bayrische Jurist Freiherr von Kreittmayr sagt: In älte=
ren Zeiten mußten hier zu Lande die Weber den Galgen machen,
wie die Müller die Leiter dazu liefern mußten, weil man glaubte,
daß diese beiden Arten Handwerker die längsten Finger hätten,

mithin sich am besten schickten zu solcher Arbeit. — Als Ausdruck allgemeiner Mißachtung haben sich auch einige Lieder erhalten, in welchen die Leinweber (die sich hierüber mit den ehrlichen Schneidern trösten können) vom Volkswitz in derbster Weise verspottet und lächerlich gemacht werden. Von ihren Uebungen der Tonkunst heißt es z. B.:

„Die Leineweber machen eine saubre Musik,
Als führen 20 Müllerwagen über die Brück'.“

Zur Kennzeichnung ihrer Oeconomie heißt es:

„Die Leineweber nehmen keinen Lehrjungen an,
Der nicht sechs Wochen lang hungern kann.

Auf ihre verdächtige Rechtschaffenheit zielt der Vers:

„Der Leineweber schlachtet alle Jahr zwei Schwein',
Das eine ist gestohlen, das andre nicht sein.“

Weshalb eigentlich dieser Ehrenmakel nicht auch auf andere Handwerker erstreckt wurde, welchen man gleiche Abweichungen vom Pfade moralischer Ehrlichkeit nachsagte, z. B. auf die vom Volkswitz so unbarmherzig verspotteten Schneider, in deren „Hölle“ unterm Werktisch so manches schöne Stück Tuch sich verirren soll, und die nur dann in's Himmelreich eingelassen werden, wenn zufällig grade die Sonne scheint', während es zugleich regnet, — das ist räthselhaft, und sehr unbillig gehandelt gegen die ärmeren und deshalb weniger angesehenen Leinweber.

Indessen wird gewiß überall da, wo die Weber in den Städten geordnete Corporationen bildeten, der allen Zünften inwohnende Geist der Rechtschaffenheit auch in das Linnenwerk gefahren sein und das Gewerbe wieder in Achtung gebracht haben, — weshalb denn auch die erwähnten Reichspolizei-Ordnungen dasselbe für vollkommen ehrlich, und seine Genossen wie deren Kinder und Nachkommen für würdig erklärten, in alle Gilden und Collegien, auch in die vornehmsten, einzutreten, — was die jetzt fürstliche und gräfliche Familie Fugger, welche bekanntlich einer augsburgischen Leinweberei entstammt, nützlichst erfahren hat.

In Hamburg bildeten die Leinweber schon lange vor 1375 eine anerkannte Corporation, deren Gerechtsame sich aus-

nahmsweise auch auf das Landgebiet erstreckte. Sie waren so
berechtigt, wie verpflichtet, das volle Bürgerrecht zu gewinnen,
und der vorurtheilsfreie Staat, der in allen seinen unbestraften
Angehörigen eitel Ehrenmänner zu erblicken gewohnt ist, zog
auch sie heran zur Vertheidigungspflicht der Stadt, aus welcher
sie, nach älterem Recht, ganz füglich das Waffenrecht freier ehr=
licher Männer für sich ableiten konnten. Indessen werden die
größeren Zünfte auch hier, wie anderswo, ihre Pforten vor den
Webersöhnen verschlossen gehalten haben. Von den Naum=
burger Innungen wissen wir, daß sie „all' solche Leut', die
von Schäfers=, Lautenschlägers=, Leinwebers= oder anderer
leichtfertiger Art sein", nicht aufnahmen. Schon oben ist
der ausdrücklichen Bezeugung in Geburtsbriefen gedacht: daß
der Meisterrechts=Candidat bei den Goldschmieden kein Leinwebers=
kind sei.

Uebrigens zeigten die Hamburgischen Leinweber recht muster=
haft, wie eine durch verjährte Schuld der Vorfahren in üblen
Ruf gekommene Genossenschaft es anstellen muß, um sich zu all=
gemeiner Achtung wieder emporzuarbeiten. Geduldig trugen sie
ihr unvermeidliches Mißgeschick, befleißigten sich stillen, tadels=
freien Wandels, webten emsig makelloses Linnen und übten
fromme Werke der Barmherzigkeit. — Sie hatten sich vom Rathe
ein Normal=Ellenmaaß erbeten, mit demselben gingen ihr Older=
lüde zu den einzelnen Meistern, maaßen deren fertige Stücke nach,
und straften alle Mängel des Gewebes sonder Gnade nach ihren
strengen Satzungen. Desto energischer drangen sie aber auch
darauf, daß hier keine unzünftigen Weber geduldet würden, deren
betrüglich Werk ihrer Controle entzogen sei, wodurch die Bürger
in Schaden, ihre fleißige Zunft aber ganz ungerecht, wie leider
vormals oft geschehen, in den Verdacht der Unredlichkeit geriethe.

Während die vornehmeren Zünfte für ihre geistlichen An=
dachtsübungen und letzten Ruhestätten sich die großen Hauptkirchen
erwählt hatten, zogen sich die stillen Leinweber in die beschau=
liche Klosterkirche zu St. Marien=Magdalenen zurück, wo die
guten Väter und Brüder vom Franciscaner=Orden ihnen eine
freundliche Aufnahme sicherten. Schon vor 1413 hatten sie

sich wohl verhalten, und durch gute Werke, etwa durch reichliche
Spenden tadelloser Leinwand, bei den grauen Mönchen so ver=
dient gemacht, daß deren Convent nicht anstand, die ganze Ge=
nossenschaft: Meister, Gesellen, Frauen und Kinder, mit in seine
Fürbitten aufzunehmen, dergestalt, daß sie aller durch die Ge=
bete der Klosterbrüder vom Himmel erflehten weltlichen wie
geistlichen Gnaden und Segnungen, theilhaftig wurden, — wor=
über der Pater Guardian dem Amte eine pergamentene besie=
gelte Urkunde ausstellte.   Ihre geistliche Brüderschaft, genannt
zu den heiligen fünf Wunden, hielt ihren Gottesdienst an einem
eigenen Altar des Chors der Klosterkirche, dessen großen Mes=
singleuchter die Leinweber immerdar mit Wachslichtern zu ver=
sehen wünschten, was ihnen ein ferneres Diplom der guten Bar=
füßer von 1473 gern gestattete.   Im bescheidenen Hintergrunde
der Kirche hatten sie sich einen Platz erworben, hart an einem
Steinpfeiler, welchen sie mit schönem „Schottilienwerk" umgeben
und sich ein stattliches Gestühle daselbst erbauen ließen.   Dort
hielten sie ihre Andacht und hörten Messe und Predigt, — An=
gesichts eines nachdenklichen, großen Bildes, darstellend einen
Todtentanz, — von welchem spurlos verloren gegangenen Ge=
mälde bis jetzt unsere vaterstädtischen Kunstkenner und Alter=
thumsforscher noch nichts gewußt haben. — Dazu hatten sie,
nach löblichem Brauch vieler Gilden und Zünfte, sich verpflichtet,
eins der Bogenfenster des Kreuzganges stets in baulichem Zu=
stande zu erhalten, weshalb sie es auch mit Glasmalereien
schmückten, darunter ihres Amtes Wappen.   Unter diesem Fenster
im Kreuzgange lag ihr Begräbniß, die letzte Ruhestätte ihrer
gottseligen Vorfahren, belegt mit fünf großen Fließen, darauf
ihr Amtswappen eingehauen.   Und später erlangten sie auch
einen besondern Platz draußen auf dem umschrankten Kirchhofe,
zur Bestattung ihrer „Knapen und Knäpschen", Gesellen und
Mägde, — über welche Erwerbungen sie Briefe und Siegel be=
saßen.   In ihrem Kirchengestühle hielten sie, nach der Väter
Brauch, ihre großen feierlichen Amts=Versammlungen, und daselbst
theilten sie auch (ebenfalls damaliger guter Sitte gemäß) wöchent=
lich ihre christmilden Almosen aus an verarmte Brüder und sonst -

bedürftige Mitmenschen. Und dieser fromme, wohlthätige Sinn selbst der weniger geachteten unter den Gewerksgenossenschaften des Mittelalters, darf nicht übersehen werden, wenn man das jetzt vielfach geschmähte Zunftwesen gerecht beurtheilen will.

Bei Prüfung und Vergleichung der gedachten Verleihungs= urkunden fällt es auf: daß die Leinweber vor der Reformation, abseiten der Klosterobern, unter Nichtbeachtung des Vorurtheils der Menge, „die ehrlichen Leute, Werkmeister, Meister und Knappen" 2c. genannt werden, während gleich nach der Refor= mation die weltliche Klosterbehörde diesem Vorurtheil Rechnung trägt, indem sie weder dem Amte, noch den namhaft gemachten Alterleuten die sonst üblichen Ehrenprädicate gewährt. Nach Erlaß der gedachten Reichsgesetze aber fand man kein Bedenken weiter, die frommen Leinweber durch solche wohlfeile Anerken= nung ihrer bürgerlichen Wiedergeburt zu erfreuen, und verlieh den ehrbaren Meistern des ehrsamen Linnenwerks ein ehr= liches Begräbniß. In der That kam ihnen auch das officielle Prädicat ehrbar zu, seitdem ihre Aelterleute vor gesammtem Rath beeidigt wurden, wodurch sie in den Genuß der Befugniß aller angesehenen hiesigen Zünfte kamen: daß ihre Aelterleute kraft ihres Amtes (sie mochten erbgesessen sein oder nicht) zur activen Theilnahme an den Conventen der Bürgerschaft berufen waren, — ein Vorrecht, welches sie ausüben durften, bis die alte Verfas= sung vor zwei Jahren ihre Endschaft erreicht hatte.

Vermuthlich werden auch die Zünfte bald zu den Marken ihrer Tage gekommen sein; und in der That fehlt ihrer jetzigen Gestalt ein großer Theil desjenigen innern Geistes, welcher sie vormals stark und blühend machte. Da die Hamburger den Begriff des Mittelalters bis zur französischen Revolution aus= zudehnen pflegen, wenn sie dasselbe nicht etwa bis zum runden Jahr 1800, oder bis zum Grenzstein ihres Denkens, bis zur großen Belagerung von 1813—14 erstrecken, oder noch con= sequenter, bis zum Anbruch der neuen Aera der gegenwärtigen Verfassung 1860, — so erscheint auch eigentlich ein längeres Bestehen der Zünfte in einem so normal=modernen Gemeinwesen als ein zu beseitigender Anachronismus. — Vielleicht fühlen die

Zünfte selbst ihr nahes Ende, und vermeiden deshalb öffent=
liche Kundgebungen. Aber einen ungemein schönen Denkstein
würden sie sich selbst gesetzt haben, wenn sie beim gegenwärtigen
Bau der St. Nicolaikirche, nach Art ihrer frommen Väter, den
Ausbau und die Ausschmückung der Kirchenfenster übernommen
hätten, so daß noch nach Jahrhunderten ihre Wappen und Na=
men der Nachwelt ein Zeugniß ablegen könnten, von der from=
men Gottseligkeit der alten ehrbaren Aemter und Brüderschaften
Hamburgs.

Fünftes Capitel.

Von einigen anderen verkannten Handwerkern.

Noch gab es einige zünftige Gewerbe, welche man hie und
da für unehrlich hielt, und demgemäß von anderen Zünften und
Gilden ausschloß. Ihr Ehrenmakel war indeß weder historisch,
noch moralisch begründet und ebenso wenig allgemein.

Da waren z. B. diejenigen Gerber, welche Hundshäute
verarbeiteten, an vielen Orten mißachtet und verrufen. Der
Grund kann nur in der Verabscheuung des nothwendigen Ver=
kehrs solcher Gerber mit dem Abdecker liegen, welcher ihnen jene
Felle zu liefern hatte. Es wurde also der Infamie des Ab=
deckers eine Contagiosität zugeschrieben, welche alle mit ihm in
Berührung kommenden ehrlichen Personen unehrlich machte. —
Weshalb man aber diejenigen Tuchmacher, welche Raufwolle
verarbeiteten, mißachtete, ist schwer zu sagen, wenn es am Ende
nicht auch mit dem Wasenmeister irgendwie zusammenhängt.
Beide Bemakelungen rügte das Reichsgesetz von 1731 wegen der
Handwerksmißbräuche und verbot sie alles Ernstes.

Andere Unehrlichkeiten, nicht eines ganzen Gewerbes, son=
dern einer einzelnen Corporation desselben in dieser oder jener

Stadt, entstanden aus Berufserklärungen ihrer Standesgenossen in andern Orten, in Folge Vergehungen gegen Handwerksgebrauch und Zunftsitte. So konnte eine Gilde wegen Aufnahme eines unehrlichen, oder wegen Nichtausstoßung eines beschimpften Meisters, auf längere Zeit bei allen gleichen Gilden anderer Städte, als unehrlich geworden, geächtet werden. Denn das Unehrlichwerden einzelner Gewerbsleute, nicht nur wegen begangener Verbrechen, sondern auch in Folge unehrbaren Wandels oder wegen Vergehungen gegen den Handwerksbrauch, oder wegen anstößigen Verkehrs mit dem Henker und seinen Gesellen, zog nach den herrschenden Ehrbegriffen unnachsichtlich ihre Ausstoßung aus der Corporation nach sich. Und in einzelnen Fällen hat das Reichskammergericht solche Excommunicationen bestätigt. Da die Meistersfrauen, als bessere Hälften ihrer Gatten, mit zur Zunft gehörten, so verlangte man auch von ihnen ehrliche Geburt und tadellosen Wandel. Heirathete ein ehrlicher Meister eine übel berüchtigte Person, so wurde er durch sie unehrlich und ausgestoßen. Dem Schneideramte in Hamburg wurde es im Jahre 1754 vom Reichskammergerichte bestätigt, daß es keineswegs gehalten sei, Jemanden als Meister aufzunehmen, der eine — „Amme" geheirathet· habe, wie dies hohe Tribunal sich sehr verschämt auszudrücken beliebt hat.

Keineswegs unehrlich im Sinne der früheren Capitel, doch aber lange nicht nach Gebühr geachtet und vielleicht hie und da nicht ganz makellos im losen Volksmunde waren die Schornsteinfeger oder Essenkehrer, welche man trotz ihres so nützlichen wie nothwendigen Gewerbes noch immer nicht für voll ansieht. Allerdings treiben sie, so zu sagen, eine dunkle Profession, die wohl etwas Ab= und ihre Mitmenschen Anschwärzendes hat. Dagegen aber erwäge man, wie viele Geschichten von der rührenden Ehrlichkeit der Essenkehrer handeln, welche durch die Camine in's Innerste der Häuser bringend, dennoch alle Schätze an Geld und Edelgestein auf ihrem Werth oder Unwerth beruhen lassen und nichts davon mitnehmen. Und man erwäge ferner, wie viele Feuersbrünste mit den kläglichsten Opfern an Gut und Menschenleben in ihrem Gefolge, diese todesverachten=

den schwarzen Gesellen durch waghalsiges Einschreiten im ersten
Erstehen ersticken!

Vielleicht tragen, soviel Hamburg betrifft, die kleinen baar=
füßigen Schornsteinfegerjungen der Vorzeit einige Schuld an
solcher Verkennung des ganzen Gewerbes. Seit unvordenklichen
Jahren waren nämlich bei allen Ruthenstrich=Executionen am
sogenannten Kaak oder Pranger vor der Frohnerei am Berge,
alle umliegenden Dächer mit schwarzen Essenkehrerbuben wie be=
säet, bewaffnet mit ihren Reisbesen, deren Material allerdings
mit den Ruthen des Scharfrichterknechts einerlei Ursprungs ist.
Sie nahmen hier das Recht oder die Pflicht für sich in Anspruch,
diesem Urtheilsvollstrecker seine Streiche choraliter et unisono
vorzuzählen, also eine Art Büttelassistenz auszuüben, während
das übrige Publicum auf dem Platze dieselben nachzählte, auch
laut und einstimmig, so daß ein schallendes Zahlengezähle ent=
stand, darüber der arme Büttel oft ganz confus wurde und
nicht wußte, wo ihm der Kopf stand. Sein Opfer war ohnehin
kein zuverlässiger Rechner. So also zählten die Schornsteinfeger=
jungen dem Büttel jeden seiner Streiche vor, 1, 2, 3, bis 54,
richtige 9 mal 6; so viele Streiche nämlich verabreichte man in
Hamburg und Lübeck bei solchen Gelegenheiten, wogegen die
übrige Christenheit sich mit 39 begnügte, aus schuldigem Respect
vor dem Apostel Paulus, welcher diese Zahl, nämlich 40 weniger
1, erhalten hatte (2. Cor. 11, 24), nachdem bis dahin bei den
Juden die vollen 40 gebräuchlich waren (5. Mos. 25, 3), wäh=
rend der Koran ihrer gar 80 verordnet. Da nun aber längst diese
Strafe factisch abgeschafft ist, also die jetzige Caminjugend die
Büttelassistenz ihrer Vorweser gar nicht mehr ausgeübt hat, so
ist schwer zu begreifen, was man derselben noch länger vorwerfen
will, um so mehr, als diese kleinen Teufelchen sich durch be=
scheidenes Ausweichen auf den Trottoirs, unzweifelhafte Ver=
dienste um die hellfarbigen Toiletten der Damen erwerben. Diese
Bezähmung eines fast verzeihlichen Muthwillens gegen Wohl-
und Saubergekleidete aller Art, nämlich das Unterlassen neck=
hafter Anschwärzungen durch scheinbar zufälligen Contact, ist
ihnen aber um so höher anzurechnen, als ihrem Rußpanzer gegen=

über jeder Reinliche wehrlos ist, da sie wie Stachelschweine u. dgl.
unantastbar sind. Wenn man aber ihren schweren Beruf be=
denkt und dessen tausend Gefahren, auch dabei ihre, namentlich
zur Winterszeit, äußerst dürftige Bekleidung betrachtet, so schenkt
man ihnen Mitleid und Theilnahme. Es war in der That ein
schöner Zug des gemüthvollen, seligen Obersten von Späth, eines
in den 1830—40ger Jahren in Hamburg privatisirenden Dä=
nischen Cavaliers, daß er seine christliche Armenpflege mit Vor=
liebe den kleinen Schornsteinfegerjungen zuwandte, und mit einer
(natürlich sehr weiß gewaschenen) Elite derselben an jedem Weih=
nachtsabend das heilige Christfest mit passenden Gaben und
hellen Tannenbäumen beging, Sommers aber mit ihnen eine
fröhliche Ausfahrt auf's grüne Land unternahm. —

Ganz fabelhaft und grundlos ist das hier zu erwähnende
Gerücht, als sei das aller Orten stets ehrliche Gewerk der Flei=
scher oder Knochenhauer in Hamburg nicht sonder Makel,
sintemal hieselbst der erste Block im alten Schrangen und die
mit demselben verbundene Amtsgerechtsame dem — Scharfrichter
gehöre. Also auch hier spukt eine übrigens gänzlich haltlose
Ideen=Verbindung mit der so äußerst ansteckenden Unehrlichkeit
des Henkers. Als Beweis für den angeblichen Makel des Kno=
chenhauer=Amtes wird angeführt, daß dasselbe keine Lehrburschen
zunftmäßig ein= und später zu Gesellen ausschreibe, was es aller=
dings nicht thut; und als Veranlassung dieser Anomalie erzählt
man sich folgende Sage. In uralten Zeiten — so heißt es —
ist bei dem hiesigen Knochenhauer=Amt vom alten Schrangen
ein Aeltermann gewesen, wohnhaft am Berge, dem das Zusprechen
der anreisenden Gesellen ungemein lästig fiel, weil er ihnen
Arbeit nachweisen oder Zehrpfennige und Nachtherberge geben
mußte. Eines Abends nun, als er bereits mehreren dieser fremden
Burschen, zur höchsten Verunruhigung seines häuslichen Stille=
lebens, ein mürrisches Genüge geleistet hatte, kommt spät noch
ein müder Knochenhauerknecht angestiegen. Da reißt ihm die
Geduld, und ebenso unbesonnen wie boshaft schickt er ihn zu
seinem Nachbar gegenüber, „der auch ein Carnifex, ein Ober=
meister aller Fleisch= und Knochenhauer sei." Der arglose Knecht

folgt der Weisung, die er dem Nachbar berichtet. Dieser nimmt ihn sehr freundlich auf, speiset, tränkt, herbergt ihn gut, freilich zu seinem Verderben, da der ehrliche Gesell hierdurch zu einem unehrlichen Knecht des Henkers wurde, denn Niemand anders als der Hamburger Scharfrichter war des Aeltermanns Nachbar. Durch sothane Gemeinschaft desselben mit dem Knochenhauer= Amte, zu dessen Obermeister er vom Aeltermann erklärt worden war, gelangte er flugs in den Besitz eines Blockes, welchen ihm der zur Strafe abgesetzte Aeltermann abtreten mußte. Es war der erste Block im alten Schrangen, der dann auf alle nach= folgenden Henker überging, die ihn zu verpachten pflegten. Durch diese Genossenschaft mit dem Henker flog dem Amte nun einiges Gerücht von Anrüchigkeit an, und da aus diesem Grunde des letzteren Ein= und Ausschreibungen zu Gesellen im Auslande für nichts galten, so unterblieben solche Amtshandlungen besser gänzlich.

So weit die wunderliche Sage. Daß vormals der Eingang zum alten Schrangen am Berge, neben oder gegenüber der Froh= nerei lag, und hier umher viele Knochenhauermeister wohnten, ist richtig. Ebenso richtig ist's, daß das Wort Carnifex in alt= römischer Sprache einen Scharfrichter und Schinder, daneben aber auch im deutschen Mittelalter einen Knochenhauer oder Schlachter (Fleischhacker) bedeutet. Man darf aber einem Aelter= mann dieses Gewerks in grauer Vorzeit schwerlich die für das erzählte Wortspiel erforderliche Latinität, und ebenso wenig eine so colossale Unbesonnenheit zutrauen; und so muß wohl der Er= finder dieser das locale Moment geschickt benutzenden Anekdote unter den witzigen Leuten der gelehrten Stände gesucht werden.

Wir kennen das Knochenhauer=Amt in Hamburg schon sehr früh. Es war vor 1248, als seine Mitglieder die nach ihnen genannte platea carnificum, d. h. Knochenhauerstraße, und das macellum carnificum, altdeutsch „Blißcranghen", inne hatten. Wir haben aber keine Spur davon, daß sie damals aus irgend einer Ursache nicht völlig ehrlich gewesen wären. Um 1350 bildeten 57 waffenberechtigte Mitglieder das Amt (was, beiläufig erwähnt, auf eine ungeheure Fleischconsumtion der damals noch so

viel kleineren Stadt schließen läßt); zur Stadtvertheidigung stell=
ten sie 12 wohlgerüstete Schützen. Bei dem großen Aemterauf=
stand Anno 1375 hatten sie freilich mit im Vordertreffen ge=
standen, als aber die Handwerker von den friedliebenden Kauf=
leuten zu Ruhe persuadirt waren, und mit diesen dem Rath
auf's Neue ewige Treue schwuren, da waren die 57 Knochen=
hauer auch nicht die letzten gewesen, sondern standen unter den
übrigen unzweifelhaft ehrlichen Aemtern in der Mitte. Ihre
makellose Ehrlichkeit bestätigt auch ferner eine Urkunde vom Jahre
1424, über Verleihung eines Altars in der St. Petrikirche, in
welcher Wichmann van Minden und Bernd Grönwoldt, die Kirch=
geschwornen, unsere Knochenhauer ausdrücklich „die ehrliken Lüde
in dem Amte des Knakenwerkes" tituliren. Es war dies ein
gemauerter Altar hinter der großen Süderthüre gen Westen, den
sie auf ihre Kosten zur Ehre der heiligen 12 Apostel, St. Dio=
nysii, Cosmi und Damiani, sowie der 10,000 Ritter, standes=
mäßig schmückten und mit zwei Almissen für zwei arme Priester
begabten, zu einer täglichen Messe. Die Opferbüchse am Kreuz
und Bilde gehörte dem Amte, deren Werkmeister oder Aelterleute
Barthold van der Billen, Bernd Slüter, Bernd Oldendorp und
Meyno Rebbrock waren.

Die Grundlosigkeit jener Sage wird genügend nachgewiesen
sein. Es beweist daher nichts, wenn sie auch fort und fort im
Schwange gegangen ist, denn nichts ist hartnäckiger, so zu sagen
unsterblicher, als der volksthümliche Neckgeist. — Es war früh
am 14. März 1760, als einige Knochenhauergesellen in einem
vierlander Schiff am Meßberg erschienen, um Kälber abzuholen.
Den vierlander Bauer plagte offenbar der Teufel, als er sich
beikommen ließ, die Gesellen spottweise zu fragen: „Wem sie
eigentlich dieneten? doch wohl nicht dem Scharfrichter?" Be=
greiflicher Weise zählten sie sofort, statt der Antwort, dem un=
verschämten Kerl eine derbe Tracht Prügel auf; aber damit noch
nicht zufrieden, zogen sie auch Mittags mit allen ihren Consor=
ten auf's Rathhaus, ließen den Prätor Wagner herausbitten,
tumultuirten heftig und verklagten den frechen Bauer, dessen
peinlichste Abstrafung sie als Satisfaction forderten, da sie eine

solche ehrabschneidende Beschimpfung mit Nichten auf sich sitzen
lassen könnten. Bemerkenswerth bleibt dabei die tiefe Erbostheit
der Geschmähten über die ihnen nur neckweise vorgerückte Con=
nexität mit dem unehrlichen Carnifex. Der Prätor wurde nun
höheren Ortes instruiret: den Vierlander mit seinem Schiff vor=
läufig festzunehmen und ihn nach Maßgabe der vorzunehmenden
Untersuchung, unangesehen der bereits empfangenen Schläge,
auch von Obrigkeitswegen derb abzustrafen, — den Knochenhauer=
gesellen aber einen ernsten Verweis zu ertheilen, weil sie sich
unterfangen, im zahlreichen lärmenden Haufen auf dem Rath=
hause zu erscheinen, und, statt in des Prätors Hause, hier zu
klagen, welches (wie der damalige Curialstyl lautet) „unnöthig,
unerlaubt, unstatthaft, auch höchst strafbar sei." — Aber selbst
die doppelte Buße, die der vorlaute Bauer verwirkt hatte, hat
den alten einfältigen Volkswitz nicht unterdrückt, er soll gelegent=
lich noch immer umher spuken, und selbst im Auslande wurden
noch vor 20 Jahren dem Vernehmen nach die hamburger Kno=
chenhauergesellen bisweilen mit der Frage gehänselt: wer denn
eigentlich den ersten Block im alten Schrangen besitze? Seit
nun Anno 1842 der alte Schrangen und die benachbarte Froh=
nerei abgebrannt und bis dato noch nicht wieder aufgebaut sind,
mag dies Gerede denn wohl zur ewigen Ruhe gekommen sein.

Soviel von der vormaligen Unehrlichkeit einiger handwerks=
mäßiger Gewerbe. Zum Theil wurzelnd in altgermanischen Ehr=
begriffen und größtentheils einer sehr moralischen Grundlage
nicht entbehrend, fand das ganze System seine hauptsächliche
Ausbildung und Anwendung bei den Zünften, deren oberster
Grundsatz der war: daß ihre Genossen so makellos sein müßten,
„als wären sie von den Tauben gelesen." Einheimische
Candidaten des Meisterrechts legitimirten sich durch glaubwür=
dige Zeugen und Bürgen. Auswärts Geborene mußten ihr
legitimes, ehrliches und freies Dasein documentiren durch die
von den Magistraten der Heimathsorte ausgestellten Geburtsbriefe.
In den obengedachten hamburger Geburtsbriefen von 1472—1525

bezeugt der Rath, daß vor ihm erschienen seien Olderlüde und geschworne Werkmeister, auch andere erbgesessene Bürger, lauter lobwürdige, fromme Leute, welche es mit „uthgestreckeben Armen und upgerichteten lisliken Vingern" beschworen hätten, daß N. N. „der tüchtige, fromme Gesell", ächt und recht geboren sei, von ehr= lichen (namhaft gemachten) Eltern, daß er sei frei und Niemandes Eigen, auch weder Babstövers, noch Bartscherers, noch Leine= webers, noch Spielmanns Kind. In einem viel jüngeren Ge= burtsbriefe vom Jahre 1730 wird von Schultheißen und Ge= richts=Senioren einer fränkischen Commüne auf Grund abgehör= ter Zeugen und producirter Urkunden attestirt: daß der Inhaber „als ein freier Teutscher, der keinerlei Leibeigenschaft noch ver= werflicher Servitut unterworfen, aus einem reinen, untadelhaften Ehebette ehrlich zur Welt geboren sei", wobei auch des Vaters und Großvaters ehrliche Qualität genügend nachgewiesen, und schließlich der Wunsch ausgedrückt wird: es möge dem Inhaber „um seiner ehrlichen Geburt willen" aller Orten recht wohl= ergehen, welcher Wunsch denn auch in Erfüllung gegangen ist, indem der junge Gesell nach Hamburg gekommen, hier umge= sattelt und als Kaufmann sein Glück gemacht hat.

Auch die ehrliche Geburt seiner künftigen Hausfrau als Genossin der Zunft, mußte der junge Meister beweisen. Das geschah am bündigsten und wohlfeilsten, wenn er eine Meisters= wittwe oder Tochter desselben Gewerks heimführte, welche Manier, dieselben an den Mann zu bringen, auch durch andere bedeutende Vortheile recht lockend gemacht war. Die Zünfte behaupteten, das geschehe nur, um puncto der Ehrlichkeit der Frauen desto gesicherter zu sein. Einige Gewerke gingen sogar so weit, die Verheirathung mit einer Meisterstochter zur conditio sine quā non der Aufnahme zu machen, mit dem Zusatz: „so aber zur Zeit keine Wittwe oder Jungfer binnen Amtes obhanden wäre, so mag er sich außer Amts befreien, jedoch mit einer ehrlichen Person, und soll seine Frau einzeugen lassen in ordentlich ge= hegter Morgensprache, daß sie ehrlich geboren und Amts= und Gildegerechtigkeit zu genießen würdig sei." — Die Nadler in Hamburg hatten ursprünglich, liberal genug, zum Benefiz ihrer

Frauenzimmer nur eine Prämie auf deren Aneignung gesetzt, welche im Erlaß gewisser Dienstjahre bestand. Um 1638 gestanben sie dem Senat, daß leider Gottes fast alle ihre Gesellen diese schweren Dienstjahre vorzögen, um sich dann außer Amtes zu befreien, worüber denn ihre Wittwen und Töchter elendiglich sitzen blieben. Sie erbaten daher die Alternative in einen kategorischen Imperativ dahin zu ändern: daß jeder junge Meister sonder Gnade eine Nadlerstochter oder Wittwe heirathen müsse, welches der Rath ihnen gewährte „in Ansehung ihres ohnehin schlechten und geringen Handwerks." Nadelmacherstöchter müssen aber etwas Spitziges, Stechendes, Verwundendes, kurz Unliebsames gehabt haben, sie blieben auch ferner unbegehrt und unbegeben, und die ganze Folge jenes Verheirathungszwanges ist gewesen: daß die Gesellen lieber anderswo ihre Meisterschaft und häusliche Niederlassung suchten und hieselbst das Gewerbe nach kümmerlicher Vegetirung in Verschollenheit gerieth.

In Hamburg herrschte übrigens das Vorurtheil gegen „unehrliche Leute" bei weitem nicht so allgemein wie an andern Orten. Der hauptsächlichste Stand, der des Kaufmanns, bildete hier keine geschlossene Gilde wie anderswo, und die großen Kaufmannsgesellschaften verlangten, so weit bekannt, keine Geburtsbriefe zur Aufnahme. Es sind ihnen nachweislich eine Menge angesehener Leute beigetreten, und später zu Aemtern und Würben gelangt, welche richtige Badstövers=, Leinwebers= oder Spielmannskinder waren, und noch viel häufiger kamen solche Fälle vor bei den zahlreichen Hülfsgewerben des Handels. Jedenfalls kann man sagen, daß in dieser Hinsicht eine humane Aufklärung schon in düstern Zeiten unser Rathhaus wie unsere Börse gar hell erleuchtet, und daß nur in den engen Amtsstuben der Zünfte einiges Vorurtheil geherrscht habe, welches dann in dumpfen Bierkellern vom Volkswitz zu sagenhaften Anekdoten ausgebeutet worden ist.

Sechstes Capitel.

Von einigen Staats- und Gemeindedienern, insbesondere von Zöllnern, Todtengräbern, Thürmern und Bettelvögten.

Unter den verschiedenen, durch das Reichsgesetz von 1731 von bisher erduldeter Unehrlichkeit los= und lediggesprochenen subalternen Staats= und Communalbediensteten, sind zuerst diese anzuführen.

Die Gassenkehrer, Bachfeger, Holz= und Feld=hüter können ursprünglich nur wegen ihrer zum Theil schmutzi=gen, jedenfalls niedrigen und geringfügigen Dienstleistungen miß=achtet gewesen, und weil letztere vielfach nur von verkommenen, der Gemeinde zur Last liegenden Subjecten verwaltet wurden, in Verruf gekommen sein. Diese factischen Umstände werden dieselben geblieben sein, und obgedachter Reichsschluß, welcher ihren Kindern die Wege gebahnt hat zu besseren Existenzen, wird den Vätern schwerlich eine geachtetere Stellung verschafft haben. —

Zu Anfang des 17. Jahrhunderts waren es in Hamburg die Karrengefangenen, denen die Säuberung der Gassen und Häuser von allerhand Unrath anvertraut war. Mit Abschaffung der Karrenstrafe kam dies Geschäft in die Hände unternehmender Pächter, welche so schöne Seide dabei spannen, daß man sie im witzigen Volksmunde s. v. die Dreckjuweliere nannte. Uebri=gens veranlaßte ein löbliches Streben nach Sprachsauberkeit und decenter Verhüllung des Garstigen, die reinlichen Hamburgerinnen schon früh, den Unrath der Straßen und Plätze als ihren Gas=senkummer zu bezeichnen, weshalb die zu dessen Entfernung be=stimmten Fuhrwerke längst auch amtlich Kummerwagen ge=nannt wurden, zu deren Bemannung vormals auch grämliche Frauenzimmer gehörten, welche nur als Verzweiflungsschreie der Natur über die Entartungsfähigkeit des schönen Geschlechts in's Leben gerufen sein konnten.

Uralt, und auf moralische Bedenken zurückzuführen, ist der Ehrenmakel der Zöllner. Schon vor Beginn christlicher Zeit= rechnung warf man ihnen Mancherlei vor; nicht nur einen eng= herzigen Egoismus, da sie (nach Matth. 5, 46. und 47.) einzig diejenigen lieb hatten, welche sie wieder liebten (mithin äußerst Wenige) und höchstens gegen ihre Mitzöllner freundlich thaten, — sondern auch offenbare gröbliche Unredlichkeit. Bekanntlich stan= den sie damals als notorische Sünder in einem so übeln Ruf, daß es für eine Entehrung galt, mit ihnen zu Tische zu sitzen. Wenn sich indessen Christus solcher Gemeinschaft mit ihnen nicht geschämt hat, so hätten seine späteren Jünger auch wohl säuber= licher mit den Zöllnern verfahren können, die den Hauptgrund der ihnen geltenden Mißachtung ganz getrost auf die Abneigung aller Menschen gegen die Institution der Zölle selbst schieben können. Wie allgemein der freihändlerische Zollhaß ist, davon geben die Damen genugsame Proben, die keine Zolllinie ohne Contrebande passiren können, und die zwar für einen Thaler versteuern, daneben aber für zwei zu paschen gewiß nicht unter= lassen; die sinnreich im Verbergen der pflichtigen Stoffe, triumphi= ren, wenn's gelang, aber über gekränkte Frauenwürde lamentiren, wenn des Zöllners Assistentin ihre Entdeckungsreisen antritt.

Freilich gab den Zöllnern ihr Dienst eine oft benutzte be= queme Gelegenheit zu Pflichtverletzungen, mittelst Uebersetzung nach Unten und Unterschlagung nach Oben. In letzterer Hin= sicht zeigt eine Stelle in Philander von Sittewalds Visionen (1650), wie übel derzeit die zöllnerische Reputation gewesen. Er erzählt, wie er in seinem wunderbaren Höllengesichte Männer gesehen, welche beständig Geldmünzen auf ein Rostwerk geworfen. Auf Befragen wird ihm berichtet, es seien die mittelmäßigen unter Denen, so auf Erden bei Zolldiensten gesessen, und den empfangenen Zoll auf's Rost geworfen, was durchgefallen als ihren Part angesehen und behalten, was aber auf den Stäben liegen geblieben, der Obrigkeit abgeliefert hätten. Wobei Phi= lander bemerkt, daß letzteres wahrhaftig ein gar Geringes ge= wesen, gegen das, was unter das Rost gefallen sei. — Auch verschaffte das ungleiche, ungeregelte Erhebungsverfahren den

Zöllnern die Machtvollkommenheit, ihre Mitmenschen rechtschaffen zu quälen, und sich an denselben mit desto chicanöserer Feindseligkeit zu rächen, je drückender sie die Last ihres geächteten Standes fühlten. Ohne Unhöflichkeit gegen die jetzigen Inhaber dieser Stellen darf man sich wohl erlauben zu sagen, daß trotz der nobilitirenden Reichsgesetze von 1577 und 1731, der Zöllnerdienst doch noch immer keine von Hochachtung und Liebe des Publicums getragene Amtirung ist, sowie daß die Zollgensdarmen, welche man in Nordalbingien mit den Häschern und Schergen in dieselbe Classe der „Grip-Hummer‟ wirft, für noch weniger liebenswürdig geachtet werden.

In Betreff der Todtengräber mag das angeborene Grauen der gesunden Menschennatur vor des tiefen, stillen Grabes schauerlichen Rand, zu ihrer Verkennung beigetragen haben. Ihre — eigentlich mehr gescheuete als verachtete — Beschäftigung mit den Todten und deren Grüften, ihr abgesondertes Wohnen mitten unter Leichensteinen, mag ihrem ganzen Erscheinen wohl etwas Fremdartiges, Ernstes und Verschlossenes geben, was lebensfrischere Menschen unheimlich anmuthet, und bei Abergläubigen leicht mit gespenstischem Unwesen in Verbindung gebracht wird. Die auf Friedhöfen passirenden Geistergeschichten, z. B. die Processionen in der Neujahrsnacht, sind allerdings die allerhaarsträubendsten, und um so ergreifender, als lautlose Todtenstille ihr schauriges Element ist, wogegen eine gemüthliche Poltergeisterei oder die moderne Geisterklopferei ordentlich umgänglich erscheint. — Eigentlich unehrlich kann der Todtengräber, ein erprobter Diener der Kirche, unmöglich gewesen sein.

In Niedersachsen heißt der Mann Kuhlengräber. Die Instruction eines solchen bei der St. Catharinenkirche zu Hamburg, etwa vom Jahre 1720, enthält nicht das Geringste, was auf eine Unehrlichkeit dieses Dienstes schließen lassen könnte. Der Kuhlengräber soll ehrbaren, frommen und allezeit nüchternen Wandels sein; er soll nicht bemächtigt sein, ohne Vorwissen des Juraten ein Grab behufs einer Leichenbestattung zu öffnen, oder gar „kleine Kinder daneben einzustechen‟, damit der Kirche ihr gebührlich Erdgeld nicht verkürzet werde; er soll ferner „christlich

umbgehen mit den Todten und dero Gebeinen" und bei Reini=
gung alter Gräber dero Knochen wieder in die Grube legen oder
in's Beinhaus bringen; er soll endlich die Pforten des äußern
Kirchhofes stets verschlossen halten, auf daß keine gemeine Heer=
straße darüber gehe, wodurch nicht nur die Ruhe der Todten ge=
stört und manche Grabstätte verwüstet werde, sondern auch der
Kirche ein großer Schade geschehe, inmaaßen kein todter Mensch
daselbst werde liegen wollen, wegen beständigen Wagenlärmens.
Man sieht, die Kirche, d. h. die von Kaufleuten besorgte Verwal=
tung ihres zeitlichen Vermögens, sah sehr auf die Rentabilität
der Begräbnißplätze, konnte aber doch nicht verhindern, daß die
Schranken des innern Friedhofes fielen und eine gemeine Heer=
straße, mindestens eine öffentliche Gasse, über die alten ham=
burger Kirchhöfe gelegt wurde, zur Bequemlichkeit der lebenden
Menschen, welche immer im Recht sind gegen die Todten. Und
wie wird erst den Todten auf den neueren hamburger Friedhöfen
vor dem Dammthore zu Muthe sein, wenn ihre Ruhestätten an=
gebrüllt werden von Hyänen, Tigern und andern Bestien des
neuen zoologischen Gartens! Nur der Lebende hat Recht, die
Todten werden weichen müssen dahin, wo sie der Mode nicht
im Wege, und wo ihre Signaturen das Vergnügen der Leben=
digen nicht stündlich stören, also: in's Langenhorner Moor, und
zwar recht großstädtisch: per Eisenbahn.

Daß diese Art Leute auch ihren Standesstolz haben, lernen
wir von dem ebenso melancholischen als witzigen Todtengräber
in Shakspeare's Hamlet, welcher ausruft: Es giebt keine älteren
Edelleute als Gärtner und Todtengräber, die Adam's Profession
des Grabens fortsetzten; es giebt keine besseren Baumeister als
Todtengräber, deren Bauwerke bis zum jüngsten Tage dauern. —
So geistreiche Originale dieses Standes hatte Hamburg nicht
aufzuweisen. Und nur sich erbozen und ingrimmig schelten konnte
der alte bekannte Friedhofswärter vor'm Dammthor, dem man
jahrelang die neckende Frage zurief: Lebt denn de ohle Kuhlen=
gräver noch?

Die Thürmer mögen vielfach um deswillen für unehrlich gehalten sein, weil man häufig, aus Gründen der Sparsamkeit, die Beaufsichtigung fester Thürme den Scharfrichtern übertrug, welche den Dienst durch einen Knecht versehen ließen. An andern Orten dienten solche Thürme als schlechte Haftlocale, und ihre Hüter gehörten dann als Schließer und Gefängnißwärter zu den gemißachteten Justizdienern. Den alten (1832 abgebrochenen) Thurm, genannt Roggenkiste, zu Hamburg, befehligte ein Profos, der „Regiments-Gewaltiger" hiesiger Garnison. Seine Gefangenen hütete er besser als den auf der Spitze des Thurms parabirenden Neptun, dem in strenger Kälte eines sibirischen Winters der Dreizack entfiel, weil, wie das Volk sagte, der Arm ihm abgefroren.

Kein vernünftiger Grund läßt sich aber denken, die auf den Kirchthürmen sitzenden Wächter des Gemeinwohls für unehrlich zu halten, welche vor herandräuenden Feuers- und andern Gefahren durch starkes Allarmblasen warnen, was man in Norddeutsch= land „tüten" nennt. Vielleicht zählte man sie ursprünglich halb= wegs zu den Spielleuten, wohin man ja auch die auf Wart= thürmen und Burgen sitzenden sogenannten Haustauben zählte, welche den Trompetern Concurrenz machten.

In Hamburg waren diese Kirchthürmer allerdings weniger geschätzt, als es ihre hohe Weltstellung erfordert hätte, aber doch gewiß nicht unehrlich geachtet; und nur persönliches Laster der Trunkenheit, entschuldbar mit der traurigen Einsamkeit ihrer schaurigen Position, konnte einem oder dem andern vorgeworfen werden. Solch' ein Fall bewog im Jahre 1647 den Pastor Grosse zu St. Catharinen, bei Gelegenheit seiner Predigt über des Jairi Töchterlein, seinen Thurmhüter und Sturmtäter öffent= lich von der Kanzel herab zu vermahnen: daß er sich die nüchter= nen Pfeifer des Evangelii als Beispiel dienen lasse, seinem lästerlichen Saufen entsage, und sich der Besserung befleißige, damit er nicht ferner seine Betrunkenheit in garstigen Mißtönen über die ganze Stadt ausblase.

Aus der Bestallung Christoph Schumann's, eines seiner Nachfolger im Jahre 1726, erfahren wir des Thurmmanns

Pflichten. Er soll Morgens 3 Uhr, Vormittags 10 Uhr und Abends 9 Uhr, Gott dem Allmächtigen zu Ehren, wie zur Erweckung christlicher Andacht (NB. um 3 Uhr Nachts!), einen geistlichen Psalm mit allem Fleiße abblasen, und sich allerwege dermaaßen hören lassen, daß Herren wie Geschworene, auch ganze Gemeinde und übrige Bürgerschaft, ihr aufrichtiges Wohlgefallen daran haben mögen. Er soll ferner Nachts getreue Wacht und Acht haben mit seinem Adjuncto dem Tüter, und alle Viertelstunde das gewöhnliche Tützeichen vernehmen lassen. Er soll auch sein Logiement auf dem Thurme reinlich halten, und bei einfallenden Kirchenmusiken soll er mit seinem Instrumente gratis aufwarten. Uebrigens gönnt man ihm gern tagsüber einige Nebenaccidenzien durch Assistenz der Rathsmusikanten, bei Hochzeiten, Opernspielen und vornehmen Gastereien, doch darf er sich nicht förmlich dabei enrolliren lassen, — Bedingungen, welchen auch der Thurmmann zu Halle und die Collegen vieler anderer Orte unterworfen waren.

Anders gestellt war ohne Zweifel Meister Kullmann auf dem Schloßthurme zu Weilburg, welchen uns Riehl in seinen culturgeschichtlichen Novellen so überaus anziehend schildert; aber der war auch, seinem Hauptcharacter nach ein Stadtpfeifer, ein ächter Musicus, und nur der Freiwohnung wegen zugleich Thurmmann.

Bettelvögte nannte man vormals im hamburgischen wie im niederdeutschen Volksmunde Prachervögte, weil Pracher so viel oder wenig bedeutet wie Bettler. Wer auf das lose Gesindel verlumpter Vagabunden vigiliren soll, der kann auf keinen hohen Grad mitbürgerlicher Achtung Anspruch machen, und nur dem ihm untergebenen Volk der Taugenichtse wird er einigen Respect abzupressen verstehen. Klug war jedenfalls jener Landstreicher in Holstein, der den ihn auf frischer That betreffenden einäugigen Beamten anredete: „Gnädiger Herr Prachervogt!" Schmunzelnd erwiederte dieser: Wenn man nur seinen ordentlichen Titel richtig kriegt, so drückt man auch wohl ein Auge

zu, — und ungeſtört ging der ihm ſomit unſichtbar gewordene
Bettelmann ſeinem Gewerbe weiter nach. Richtig iſt übrigens
die ſich hier aufdrängende, übrigens ſchon alte Bemerkung, daß
gerade die ungeehrteſten Stände am eiferſüchtigſten auf das halten,
was ſie ihre Ehre nennen. Während der kriegeriſche Bandit,
der profeſſionsmäßige Dieb mit unſäglicher Verachtung auf den
Bettler herabſieht und es für unter ſeiner Würde hält, Etwas
zu erbitten, was er erbeuten kann, erklärt dieſer mit mehr Recht,
es verſtoße wider ſeine Ehre, zu ſtehlen. Qualis grex talis rex:
der durch einträgliche Spitzbubenjagd ſehr wohl abjuſtirte Scherge
verachtet den ſchlecht gekleideten Prachervogt, welcher ſeinerſeits
erklärt: ich fange doch nur Bettler und dergleichen ehrliches Lum=
pengeſindel, das ſchändliche Diebsgreifen aber wäre ganz gegen
meine Ehre.

In Hamburg, wo die Armenpflege bis 1788 als Gemeinde=
ſache den Pfarrkirchen oblag, nahmen die von dieſen beſtellten
Pachervögte ſchon vor ihrer Ehrlichſprechung den honetteren
Namen Kirchenvögte in Anſpruch. So läſtig ihr Dienſt war,
ſo hatten ſie doch vielfache Aſſiſtenz dabei zu gewärtigen, wenn
ſie auf Gaſſen und Märkten das Bettelvolk aufgriffen und nach
Erkenntniß des Prätors weiter transportirten: die Rückfälligen
vor allen Dingen in's Priſon, die Kranken in's Spital, die
ſchwachen Gutherzigen über die Grenze, die ſtarken Muthwilligen
(laut Bürgerſchluß von 1604) zur Schanzarbeit bei Wall und
Graben. Zuweilen wurde eine große Razzia auf Bettler und
Herumtreiber veranſtaltet. Eine ſolche im April 1677 ergab
allein an wirklich kranken Subjecten: ſechs große enggepackte
Laſtwagen voll, welche dem allgemeinen Hoſpitale, Peſthof ge=
nannt, überliefert wurden.

Einer alten Praxis zu Folge ließ man in Hamburg die
ſingenden Bettler, als eine Species der Spielleute, möglichſt un=
geſchoren; ſie ſangen Pſalme und geiſtliche Lieder vor den Thü=
ren, und dienten zuweilen zur Beförderung erbaulicher Gedanken,
oder zur Vertreibung arger; wer platterdings nicht ſingen konnte,
der betete ein Vaterunſer. Dieſe Bettlerweiſen gehören nun
auch längſt zu den überwundenen Standpunkten. Unter jenen

Singevögeln befanden sich häufig kluge Köpfe, welche auf die Verschlechterung der Menschen und Sitten nicht unrichtig speculirten, indem sie (statt der Choräle) „rohe Gassenhauer und wahre Schandlieder" zur Bedeckung ihrer Bettelei wählten. Gegen solche einschreiten zu dürfen, laut Vorschrift von 1740, diente den frommen Kirchenvögten zum wahren Vergnügen. — Ihr Dienst wurde sodann schwerer, als es den hiesigen Bettlern einfiel, auch noch spät Abends nach eingebrochener Dunkelheit vor den Thüren zu singen, während sonst in gesammter Christenheit der Bettelmann mit Sonnenuntergang Feierabend zu machen pflegt. Diese Excedenten ebenfalls festnehmen zu dürfen, gewährte den Prachervögten große Genugthuung. Dennoch nahm das abendliche Betteln, darunter eitel Diebesgelüste verborgen, erschreckend überhand, so daß der Senat 1788 den Vögten befehlen ließ: allabendlich wohl zu vigiliren und „jeden aufstoßenden Bettler sonder Gnade zu verhaften", was man gerade keine ganz correcte Ausdrucksweise Eines Hochweisen Raths nennen kann.

Ihre armen Collegen, die Prachervögte im Landgebiete, waren viel schlimmer daran, denn sie waren den ärgsten persönlichen Mißhandlungen, ja Lebensgefahren ausgesetzt, wenn sie gegen die truppweise umherschweifenden Vagabunden jener polizeiwidrig wilden Zeit zu Felde ziehen mußten. Im Jahre 1704 verbannte ein lübeck-hamburgisches Mandat einige Schwärme derselben aus dem gelobten Lande des beiderstädtischen Amtes Bergedorf. Bei sofort zu exequirender Strafe scharfen Staupenschlags wurde „dem ehr- und heillosen Volke der Zigeuner, deren weltkündige Diebesgriffe, vorgebende Wahrsagerkünste und andere gottlose Händel höchst gemeinschädlich", ingleichen allen sonstigen Landstreichern und Bettlern, das Betreten der Grenze, so einzeln wie truppweise untersagt. — Im Jahre 1725 hausete eine Zigeunerhorde in den Wohldorfer Forsten, woselbst sie bei der Kupfermühle einen erschrecklichen Wald- und Mordbrand anrichtete, und den nachsetzenden Dragonern spurlos entkam. Im Sommer 1733 streiften mehrere freche Zigeunerbanden, zusammen 400 Köpfe, im hamburger Landgebiete umher, und brandschatzten vorzüglich die einsam gelegenen Waldbörfer. Die

Anfangs gegen sie ausgeschickten Prachervögte kamen braun und blau geschlagen mit blutigen Köpfen wieder heim. Noch weniger fruchteten landherrliche Befehle, „daß sie sich fortpacken sollten." Gleiche Erfolglosigkeit hatte das Aufgebot des Landsturms der Dorfschaften, welchen die alten steifen Prachervögte als Plänkler dienen sollten. Alles vergebens; hier verjagt und spurlos verschwunden, tauchten sie desto räuberischer dort wieder auf. Bei jetzigen geordneten Zuständen und friedlichen Zeiten hat man keinen Begriff davon, welch' große Landplage damals die Bettler und Zigeuner waren. Kein allein über's Feld gehender Mann war vor Ueberfällen aus den Hecken und Büschen sicher; jeder in die Hände dieser Heiden fallende Bettelvogt glaubte sein letztes Vaterunser beten zu müssen. Da erbarmte sich der Senat auf Vorstellung der Landherren der Sache. Er erließ ein geharnischtes Entrüstungsmandat gegen das „in Büschen, Morästen und Wäldern sich versteckende Gesindel, so ohnvermuthet in die Bauerhäuser fällt, und daselbst nichts als Diebstahl, Raub und Todtschlag verübt, welchen Raubvögeln nun zum allerletzten Male befohlen wird, daß sie sich ungesäumt fortpacken und niemals wiederkommen, widrigenfalls sie ohne Proceß sofort durchgestäupt werden" u. s. w. Diesem Mandat gab ein militairisches Commando von 6 Officieren, 25 Dragonern und 150 Musketieren, mit scharfer Munition wohlversehen, den gehörigen Nachdruck. Die Prachervögte bekamen wieder Oberwasser und behaupteten siegreich das Feld.

Einen so witzigen Bettelvogt, wie die Bremer Anfangs des 17. Jahrhunderts in der Person des Gerd Geeloge besaßen, haben die Hamburger nicht aufzuweisen, die bekanntlich in den meisten Dingen von diesen Schwesterstädtern überflügelt werden. Besagter Gerd faßte seinen Beruf künstlerisch auf, und sah jeden Menschen, dem er auf der Gasse begegnete (gleichviel ob er bettelte oder nicht) scharf darauf an, wie er sich wohl im Halseisen ausnehmen würde, in welches, da es zweischläfrig war, er immer ein Paar zugleich stellte. Nun war sein Princip: entweder völlige Harmonie, also zwei symetrische Seitenstücke, oder völlige Disharmonie, also zwei Gegensätze. Hatte er einen kurzen, dicken

Bettler gefunden, zu dem es nicht gleich ein Ebenbild gab, so ruhte und rastete er nicht eher, bis er den mit ihm contrastirenden, langen, hagern Mann gefunden hatte, den er dann in's Halseisen beförderte, wenn er auch ein schuldloser Bauer oder Arbeiter war. Das sah denn allerdings zuweilen ganz drollig aus, und die Bremer lachten, und nannten ihren Gerd einen verteufelt spaßhaften Kerl. Zuletzt kam er mit seiner gottlosen Passion übel an, als sein Gerichtsherr ihn gerade dabei betraf, wie er dessen eigenen Hofmeyer gepackt hatte, um ihn eben als passendes Seitenstück eines Bettlers einzueisen.

Großes Aufsehen erregte in Hamburg um 1700 die Arretirung eines reichen Mannes, welcher, ein bekannter Geizhals und immer dürftig gekleidet, zur Börse gehend von einem Bettelvogt angefaßt und mitgeschleppt wurde. Dieser entschuldigte sich mit übertriebenem Diensteifer und blöden Augen, es lag aber der Verdacht böslicher Heimtücke nicht fern. Seitdem wurde den Dienstinstructionen aller Bettelvögte der Passus einverleibt, sie sollten sich nicht unterstehen, aus persönlicher Rachgier oder andern schändlichen Gelüsten, ehrbare Leute als Bettler anzutasten.

Zuweilen packten aber doch die Bettelvögte, wenn sie so recht dreist in's volle Menschenleben griffen, auch einen interessanten Fall. Im Jahre 1767 brachten sie eines Tags, die verdächtigen Abläufe eines altonaischen Marktgewühls beobachtend, von Eimsbüttel her einen kleinen Zigeunertrupp zur Haft und Untersuchung. Es waren ihrer 5 Männer, 5 Weiber und 5 Kinder, alle 15 bis auf einen Blondin als richtige, gelbe Zigeuner erkannt, bewirthet (mit Wasser und Brod) und am dritten Tage nach beschworener Urfehde für ewige Zeiten verbannt. Der Blondin aber entpuppte sich aus phantastischer Hülle als ein blutjunger königlich dänischer Militair, welchen die Liebe zu einem wunderschönen Zigeunermädchen jener Bande zum Anschluß an dieselbe bewogen hatte. Er wurde der Behörde seines Monarchen überantwortet. Hoffentlich ist er nicht als Deserteur erschossen,

sonbern hat später seine Holde wiedergefunden, in ihr eine jung
gestohlene Grafentochter entdeckt und sie heimgeführt auf das
Schloß seiner Väter.

Siebentes Capitel.

Von Nachtwächtern.

In Betreff der Nachtwächter ist zuvörderst an ihre Collegen
zur Minnesängerzeit zu erinnern, welche eine sehr geachtete Stellung eingenommen und mit herrschaftlichen Personen auf ver-
trautem Fuße gestanden haben müssen, wie der Inhalt vieler
sogenannter Wächterlieder uns kund giebt.

In späteren Zeiten unterschieden gewissenhafte Seelen sorgfältig zweierlei Arten, und nur diejenigen Vigilanten, welche
auch zum Diebsfangen gebraucht wurden, mithin der bedenklichen
Classe der Häscher und Schergen nahe verwandt waren, erachtete
man für unehrlich. Dagegen erfreute sich der reine Nachtwächter
mit Lanze, Horn und Leuchte, begleitet von Phylax, der so manche
Nacht mit ihm durchwachte, eines durchgehends ehrlichen Rufes. Hatte
er doch einzig auf Feuer und Licht zu passen, bei gefährlichen Ereig-
nissen aber, Frevel, Einbrüchen, Mord und Todtschlag sich eiligst
zurückzuziehen und nur aus der Ferne ganz grausam Allarm zu
blasen. Freilich verführte ihn diese Kunst des Blasens zuweilen
auch zur Uebernahme des Dorfhirtenamtes, dessen Kuhhorn dann
allerdings auch sein ehrliches Wächterhorn anrüchtigte. Und
wenn der Hirtendienst zufällig nach Ortssitte auch mit der Schul-
meisterei verbunden war, so konnte ein solcher ländlicher Stellen-
jäger drei Aemter in sich vereinigen und doch unebenbürtig bleiben, selbst nachdem das Reichsgesetz von 1731 die Nachtwächter
wie die Hirten des Makels der Unehrlichkeit entbunden hatte.

Große Städte entbehren schon lange solche romantische Nachtgestalten mit Horn und Lanze, welche man nur noch in kleinen Flecken und Dörfern findet, und dann mit Behagen ihrem Blasen und frommen Sange lauscht. Das „Hört ihr Herr'n und laßt euch sagen" ist gewiß ebenso uralt, als es allgemein verbreitet war, wenn auch das fernere Lied nach Zeit= und Orts=gelegenheit verschieden gelautet haben mag.

Wie lange das wohllautende Wächterhorn in Hamburg bräuchlich gewesen, das weiß man so wenig bestimmt, als man genaue Kunde hat über den ältesten Nachtwächterdienst bis zur Reformationszeit. Um 1300 indeß kommen in den Stadt=rechnungen Wächter vor, welche außer ihrem Solde auch graues Tuch zur Bekleidung (also eine Art Montur) empfingen, und sich zur Fastenzeit eines für sie bereiteten Festschmauses auf Regi=mentsunkosten zu erfreuen hatten. Hundert Jahre später schei=nen sie unter den Rathsdienern gestanden zu haben. Für diese („pro familiaribus Dominorum, nocturno tempore vigilanti-bus") schäffte man 1467 einige Schutz= und Trutzwaffen an, darunter auch jene Species der Helme oder Sturmhauben, welche das Volk „Beckenele" oder „Backeneel" nannte. Wenn heutigen Tags ältere Hamburger und andere Norddeutsche auf Reisen gehen, so nehmen sie sorgfältig ihre „Packneelken" mit, worunter sie kleines, friedliches Gepäck verstehen, nicht ahnend dieses ver=irrten Wortes ursprünglich kriegerische Bedeutung.

Von den 12 geschworenen Stadtdienern, welche im 16. Jahrhundert unter Mitwirkung bürgerlicher Hülfsmänner mit dem Nachtdienst betraut waren, wollen wir hoffen, daß sie des Blasens kundig gewesen. Da aber die Bürger lieber schlafen, als mit den Stadtdienern patrouilliren mochten, so riß, zum Schaden der öffentlichen Sicherheit, ein böses Stellvertreterwesen ein. Gleichzeitige Nachrichten besagen, daß den Dienst nur zusammen=gerafftes Gesindel versehe, welches die nächtliche Unordnung ab=sichtlich vermehre, um sie für sich auszubeuten, so daß es für schimpflich geachtet werde, als Wächter zu dienen. Es verfing auch nichts, als man 1605 einen erfahrenen Kriegsmann, Dietrich von Scharen, als commandirenden Wachtmeister dieser

zügellofen Bande der zu Gärtnern gefeßten Böcke anftellte. Selbft
der Rath erklärte 1610 freimüthig: „Es werde dermalen zur
Nachtzeit auf den Gaffen fo viel Frevel, Muthwille und Gewalt
verübt, daß fchier ein ehrlicher Mann oder eine tugendfame Frau
und Jungfer, wenn fie von Hochzeiten, Gaftereien oder andern
hochwichtigen Gewerben heimkehren, nicht fonder große Leibes=
gefahr durchzukommen fich getrauen dürfe." Und diefer Zuftand
herrfchte Angefichts des drakonifchen Art. 65. P. IV. des Stadt=
rechts von 1605, welcher verfügte, daß alle nach 9 Uhr Abends
auf der Gaffe betretenen Perfonen, fofern fie fich nicht fofort
legitimiren könnten, von den Wächtern zur Verhütung nächt=
lichen Muthwillens feftzunehmen, Bürger und Bürgerskinder nach
dem Winferbaum oder Brooksthurm, alle Uebrigen aber in die
Frohnerei zu bringen feien. Aber allzuftrenge Vorfchriften blei=
ben am eheften unbefolgt. Ein Commentator des Statuts fügt
diefem Artikel die kurze Notiz bei: „non observetur." Deshalb
wurde nun 1610 eine beffere Nachtwachtordnung gemacht, indem
man zur Sicherung des nächtlichen Stadtfriedens 60 ausgediente
Soldaten anftellte, von welchen wir annehmen dürfen, daß fie
als alte Kriegsgurgeln der Sangeskunft frommer deutfcher Lands=
knechte mächtig genug gewefen, um die etwa in Sorgen wachen=
den Bürger durch gute Pfalmklänge zu tröften. Aber auch mit
diefer Truppe ging's nicht völlig nach Wunfch. Vielleicht waren
der Invaliden zu viele darunter, welchen ihre Waffe, eine Keule,
nach Art der wilden Harzmänner, zu befchwerlich fiel, um fie
häufig zu gebrauchen. Die Klagen über Störungen der Nacht=
ruhe, über Frevel, Raub und Einbruch, mehrten fich in haar=
fträubender Weife, darum beriethen Rath und Bürgerfchaft fleißig
über eine abermalige Umwandelung des Dienftes. Herren und
Bürger mochten bei fortgefchrittener Bildung vom Nachtwächter
nichts hören, noch fich von ihm etwas fagen laffen; darum fah
man auch fcheel auf das edle Horn und den frommen Gefang,
als wenn diefe harmlofen Dinge den Straßenlärm und die
Frevel der Nachtfchwärmer verfchuldeten. Dafür verfprach man
fich alles Heil von einer neuen, angeblich holländifchen Erfindung,
welche ein gleichzeitiger Chronift befchreibt als „ein fonderbarliches

Klapperwerk, so ein übel Geräusch machet nach Art der Sineser", kurzum von der prosaischen Knarre, vulgo Schnurr= oder Rättel= ding. Man beschloß also 1671 die Errichtung einer sogenannten Rättelwacht, in der Weise, „wie solche zu Amsterdam nützlichst practisiret wird." Man wünschte dazu „junge taugliche Männer, worunter bequeme Leute, so vor diesem Soldaten gewesen und nunmehr als Corporale zu gebrauchen", bewaffnet, anstatt der bereits für schimpflich geachteten Keulen mit Partisanen, halben Piquen und andern guten Wehren. Am 21. Oct. 1671 ging die Trommel durch die Stadt „wegen Anwerbung der Völker zur neuen Rättelwacht", wobei ausgerufen wurde, daß die Eintreten= den durch solchen Dienst an ihrer Ehre nicht verletzt, sondern nach wie vor als ehrlich und redlich sollten angesehen und von E. E. Rath jederzeit dabei geschützt sein. Bald waren die 150 Mann zusammen, deren, von bequemen Corporalen geführter Posten= und Patrouillendienst genau geregelt wurde. Wegen der Knarre instruirte man die Leute: dieselbe hart zu rühren, wenn Brand, Frevel und Diebstahl im Anzuge; halbstündlich aber „mit sanftem Ratteln" durch bloßes Aussprechen zu vermelden: „die Glock' hat so und so viel geschlagen, so und so viel ist die Glock'." Außer diesem Recitativ war ihnen jeder Ariengesang streng untersagt. Hinter diesem Stundenrufer oder „Röper" her schlich stimm= und tonlos der ihn controllirende Camerad, der Schleicher oder „Schlieker" genannt, dessen Rolle oftmals der Röper im vorgerückteren Lebensalter übernahm, wenn sein Tenor ausgerungen hatte. — Uebrigens ermahnte man sie zur Tapfer= keit, ermächtigte sie sogar ausdrücklich zu unverzagtem Gebrauch ihrer Waffen, mit welchen sie sich selbst defendiren dürften, so gut sie's vermöchten, wenn sie persönlich beschimpft und bedroht sein würden, und man ihrer Erklärung, daß sie wirklich die Ham= burger Rättelwachten vorstellten, keinen Glauben schenke. — Acht Jahre später erklärte der Rath den Bürgern: er hätte zwar bei Herstellung des lieben Friedens in Europa gehofft, daß sich dessen auch unsere gute Stadt zu erfreuen haben werde, jedoch seien, Gottleider! die Conjuncturen bei uns so schlecht, wie nie= mals zuvor, weshalb es unerläßlich, die Rättelwacht ansehnlich

zu vermehren, — übrigens aber auch neue Festungswerke anzu=
legen, die Artollerey zu verbessern und die Soldateska zu ver=
stärken.

In wie großen Respect sich übrigens diese Hamburger Rättel=
wacht bald nach ihrer Errichtung zu setzen verstanden hatte, das
erfahren wir u. A. auch aus den seltsamen Abentheuern des
berühmten Schelmuffsky (1696), welcher eines Abends in Ham=
burg, nachdem er allein einen Straßenkampf gegen einen Haufen
gegenwetzender Feinde bestanden und ihrer 15 mit seinem Rücken=
streicher niedergestreckt hatte („o Sapperlot! wie rissen die übrigen
Kerle aus"), dennoch sofort selbst Reißaus nahm, sobald er die
Rättelwacht heranknarren hörte, zum Thore hinaus, gen Altona,
auf's Schiff, fort in die wogende See, — Alles, um nur nicht
der Hamburger Rättelwacht in die Tatzen zu fallen.

Man hätte übrigens meinen sollen, die damals noch sehr
conservativen Hamburger würden sich so leichten Kaufs das
Wächterhorn nicht haben nehmen lassen. Dennoch scheinen keine
Volksbewegungen gegen die Neuerung mit der holländischen oder
sinesischen Knarre vorgekommen zu sein, welche hier ungestört
forträttelte, während sie sich an andern Orten bald unmöglich
machte. Zu Halle an der Saale nämlich hatte der Magistrat,
vielleicht Hamburg's Beispiel vor Augen, die „Schnurre oder
Rassel" eingeführt. Da begab es sich einige Tage später, daß
ein wahnwitziger Töpfergeselle, aufgeregt durch fremde Töne, bei
nachtschlafender Zeit seinem Wärter entspringt, und nun plötzlich
das ungewohnte Klapperwerk der Sineser nahebei vernehmend,
des Glaubens wird, der Teufel sei los. Muthig geht er dem
Schalle nach, betrifft zwei, keines Ueberfalls gewärtige, schwach
verschanzte Wächter auf frischer That, entwindet raschen Griffes
dem Einen die Lanze und schlägt mit derselben Beide todt, ehe
sie sich auf einen Angriff besinnen können. Da er seine Aus=
rede, daß er sie für leibhaftige Teufel angesehen, weil sie einen
Höllenlärmen vollführet, durch stadtkundigen Irrsinn belegen konnte,
so sperrte man ihn nur sicherer ein; löblicher Magistrat aber
fand sich durch dies hochtragische Ereigniß bewogen, die neu=
modischen Schnurren als schätzbares Material ad acta zu legen,

und die Nachtwächter anzuweisen, wiederum zu ihrem alten Tuthorn zu greifen. So erzählt der Geheimbte Rath von Dreyhaupt in seiner vortrefflichen Beschreibung des Saal=Kreises (Fol. 2 Bde. 1755).

Ungefähr 190 Jahre lang ist in Hamburg dem „Corps der Nachtwache“, wie man später sagte, das unmusikalische Knar= ren der Rättel geblieben (welche dennoch dem schrillen Pfiff der Wächter Berlin's u. a. Orte vorzuziehen war) und nur gelegent= lich gab's Virtuosen auf der geheimnißvollen Maultrommel unter den hiesigen Knarrwachteln. In der Sylvesternacht aber durfte ein Hamburger Schnarrassel auch singen. Dann bestellten ihn fröhliche Gesellschaften zum Ansagen des neuen Jahrs. Ab= sichtlich die Stunde vergessend, saß man heiter beim dampfenden Punsch, bis mahnend sich das Rättelding vernehmen ließ, und in der Thüre der Wächter im Nachtcostüm mit Mantel, Pelz= mütze und Lanze erschien, und nun einen alterthümlichen Sang verlautbarte, welcher seine Glückwünsche ausdrücken oder einleiten sollte. Mit dem nöthigen Geldgeschenk und unnöthigem Punsch belastet, verschwand er sodann rasselnd zu fernerer Ausübung seiner Amtspflicht. Draußen vor den Thoren, ja auch auf den Gassen, Plätzen, wie in den Höfen und Gängen knatterten dann eine unzählige Menge Musketenschüsse zur Begrüßung des neuen Jahrs in die Nachtluft; das aber focht die Wächter nicht an, die sich wohl hüteten, das alljährlich erneuerte Mandat gegen das verderbliche Schießen in der Neujahrsnacht aufrecht erhalten zu wollen. Weshalb auch das neue Jahr mit Zank und Streit beginnen! In weinseligster Laune lärmen die frohen Gäste nach Hause, noch ein paar vereinzelte Gewehrsalven hie und da, die Glock' schlägt Eins, stille wird's auf den Gassen des guten alten Hamburg, die Nachtwächter strecken und recken sich, setzen sich nieder und hüllen sich in den Mantel innerlicher Beschauung bis zum nächsten Rundenruf.

Zu verschiedenen Malen haben Cultur = Attentate auf den Hamburger Wächterruf stattgefunden. Derselbe erscholl nämlich, wie natürlich, in ehrlicher plattdeutscher Volkssprache, und ver= fiel bald aus dem reglementsmäßigen Recitativ in einen mehr oder minder angenehmen Singsang, variirt nach eines Jeden musikalischer Begabung und Geschmacksrichtung. Da nun gegen dies Singen, welches als volksthümliche Naturproduction gewiß seine innere Berechtigung hatte, die Aufklärung nicht einzuschreiten wagte, so versuchte sie es etwa um 1778 mit dem Texte, und gebot den Nachtwächtern, fortan in hochdeutscher Mundart zu rufen und zu singen, welcher Befehl sich aber bald als ein völlig ohnmächtiger Sprachzwang erwies und aufgehoben werden mußte, wie der selige Pastor Hübbe in seinem trefflichen Commentar zum Hamburger Ausruf (1808) bestätigt. Endlich, in den letzten Lebensjahren des Corps der Nachtwache, setzte die Aufklärung ihren Willen in Betreff des gedachten Singsangs durch, welcher durchgängig abgeschafft wurde, um einem verkürzten, eintönigen, schroff herausgestoßenen Stundenruf Platz zu machen.

Jetzt ist man noch aufgeklärter geworden, und hat alles und jedes Rufen, ja sogar das sinesische Klapperwerk für immer verstummen lassen. Im Felde seines Berufs schleicht still und wild der moderne Polizeiwächter durch die Gassen, gespannten Auges, gehobenen Armes, um lautlos desto sicherer seine Beute zu erfassen. Ob aber jetzt weniger gestohlen und gefrevelt wird, das steht dahin!

Der den alten Nachtwächtern in Hamburg obliegende Dienst war besonders zur Winterszeit, wegen der langen Nächte und müssigen Matrosen, ungemein beschwerlich. Frevel und Muthwille, kaum gebändigt, erhub von Neuem das Haupt, Aufläufe und ähnliche Störungen der öffentlichen Ruhe und Sicherheit rissen nie ab. Einen solchen Tumult im Jahre 1738 hatte der Nachtwächter-Lieutenant Sievert dadurch außerordentlich vergrößert, daß er selbst in totaler Betrunkenheit auf dem Kampfplatze erschien. Er mußte sich deshalb dem Senate demüthig reversiren: daß er nach diesem alles Gesöffe meiden wolle, um im Dienste jederzeit wacker erfunden zu werden, bei Strafe sofortiger Cassation. Er besserte sich auch so gründlich, daß er einige Jahre später ein Lob empfing, als er die Extrarunden befehligte, welche „wegen zunehmender räuberischer Unsicherheit der Gassen" allnächtlich von 6 Uhr Abends bis 7 Uhr Morgens angeordnet werden mußten. Im Winter 1786—87 war wiederum der öffentliche Frieden so gefährdet, daß diese Extrarunden nicht genügten, sondern große Soldatenpatrouillen commandirt werden mußten, um dem Unwesen zu steuern.

Nach Anfangs erwähntem Grundsatze hätten nun die Ham=burger Nachtwächter, welche das Diebsgreifen zu allen Tages=zeiten, also professionsmäßig betrieben, eigentlich recht unehrlich sein müssen, — und daß man sie vor 1610 auch dafür hielt, haben wir oben vernommen. Indessen war die Rättelwacht von 1671 und ihre Nachgeborenen gegen solche Unbill bestens ge=schützt, und zwar sowohl durch die gedachte Senatsdeclaration bei ihrer Errichtung, als auch durch den purificirenden Reichs=schluß von 1731, und vorzüglich (und beim Volke mag dies der wirksamste Schutz gewesen sein) durch ihre ganz ernsthaft mili=tairische Organisation mit Capitain, Lieutenant, Fähnderich, Ser=geant, mit fliegenden Fahnen, Trommeln und Querpfeifen, mit Montur und Armatur, wie die besten Reichstruppen! Den sol=datischen Geist des Corps beurkundete auch die um 1680—1700 in demselben herrschende Duellsucht, nicht nur bei den Officieren, sondern sogar bei Röpern und Sliekern, davon die Hamburger Denkwürdigkeiten S. 224 ein Beispiel erzählen.

Ob übrigens die Officiere der Rättelwacht vom Garnison= und wirklichen Militair als ebenbürtig angesehen wurden, das ist doch zu bezweifeln. Wenigstens fühlten sie sich durch gelegent=liche cameradschaftliche Behandlung abseiten fremder Officiere allemal so geschmeichelt, daß man auf das seltene Vorkommen solcher Cordialität schließen möchte. Darauf speculirten auch der dänische Lieutenant Carol und der preußische Fähndrich von Aberkas sehr richtig, als sie (1737) wegen Tumults in einer Weinschenke von zweien zu Hülfe gerufenen Nachtwächtern arre=tirt und in die Hauptwache vor deren Capitain, Herrn Möller, geführt wurden. Derselbe fand sich durch die liebenswürdige Courtoisie der jungen Herren so angenehm berührt, daß er sie ohne Weiteres der Haft entließ, und, um solche Eigenmächtigkeit zu beschönigen, einen unwahren Rapport schrieb, in dessen Folge man höheren Ortes sich beeilte, den fremden Officieren eine Sa=tisfaction zu geben, indem man die pflichttreuen beiden Nacht=

wächter, wegen vermeintlich willkürlicher Arretirung, zwei Stunden
lang auf dem hölzernen Esel vor der Hauptwache reiten ließ.
Waren diese Eselreiter nun auch über die ungeahnte Verdrehung
des Sachverhalts zu verblüfft, um sich wirksam zu defendiren, so
besaßen ihre treuen Hausfrauen desto mehr Energie. Sie klagten
bei allen Instanzen bis zum Senat, welcher sodann nach er=
kundeter Wahrheit den Capitain nachdrücklich bestrafte.

Das Reiten auf dem hölzernen Esel, welches bekanntlich sehr
komisch ließ, auch schmerzhaft war, da, wo's traf, übrigens aber
die Soldatenehre gar nicht antastete, gehörte mit zu den militai=
rischen Kennzeichen der kriegerischen Nachtwächter Hamburg's,
und würde deshalb ungern von ihnen gemißt worden sein.

Sehr effectvoll war ihre Erscheinung bei Tage wie bei
Nacht. Tagsüber konnte man dem blau und roth montirten
Sicherheitswächter, welchem der mächtige Dreimaster ein impo=
santes Ansehen verlieh, den vollsten Respect gar nicht versagen, —
und die im Jahre 1806 zuerst in Hamburg einrückenden franzö=
sischen Regimenter, welche königlich preußische Kerntruppen in
ihnen zu erblicken glaubten, sollen sich vor ihrer Wachtparade
ungemein entsetzt haben. Mit einbrechender Dämmerung frei=
lich legten sie ab Montur und blanken Schein, und verpuppten
sich. Ihr Nachtcostüm, der Mantel mit großem Kutscherkragen,
nebst Pelzmütze, war weniger glänzend als warm, und ersterer
so lang, daß er sie der Mühe überhob, einem ausreißenden Frev=
ler nachzulaufen, was absolut unthunlich war; sie warfen ihm
aber dann sehr geschickt die Lanze zwischen die flüchtigen Beine,
und pfiffen schrillen Tones auf dem Handgriff ihrer Knarre.
Dann stolperte der Flüchtling und fiel, und bevor er wieder
erstand, umringten ihn bereits die von allen Seiten herbeigeflö=
teten Cameraden.

Nach Vollendung ihres halbstündlichen Umganges blieben
ihnen, bis zum Antritt des neuen Marsches, noch einige Minu=
ten, welche sie gern der wohlverdienten Ruhe auf einer steiner=
nen Haustreppe und deren sogenannten Beischlag widmeten. Wie
düstere Hünengestalten saßen sie da, vom malerischen Mantel
umhüllt, die Lanze im Arm, das sorgenschwere Haupt zur innern

Einkehr niedergesenkt auf die tapfere Brust. Uebelwollende nannten das Schlafen, aber nur in wenigen abgelegenen Revieren
wird die zum Schlummer erforderliche Stille zu finden gewesen
sein, in dieser lauten, großen Stadt. Keinenfalls geschah hier
jemals, was in der westphälischen berühmten Stadt Dortmund am
17. November 1763 geschehen ist: eine generelle Absetzung sämmt-
licher Nachtwächter, weil es herausgekommen war, daß sie wochen-
lang allnächtlich in ihren Häusern und Federbetten geruhig ge-
schlafen hatten, statt in den Straßen zu wachen.

Gedachtes Nachtcostüm setzte nun allerdings die hamburger
Wächter vielfachem Hohn und Spott aus; große und kleine
Gassenbuben riefen ihnen allerlei neckhafte Spitznamen und bittere Epigramme zu, deren wenig anständiger Sinn hier gar
nicht wieder zu geben ist. Wenig empfindlich gegen solche scham-
lose Invectiven, reizte dagegen der viel unschuldigere Anruf
„Uhlen", d. h. Nachteulen, ihren Zorn regelmäßig auf's Aeußerste.
Der 9. Artikel der Nachtwacht-Ordnung von 1770 verhieß ihnen
daher den kräftigsten Schutz der Obrigkeit gegen alle verunglimpfen-
den und lästernden Aeußerungen unbesonnener Personen.

Abgesehen davon waren die Nachtwächter bis zu ihrer Auf-
lösung ein sehr geachtetes, und unter der ausgezeichneten Führung ihres letzten Chefs, des Herrn Capitain Grapengießer, ein
Jahr für Jahr besser organisirtes Corps, dem der als Polizei-
herr fungirende Senator als nichtuniformirter Obrist vorgesetzt
war. Schade, daß ihm (dem Corps) in seinen letzten Lebensjahren der culturgeschichtliche Dreimaster abhanden gekommen
war. Und wie vielfältig waren die Dienste dieser unermüdlichen
Leute. Sogar zum Vigiliren auf schlummerstörendes Hunde-
geheul, welchem ernsthaft zu wehren sie instruirt waren, benutzte
man sie. Als ein Markgraf von Culmbach im März 1763 in
der Traube am Pferdemarkt logirte, brachte ihn ein Nachbars-
hund um allen Schlaf. Die deshalb interpellirten Nachtwächter
konnten der Bestie nicht beikommen, weil sie im Hinterhofe skan-
dalirte, wohin sie begreiflich keinen Zutritt hatten, weshalb sie
es vorzogen, das Gekläffe gänzlich in Abrede zu stellen. Der
zu Hülfe gerufene Rath war rathlos, denn der Herr des Hundes

wollte ihn gutwillig nicht opfern, Gewalt aber konnte man nur auf offener Straße gegen ihn anwenden. Ob des Markgrafen Kammerdiener, wie er gedroht, den Pudel todtgeschossen, oder ob dieser bei so bewandten Umständen es vorgezogen zu schweigen, wird nicht berichtet.

Auch zu vielen polizeilichen Tagediensten benutzte man die ehrlichen Nachteulen, z. B. auf Anfordern eines Hauswirths zur Miethezahlzeit, um das heimliche Entweichen unsolider Miethsleute mit allen Effecten zu verhindern, was man „mit Respect ausziehen" nannte, da in solchem Falle der Flüchtling seinem Wirth nichts als seinen Respect vermelden ließ. Komisch genug sah er aus, der vor der Hausthüre postirte wohlmontirte Mann, der natürlich nicht den ganzen Tag Schildwacht stehen konnte, wie er so gemächlich auf einem morschen Sessel sein Commando sitzend ausführte, die unschuldige Muskete gegen die Mauer gelehnt, den krummen Säbel zwischen seinen analogen Beinen, die Pfeife im Munde, das Auge auf die Passage gerichtet.

Für alle diese nützlichen Dienste waren die Nachtwächter aber auch bevorrechtet vor vielen, ja vor den meisten Hamburgern. Denn Nachtwächter durften thun, was außer ihnen nur noch Pastoren, Professoren, Canzellisten und Stadtsoldaten thun durften und dürfen: Frauen und Grundstücke auf eigenen Namen erwerben, ohne Bürger zu sein. Woraus klärlich hervorgeht, daß die von sehr untergeordneten Personen und Zuständen hie und da gebräuchliche Redensart „unter'm Nachtwächter" ganz unmöglich in Hamburg entstanden sein kann.

Achtes Capitel.

Von Schergen, Gerichts- und Polizeidienern.

Die noch übrigen für unehrlich geachteten Subalterndienste, mit Ausnahme des im nächsten Capitel besonders zu behandelnden Scharfrichters, können wir füglich unter den Begriff der modernen Schergen, der Gerichts- und Polizeidiener zusammenfassen, wohin ja, die Häscher aller Art und Benennung ebensowohl gehören, als die Schlüter oder Schließer die Gefängnißwärter u. s. w.

Schergen und Frohnboten waren ursprünglich gewiß ganz ehrliche, sogar angesehene Leute, wie Jacob Grimm sagt, die des Richters Bann verkündigten und in ihrer Weise den Segen der heiligen Justiz förderten, natürlich auch mittelst Ergreifung gemeinschädlicher Bösewichter. Wie wenig schimpflich solche Handanlegungen waren, das geht aus der allgemeinen Bürgerpflicht zur Assistenz in Nothfällen hervor. In kleinen Städten, wo's mitunter noch jetzt an haschenden Armen gebricht, wurden nicht nur die redlichsten Erbgesessenen zu solchen Hülfsleistungen aufgeboten, sondern wenn's irgend pressirte, so griffen auch Schöppen, Magistratsherren und Stadtverordnete, unbeschadet ihrer Amtswürde, ganz tapfer mit zu. Solch' ein Nothfall mag um Fastnacht 1371 in der Stadt Limburg an der Lahn vorgelegen haben, als ein Dieb vom Rathhause in den sogenannten Katzenthurm gebracht werden sollte, und der, welcher ihn dahin schleppte, kein geringerer war als der Bürgermeister Herr Kunz Nente in eigner Person. Während dieses Ganges auf der hohen Stadtmauer, welche einen reizenden Blick in's Freie gewährte, gedachte der Gefangene, wie das Leben da draußen doch schön sei, resolvirt sich rasch, und springt, kaum noch eines Steinwurfs vom düstern Ziel entfernt, von der Mauer hinab in's lichte Blaue. Leider nicht allein, denn seinen pflichtgetreuen Bürgermeister, welcher seine Beute gepackt hielt, und nun im entscheidenden Augenblick unter keiner Bedingung fahren lassen wollte, zog er mit hinunter in die jähe Tiefe. Durch solch' enge Verbindung schadeten Beide sich sehr, wie sie gewahr wurden, als sie unten ankamen. Der leichtere Dieb, welcher nicht nach Wunsch auf gesunden Füßen zu stehen kam, lag auf seinem Bändiger und hatte beide Beine gebrochen, so daß an kein Entlaufen zu denken war. Die Limburger richteten ihn auch nur auf, um ihn sofort an der Stadtmauer baumeln zu lassen. Dann hoben sie ihren Bürgermeister auf, welcher als gewichtigere Person zu unterst gelegen und sich das Genick dermaßen zerstoßen hatte, daß er nach wenigen Stunden seinen berufstreuen Geist aufgeben mußte. Seit dieser Zeit ist der Gebrauch, daß Bürgermeister ihre Maleficanten eigenhändig greifen und in den Thurm führen, sehr in Abgang gekommen. Doch blieb es hie und da noch lange rechtliche Gewohnheit, daß die von kräftigen Schergen umstrickten Verhafteten auf ihrem Trauermarsch zum Thurmverließ, von Rathsherren begleitet wurden, wie sich z. B. auf solchem Wege Anno 1410 der Hamburger Heino Brand einer Escorte von 8 Senatoren zu erfreuen hatte, welche zwar keine Ehrengarde vorstellen sollte, sich aber immerhin für einen in den Thurm gebrachten Bürger recht ehrbar ausnahm.

In Betreff der Gerichtsdiener (um auf diese zurückzukommen) unterschied man vermuthlich, nach Jacob Grimm's Ansicht, die Schergen für Straf= und Blutgerichte von den gewöhnlichen Frohnboten in Civilsachen. Letztere blieben vor der Hand ehrlich, während der Ersteren Dienst um so schimpflicher geachtet wurde, als man ihn nun häufig an unfreie Leute verlieh, wodurch er einen knechtischen Anstrich erhielt. Wo etwa dieser Unterschied beibehalten wurde, also namentlich bei den größeren Gerichten volkreicher Städte, da mögen seine Consequenzen auch ferner gegolten haben. Großentheils aber verschmolz man beide Functionen, und legte den Gerichtsdienern auch die Pflichten der späteren Polizisten auf, wobei nothwendig die Mißachtung die Oberhand behielt. Das daraus entstandene Odium, dessen Ursprung man vergaß, läßt sich aus verschiedenen Quellen ableiten. Theils nämlich aus einer gewissen Verwandtschaft mit dem Scharfrichter, dessen Dienst vielfach ein Ableger und Ausläufer des Schergenthums war (wie im neunten Capitel darzulegen), theils aus dem unvermeidlichen Verkehr der Gerichtsdiener mit Verbrechern und Gesindel aller Art, theils aus der natürlichen Abneigung freier Menschen gegen alles Haschen, Greifen, Anzeigen, Citiren, Pfän= den und Strafvollziehen, — theils endlich aus einer Erfahrung auf dem Gebiete der Seelenkunde. Man argumentirte nämlich so: ehrliche Einfaltspinsel kann man zum Polizeidienst schlechterdings nicht gebrauchen; kluge Ehrliche geben sich aber zu demselben nicht her, da sie in jedem andern Stande ein mit mehr Ehre verbundenes Glück finden; folglich bleiben nur solche sehr ge= riebene Leute für den Polizeidienst übrig, die aus eigenen Er= fahrungen Bescheid wissen, wo der Hase im Pfeffer liegt, Bartel den Most zu holen pflegt ꝛc. — Und in der That scheinen die Per= sönlichkeiten der alten Schergen den ihnen gewidmeten Haß der ehrlichen Leute wohl verdient zu haben. Wie groß derselbe um 1650 gewesen, dafür giebt wiederum eine Stelle des trefflichen Satyrikers Philander von Sittewald einen Maaßstab. Nachdem dieser Visionair sich die Hölle sorgfältig betrachtet, und darin viele unserer bereits abgehandelten Freunde, Leinweber, Bader, Spielleute u. s. w., passend gemaßregelt sieht, vermißt er mit Be= fremden die Schergen. Sein Cicerone, ein sehr beredtes Teufel= chen, belehrt ihn nun, daß Schergen überall nicht in die Hölle kämen, weil ihnen das Amt auferlegt sei, den Menschen die Erde zur Hölle zu machen, was ein wahres Glück für die sonst außer Brod kommenden Höllenteufel sei, indem die Schergen sich noch besser aufs Plagen der Menschen verstünden als die Teufel.

Ob übrigens obiges Raisonnement richtig, das mag jetzt um so füglicher dahin gestellt bleiben, als nach dem Ehrlich= sprechen des höchst wohlthätigen und nothwendigen Berufs der Gerichts= und Polizeidiener durch das Reichsgesetz von 1731, solch' psychologisches Splitterrichten ohnehin für unsern Zweck ganz müssig erscheint.

Auch in Hamburg waren die Stadt= oder Rathsdiener, zu welchen die Diener des mit der Polizeigewalt betrauten Gerichts= herrn oder Prätors gehörten, sehr unbeliebt und mißachtet. Ge= gen die ihnen drohenden Beleidigungen und Thätlichkeiten des

Volks mußten schon die älteren Stadtrechte von 1292 und von
1497 Strafverfügungen anordnen, wonach Haft in der Frohnerei und willkürliche Strafe Denjenigen traf, der einen schuldlosen Stadtdiener verwundete; ähnliche Bestimmungen enthält
das Stadtrecht von 1605, dessen Commentatoren berichten, daß
man solche grobe Widersetzlichkeit gegen amtirende Gerichtsdiener
mit dem Pranger und Ruthenstrich und Verweisung bestraft habe,
z. B. 1697 und 1700. Die unterste Classe der Gerichtsdiener
hieß nicht nur bei dem Volke, sondern auch in der amtlichen
Sprache Schlup- oder Schlupfwächter, woraus man auch
Schluckwächter machte, entweder weil sie grausam trinken konnten, oder weil ihre ingrimmige Amtsmiene die erjagte Beute mit
Haut und Haar zu verschlingen drohte. Nach dem Diensteide
„der Schlupwächter" vom Jahre 1607, waren dieselben „des
Rathes wie der Bürger treue, willige Diener zu Wasser und zu
Lande, bei Tage wie bei Nacht, stetig verbunden zu allem menschlich möglichen Fleiß bei allen befohlenen Verrichtungen"; daneben
gelobten sie expreß: „alle Wehren und Mäntel, und was sie sonst
den muthwilligen Buben abnehmen würden, nicht zu behalten,
sondern dem Herrn Prätor einzuliefern, jeglichen Unterschleif zu
meiden und sich gegen männiglich bescheiden aufzuführen."

Zerrissene Mäntel und schlechte Wehren mögen sie allezeit
gewissenhaft ihrem Herrn eingeliefert haben, übrigens aber haben
die alten hamburger Häscher hier wie überall, sonst gar Manches
für sich zu erhaschen gewußt, haben keineswegs jeglichen Unterschleif gemieden, vielmehr sich recht systematisch auf's Gelderpres-
sen verstanden, und sich häufig so unbescheiden gegen Bürger
und Bürgerinnen, sogar gegen fremde Hofdamen aufgeführt
(z. B. gegen ein Fräulein von Wedell aus Lauenburg), daß beständig bittere Beschwerden gegen sie vorlagen, und die Mißachtung des Publicums gegen ihren Beruf beständig zunahm.
Um ein Beispiel davon zu erzählen, muß freilich etwas ausgeholt
werden, was der Leser mit den darin liegenden culturgeschichtlichen Momenten entschuldigen möge.

Seit Jahrhunderten wurden in Hamburg die Missethäter
(mit Ausnahme der am Elbstrande des Grasbrooks enthaupteten

Seeräuber) auf gemeiner Richtstätte vor dem Steinthore, vom
Leben zum Tode gebracht. Der letzte schwere Gang des armen
Sünders führte ihn also von der Frohnerei am Berg, der Dom=
kirche vorbei und durch die Steinstraße. Unterwegs hatte christ=
liche Barmherzigkeit noch eine geistliche und leibliche Erquickung
für ihn erdacht. In Folge einer Stiftung des Rathsherrn Erich
von Zeven vom Jahre 1424, harrte seiner vor dem Dom der=
jenige Geistliche, welcher den Gottesdienst in der Krypte besorgte
(der sogenannte Pfarrer in der Kluft), um ihm das heilige Sacra=
ment zu zeigen und durch Gebet und Fürbitte Trost zu spenden.
Einige Minuten weiter, in der Steinstraße, am Conventshause
der Beguinen oder blauen Süstern, wurde ihm dann von der
jüngsten Schwester ein Labetrunk stärkenden Weines dargereicht.
Erstgedachter geistlicher Trost konnte später um so füglicher auf=
hören, als durch Karl's V. peinliche Gerichtsordnung die Abend=
mahlsspende für alle Verbrecher angeordnet wurde, und daneben
ein ordentlicher Zuspruch durch Geistliche stattfand, deren zwei
den Delinquenten bis zur Richtstätte begleiteten, — in Hamburg
laut Art. 26 der Bugenhagenschen Kirchenordnung. Beiläufig
mag erwähnt werden, daß man diese geistliche Begleitung im
Jahre 1784, aus Gründen aufgeklärter Strafrechts=Politik, als
Regel abgeschafft hat, um verruchte Bösewichter durch das Fehlen
der Prediger desto empfindlicher zu strafen, und Andere desto
wirksamer von todeswürdigen Verbrechen zurückzuschrecken, auch,
um keine Gelegenheit zu bieten, daß durch das Feierliche der Pa=
storalgeleitschaft in schwachen Gemüthern der krankhafte Wunsch
entstehe, auf gleich erbauliche Art zu sterben, und dies Ziel dann
durch Tödtung schuldloser Opfer herbeizuführen! Diese aller=
dings sehr weit herbeigezogenen und hinfälligen Motive konnte
das geistliche Ministerium nicht anerkennen; es protestirte und
remonstrirte dawider, und als es endlich doch nachgeben mußte,
da wusch es seine Hände in Unschuld und bat um eine An=
erkennung, daß diese Abweichung von der Kirchenordnung nicht
von den Geistlichen ausgegangen sei, welche insgesammt gern
gewillt seien, auch ferner diese schwerste ihrer Amtspflichten
auszuüben.

Doch es wird Zeit, zu unserm Gegenstande zurückzukehren. Während also die geistliche Tröstung der armen Sünder vor der Domkirche durch eine bessere ersetzt war, hat sich die leibliche Erquickung vor dem Conventshause bis auf unsere Tage erhalten.*) Die protestantische Schwesterschaft ließ nach wie vor jedem ihr Asyl passirenden Verbrecher den wohlgemeinten Labetrunk reichen, wenn auch zuweilen ein solcher sich diesen Genuß dankbar verbat, um seine von priesterlichen Begleitern gehobene Stimmung nicht zu stören. Erst durch Einführung des Fallbeils innerhalb der Gefängnißmauern ist die Fortdauer dieser guten alten Sitte unmöglich geworden.

Nun hatte es sich zu Anfang des 17. Jahrhunderts zugetragen (jetzt kommen wir unserm Thema näher), daß bei diesem Acte ganz fatale Störungen vorgefallen waren. Rohe Volksmassen waren durch die Pforte in den Vorhof des damals weiter zurück belegenen alten Conventgebäudes eingedrungen, oder hatten die Pforte belagert gehalten, so daß nur mittelst Einschreitens der bewaffneten Macht, der Becher der Barmherzigkeit, nachdem er dreimal durch freche Buben ausgesoffen war, die Lippen des armen Sünders erreichen konnte. Bei der nächsten Execution ließ daher der Prätor zeitig vorher die Pforte durch einige seiner Diener, die sogenannten Schlupwächter, besetzen, die dann auch glücklich die ungestörte Ausübung des Brauchs vermittelten. Hierüber aber bezeigte sich die Vorsteherin des Convents („Ehrwürdige Jungfer Mesterin" ist ihr Titul) mit ihren sämmtlichen Conventualinnen wahrhaft empört. Freilich waren jene subalternen Gerichtsdiener nicht an der Gassengrenze des Heiligthums stehen geblieben, sie hatten vielmehr den Vorhof desselben betreten, und das war just der Punkt, welcher die fromme Schwesterschaft so gewaltig entrüstete. Denn nicht nur — so

---

*) Einige Kenner meinen, der Labetrunk am Conventshause sei erst mit der Reformation entstanden, und mittelst einer Uebertragung und Umwandelung der gedachten Erich von Zevenschen Stiftung vom Dom auf das Conventshaus in's Leben gerufen. Das Aequivalent für den geistlichen Trost, der volle Humpen Rebensafts, wäre bemerkenswerth.

erklärte dieselbe in ihrer Beschwerdeschrift dem Senat — nicht nur sei ihr Territorium, gleich einem klösterlichen, eine Freistätte und mithin privilegirt gegen den Eintritt eines jeden Gerichts- dieners, sondern es sei noch obendrein „vor eine grobe Befleckung der Ehrbarkeit des Convents zu achten, wenn Mannsbilder, und zwar so unehrliche Leute wie Schlupfwächter und ihres Gelichters, sich auf dem Hofe herumtummeln, Tobackspfeifen schmauchen und gebrannte Wasser zu trinken sich unterfangen dörften, wie leider Gottes geschehen." Sie verbat sich daher, mit dem Ernste eines souverainen Status in Statu, jegliche Wieder- holung einer solchen unleiblichen Profanirung ihres Hausfriedens, und ersuchte pro futuro lieber um eine Salva guardia von ehr- lichen Kriegsleuten! Was war zu thun? Prätor selbst mußte (die Ehr- oder Unehrlichkeit der Schlupfwächter dahin gestellt lassend) es anerkennen, daß die ehrwürdige Jungfer Westerin im Rechte sei, und auch Senatus fand, daß ein Commando von 6 — 8 Landsknechten von der Soldateska viel schicklicher sei! Seitdem wurden denn regelmäßig bei jeder Execution 1 Unter- officier, und 8 Kriegsmänner zum Convent beordert, um den Pöbel in Respect zu halten, wenn dem armen Sünder der Wein- trunk dargebracht wurde.

Um dieselbe Zeit zeigte auch ein anderer Vorfall die große Geringschätzung des Volks in Betreff der niedern Gerichtsdiener. Ein Bürger, Hein Brandes genannt, wie jener Unruhstifter von 1410, war von einem solchen aus irgend einem Grunde zur Haft gebracht worden. Unterwegs glaubte sich Brandes (der vielleicht die rathsherrliche Escorte seines Namensvetters ver- mißte) keineswegs mit denjenigen Rücksichten behandelt, die jeder Gerichtsdiener einem jeden Bürger schulde, und nannte deshalb seinen Führer einen Schlupwächter. Obschon dieser in Wahr- heit laut geleisteten Eides ein solcher war, so war ihm doch die verächtliche Bedeutung des Worts nicht unbekannt, und er em- pfand die hineingelegte Beschimpfung so übel, daß er sich durch einen derben Schlag an den ehrbaren Bürgerhals eine Genug- thuung nahm, die wiederum die ganze Freund- und Genossen- schaft des Geschlagenen auf die Beine brachte. In der desfall-

figen Verhandlung vor dem Gerichtsherrn vertrat Franz Al=
brecht den gekränkten Bürger. Die Debatten werden so heftig,
daß der Gerichtsherr gar nicht zu Worte gelangt, in dessen Gegen=
wart, durch das patzige Betragen des Gerichtsdieners gereizt, der
feuereifrige Franz Albrecht sich hinreißen läßt, tiesen überlaut
als Schlupwächter anzuschreien und ihm dazu 2—3mal in's
Angesicht zu schlagen. — Die Beurtheilung dieses Falles scheint
dem Gerichtsherrn wie dem Senat schwer geworden zu sein; in
dem erwachsenen Schriftenwechsel mag der Conflict der Bürger=
rechte mit dem gesetzlichen Schutz der Gerichtsdiener, durch deren
Strafbarkeit wegen amtlicher Excesse, wie durch eingemengte Ideen
von unehrlichen Häschern und Bütteln so bunt geworden sein,
daß der Senat vorerst den Rath auswärtiger Doctoren einzog.
Die deshalb consultirte Juristenfacultät zu Wittenberg fand nun
in den Rechten gegründet, daß — „wenn auch der Gerichtsdie=
ner durch sein ungebührlich Betragen, sothane Beleidigung abseiten
des Albrecht etzlichermaßen verursachet, dennoch tiesem ganz nicht
gebühret hätte, ihm in Gegenwart seiner Obrigkeit mit Schlägen
zu begegnen, weshalb er nach Gelegenheit seines Standes und
Vermögens billig mit Gefängniß= oder ansehnlicher Geldbuße
wohl abzustrafen sein werde." Ueber die Bedeutsamkeit des Aus=
drucks „Schlupfwächter" schlüpfte leichten Fußes die gelehrte Fa=
cultät hinweg, von deren Spruch man glauben möchte, Senatus
hätte ihn ebenso gut selbst finden können.

Leichter kam eine fremde Standesperson davon, als dieselbe
„aus Versehen" einen Gerichtsdiener geprügelt. Es war der
Graf de Coulange, dänischer Contre=Admiral, welcher nebst seiner
Gemahlin, Anna Charlotte geb. Freiin Hunecken, seit Herbst 1721
zu Hamburg im Bremer Schlüssel logirte, und anscheinend stark
finanzte, d. h. in Geldgeschäften machte. Der hiesige Kaufmann
Joh. Zobel verklagte ihn im Januar 1722 beim Prätor wegen
einer Obligationsschuld von etwa 2300 Thalern. Als der Ge=
richtsdiener Taubmann dem Grafen die erste Citation überreichte,
bekam er ein starkes Brummen zu hören, aber sonst nichts Widri=
ges zu empfinden. Als er das zweite Ladungsgebot gebracht,
sah er, wie der Graf es unter noch lauteren Tönen des Zorns

an die Erde warf, was er an seinen Ort gestellt sein ließ und
mit langen haftigen Schritten das Weite suchte. Als er nun
aber die dritte Citation in die Stubenthür hineinzureichen Wil=
lens war, da ergriff ihn der Graf, zog ihn völlig in's Gemach,
verriegelte die Thür, entriß ihm seinen eigenen Spazierstock, und
gab ihm mit diesem 9—10 grausame Schläge „über den Puckel",
wobei er rief: „Da, Canaille, hast du deinen Lohn sampt deinem
Herrn Richter und Mr. Zobel!" Hierauf die Stubenthür öffnend
und den Stock dem Eigenthümer zurückgebend, stieß er ihn recht
unsanft hinaus und die Treppe hinunter. — Solche unerhörte
Insolenz zog dem Herrn Grafen noch selbigen Abend den Haus=
arrest zu, welchem eine eingelegte Wachtmannschaft Nachdruck
gab. Die gefährliche Mission, tem zornigen Grafen diese Haft
anzukündigen, wollte kein Gerichtsdiener übernehmen, weshalb
man den tapfern Capitain Bösch, welcher überdies des Franzö=
sischen sehr mächtig war, in des Löwen Höhle sandte, den er
nun sehr traitabel geworden fand. Nach verrauchter Hitze hatte
der Graf sich besonnen, und als am andern Morgen zwei Se=
natoren ihn vernahmen, betheuerte er, daß es ihm nicht in den
Sinn gekommen, den Rath oder den Gerichtsherrn zu schmähen,
er entsinne sich nicht einmal, des Richters gedacht zu haben.
Da er aber die Sache für eine bloße, auf Territion berechnete
Comödie seines Gläubigers Zobel, und mithin den Zettelträger
für keinen ächten Gerichtsdiener gehalten, so habe er sich befugt
geglaubt, in seiner Weise darauf zu antworten. Nun er aber
erfahre, daß die Sache ernsthaft gemeint sei, nun müsse er sich
touchirt finden, nicht nur über die Formlosigkeit der Citation,
die ihn ohne Titel und Character, bloß „de Coulange" nenne,
sondern auch über den Affront, daß man ihn nicht durch eine
ehrliche Person, sondern durch einen „Sloupwachter" habe citiren
lassen. Letztere kahle Retourkutsche ließ man unerörtert. Da
aber nach des Grafen Versicherung, kein animus injuriandi bei
jenen canailleusen Worten und den 10 Streichen obhanden ge=
wesen, und Taubmann bereits privatim ein Wundpflaster erhalten
hatte, so ließ man's wirklich mit einer Nacht Hausarrest bewen=
den und commandirte die Wache wieder ab.

Ein seiner Zeit vielgenannter und geschmähter Mann war der Gerichtsdiener Jobst Schmetgen, dem man sehr viele Verbrechen nachsagte, und die Fähigkeit zu allen übrigen zuschrieb. Seine ungewöhnliche Gewandtheit und Brauchbarkeit, selbst zu den desperatesten Polizeidiensten, mag seine mehrfach drohende Cassation lange verschoben haben. Trotz der Mißachtung seines Standes wie seiner Person, spielte er äußerlich mit Geschick den vornehmen Lebemann, hielt Reitpferde, ging prächtig gekleidet einher, und fand die Deckungsmittel für seinen Aufwand bei allen solchen Leuten, von welchen er kleine Vergehen wußte, deren Kunde ihm seine Spione zugetragen. So war er ein Schrecken vieler reicher junger Leute und hatte eine Menge respectabler Personen in seinem Bann. Dabei war er im Volke wegen seiner Härte und Grausamkeit so verhaßt, daß beim Tode seiner ebenso verrufenen Ehefrau, kein Mensch deren Leiche zu Grabe tragen wollte, bis einige Nachtwächter dazu befehligt wurden, welche jedoch den Pöbel nicht abhalten konnten, das Leichentuch abzureißen und den Sarg kopfüber in die Grube zu werfen. Nicht lange darnach suchte der gebeugte Wittwer Zerstreuung in einem der besseren Wirthslocale. Kaum gewahrt ihn ein junger Bürger, als er erklärt, die Gegenwart eines solchen „Schlupwächters" verunehre die Gesellschaft, worauf auch Andere ihn hinausweisen. Augenblicklich nachgebend, erwartet er jedoch den heimgehenden jungen Bürger draußen, stellt ihn zur Rede, fordert Genugthuung, die jener verweigert, und mißhandelt ihn dann gröblich. In dieser That, geringfügig gegen seine übrigen Frevel, lag doch der sein Maaß zum Ueberlaufen bringende Tropfen, er wurde seines Dienstes entsetzt am 26. Juni 1726 und die Stadt athmete auf. Es regnete nun eine Fluth von gedruckten Schmähschriften wider ihn, welche zum Theil in Versen so unerhörte Dinge erzählen, daß der Inhalt gar nicht anzugeben ist, weshalb denn auch damals die meisten dieser Broschüren confiscirt worden sind.

Nicht ohne Interesse ist eine bei dieser Gelegenheit erschienene Flugschrift besseren Schlages: „Gespräch im Reiche der Lebendigen zwischen dem abgesetzten famösen hamburger Schlup=

wächter Schmetgen und dem wohlrenommirten hannöverischen Landreuter Weidemann", 1726. Letzterer kommt auf einem seiner Streifzüge, zur Sicherung der Städte und Landstraßen seines Reviers gegen Diebs= und Raubgesindel, auch nach Hamburg, und begegnet hier in einem Wirthshause einem schlanken eleganten Herrn, schwarz gekleidet, mit blonder Perücke, ein Couteau de chasse an der Seite: Schmetgen. Man macht Bekanntschaft, spricht von Amts= und Lebenserfahrungen, und tauscht das beiderseits sehr lehrreich gefundene curriculum vitae aus. Die Darstellung ist ganz moralisch: Schmetgen ist der untergehende Stern, der vom kriegerischen Ehrenhimmel in die niedere Schergensphäre gefallen, und dort in den Sümpfen und Morästen der Sündhaftigkeit nur noch als ein Irrlicht glimmen konnte, jetzt aber im völligen Erlöschen begriffen erscheint. Weidemann ist umgekehrt (freilich eine Bestätigung der obengedachten Erfahrungslehre) ein aufgehendes Gestirn: von jugendlichen Diebesgelüsten durch den Warnungsruf der Folterbank glücklich curirt, und als Amnestirter in den Sicherheitsdienst seines Vaterlandes getreten, sucht er nun seine früheren Vergehungen in entsprechender Weise zu sühnen, indem er der ehrlichen Welt seinen sachkundigen Kopf und Arm leiht zur Entdeckung der vormaligen Complicen aller Art. Während Jener wie ein ruchloser Galgenvogel spricht, redet Weidemann wie ein Tugendspiegel und gestattet seinem ihm interessanten neuen Bekannten die Vergleichung mit ihm nur „sans comparaison."

Die oberen Gerichtsdiener hießen Bruchvögte (Brüche == Strafe). Auch diese unterlagen dem Ehrenmangel ihres Standes vollständig, und viele unter ihnen rechtfertigten auch persönlich durch üble Conduite, Bestechlichkeit, Erpressungssucht, Vernachlässigung der Armensachen u. s. w. das gegen ihren Dienst herrschende Vorurtheil. Ein roher gewaltthätiger Mann war der Bruchvogt Henrich Bucking, welcher trunkenen Muths am 18. Juli 1665 mit dem tapfern Fechtmeister Noël Grenzeisen Händel suchte. Ohne triftige Veranlassung zog er den Degen und drang heftig auf jenen ein, welcher zufällig sein langes Schwert von

Greifenfels nicht bei der Hand hatte, und sich einzig mit seinem
kleinen Spazierstöckchen vertheidigen konnte. Daher kam es, daß
des wilden Vogts Degen seine künstlichsten Paraden durchschlug
und nach wenigen Gängen den alten Fechter todt zur Erde
streckte, — worauf im Januar 1666 der Frevler öffentlich
enthauptet wurde, dessen Verbrechen dadurch erschwert erschien,
daß er ohne Auftrag in ein unverdächtiges Bürgerhaus ein=
gedrungen war.

Trotz dieser persönlichen Verschuldungen vieler Bruchvögte
wollte der aufgeklärte Rath Hamburgs eine dem Dienste der=
selben anklebende Unehrlichkeit doch durchaus nicht einräumen.
Es war im Jahre 1697, also noch lange vor dem purificirenden
Reichsschluß, als Senatus sich bemüssigt sahe, der Erbgesessenen Bür=
gerschaft amtlich und feierlich zu erklären: „daß Er den Bruch=
vogt vor ehrlich halte." Die übertrieben delicate Corporation
der Gold= und Silberdrathzieher (obendrein keine mit ausschließ=
lichen Rechten anerkannte Zunft) hatte sich nämlich bei der Bür=
gerschaft beschwert, daß man ihr ein bruchvogteiliches Familien=
glied aufdrängen wolle. Bei Lichte besehen war die Sache diese.
Frau Gesche, des verstorbenen Bruchvogts Jacob Meyer Wittwe,
hatte in zweiter Ehe den Goldzieher Christian Pierfort, und zwar
sonder Einspruch der Brüderschaft, geheirathet, auch neun Jahre
lang unangefochten mit ihm das Gewerbe getrieben. Als nun
Meister Pierfort verstarb, wünschte die abermalige Wittib das
Geschäft ihres Seligen unter Leitung eines Sachverständigen
fortzusetzen, wogegen nun die ganze Corporation wie ein Mann
auftrat, und „die Pierfort'sche" (wie Frau Gesche in den Akten
stets genannt wird), als einstmals gewesene Bruchvogtsgattin,
für unehrlich und ihrer Genossenschaft unwürdig erklärte. Der
Rath schützte die hülflose Wittwe kräftigst, er stellte der Bürger=
schaft den wahren Sachverhalt vor und replicirte endlich auch:
„abgesehen davon, daß diese selbige Brüderschaft schon früher
zwei Bruchvogtssöhne ohne Anstand zu Lehrjungen angenommen
habe, werde auch der Bruchvogt von Ihm (dem Rathe)
und sonst allgemein, vor ehrlich gehalten, wie denn

auch der wohlweise Gerichtsherr mit ihm zu speisen
pflege"; welche Autorität durchschlug, und der Pierfort'schen
Wittib einen günstigen Erfolg zu Wege brachte.

Ganz ähnlich verfuhr Anno 1699 die Schuhmacherzunft zu
Eisenberg, welche der Lehrlingsannahme des Georg Senfflinger
heftig contradicirte, weil der Großvater desselben mütterlicher
Seits, der selige Braunsperger, ein Gerichtsdiener gewesen sei, —
worauf jedoch der Landesherr die Zunftbegriffe zweckmäßig auf=
zuklären verstand.

Die Sitte übrigens, daß der Hamburger Bruchvogt sein
Mittagsessen an der Tafel des ersten Prätors fand, (wie ähnlich nicht
nur die Handwerksgesellen, sondern auch die Comptoirdiener die
täglichen stummen Mitesser ihrer Principalfamilien waren und
in einigen Fällen noch sind) hat sich bis gegen die Mitte des
vorigen Jahrhunderts erhalten. In dem Entwurf einer Instruc=
tion für diesen Polizeibeamten heißt es, nach sachdienlicher Er=
mahnung, sich der Gottesfurcht und jedweder Tugend, abson=
derlich der Nüchternheit zu befleißigen, auch dem öffentlichen
Gottesdienste oft und gern beizuwohnen, folgendergestalt: „bei
Tische, zumal wenn der Herr Prätor seine Kinder und Comptoir=
bedienten mit an der Tafel hat, soll der Bruchvogt absolute von
keinen Sachen sprechen, die entweder Geheimniß erfodern, oder
welche jungen Gemüthern zum Anstoß und Aergerniß gereichen
können", — mit welcher Instruction man sich völlig einverstan=
den erklären muß.

Ob nun obige authentische Declaration, in Betreff der Ehr=
lichkeit des obersten der hamburger Gerichts= und Polizeidiener,
für den vorurtheilsvollen täglichen Verkehr ausgereicht habe, das
ist dennoch, trotz seiner würdigen wohlweisen Tischgenossenschaft,
sehr zu bezweifeln. Wenigstens erregte sein todter Körper bei
jeder Beerdigung viel ärgerlichen Anstoß, und erst allmählig
wurde es damit besser. Am 28. Februar 1694 flehten die dem
bürgermeisterlichen Amte beigeordneten Hausdiener inständigst,
daß man sie doch mit der ihnen anbefohlenen Bestattung des
verstorbenen Bruchvogts verschonen möchte, da sie sonst beim
dummen Volke für unehrlich gehalten, und ihre Kinder in

Gilden und Zünften keine Aufnahme finden würden. Ihr Gesuch
wurde vom Bürgermeister Lütkens als unstatthaft kurz abgewiesen.
Desselben Tages, Abends 8 Uhr, erlitt gedachter Herr Bürger=
meister, nach seinem eigenhändigen Bericht, in seinem Hausfrieden
noch die Verunruhigung, daß eine Deputation von neun Bürgern,
etikettenmäßig in schwarzen Mänteln, sich bei ihm zu sofortiger
Audienz anmelden ließ. Auf seine Anfrage durch den Laquai:
ob ihr Begehr so pressant sei? er befinde sich bereits im Nacht=
kleide! erwiederten die Bürger, allerdings sei periculum in mora.
Drauf ließ sich der gute Herr wieder an= und mit seinem bür=
germeisterlichen Habit bekleiden, und empfing die Leute in größter
Spannung darüber, an welchem Ende res publica nun schon
wieder brenne. Als nun aber, nach den üblichen Curialien, der
Sprecher der Deputation, David Boon, mit der seligen Bruch=
vogtsleiche angezogen kam und mit einer Intercession für die von
selbiger zu entbindenden Hausdiener herausrückte, da ärgerte sich der
Herr Bürgermeister nicht wenig. Regerirend sprach er seine Verwun=
derung aus, daß sie 1) in so starker Anzahl, 2) bei so später Abend=
stunde, 3) sich zusammengethan, um ihn 4) mit dem Vortrage einer
sie gar nichts angehenden unerheblichen Sache zu molestiren. Es
scheine ja einreißen zu wollen, daß Jeder mit irgend einer Decretur
des Senats Unzufriedene, sich einen Anhang formire zur Erzwingung
seiner Wünsche, welchem unleidlichen Gebrauch auch die Haus=
diener gefolgt zu sein schienen. Die Bürger möchten doch den
Rath gewähren lassen, seinen Dienern zu befehlen, was ihm gut
dünke, und sich nicht hinein meliren. Allezeit hätten vormals die
Hausdiener die todten Bruchvögte getragen, wie noch neulich des
Henning Helmers Tochter; es würde ihnen dadurch auch an
ihren wirklich habenden Ehren kein Titelchen abgebrochen, und
wenn die Zünfte jetzt deshalb ehrabbrüchig gegen sie verfahren
wollten, so würden sie eine grundlose, ärgerliche Neuerung an=
richten, die ihnen nicht zu gestatten. Die Hausdiener müßten
pariren, denn wenn Diener ihrer Herren Befehle nicht ausrichten
wollten, so könnten sie keine Diener bleiben. — David Boon
replicirte nun: er für seine Person habe in der Bürgerschaft
dafür gestimmt, daß die Besetzung der Hausdienerstellen den

Bürgermeistern verbleibe; es könnte aber eine Zeit kommen, daß man sie ihnen nehmen und meistbietend verkaufen wolle! Worauf der Bürgermeister duplicando: er sehe wohl, man wolle durch dies Remonstriren das Ding ertrotzen, was zu weit gehen heiße, weshalb er die Bürger ersuche, sich nicht weiter drein zu mischen, und übrigens ihm jetzt seine benöthigte Nachtruhe zu gönnen, — worauf man beiderseits zwar unter höflichen Curialien, aber sehr kühl von einander schied. — Uebrigens blieb es dabei, die Hausdiener trugen den seligen Bruchvogt und hörten deshalb nicht auf ehrlich zu sein.

Es mag sich in den nächsten Jahren noch mehrfach im Volke und bei den Zünften das alte Vorurtheil als mächtig erwiesen haben, was Rath und Bürgerschaft bewog, ihrer Zeit und dem freisinnigen Reichsgesetz von 1731 voranzueilen. Denn schon im Jahre 1710 wurde in dem Generalreglement für die Aemter und Brüderschaften ausdrücklich bestimmt, daß alle Gerichts- und Gefängnißdiener nicht für unächt zu halten und von den Zünften keineswegs auszuschließen seien.

Aber trotz dieses Gesetzes, und selbst nach dem Reichsedict von 1731 gab es Renitenten in Betreff der unpopulairen Bruchvogtsstelle. Im Jahre 1749 wollten weder verschiedene kleinere Brüderschaften, welche sonst wohl in dieser Hinsicht Fünf gerade sein ließen, noch die auf Leichenbestattung privilegirten Reitenden Diener, den seligen Oberbruchvogt Oldenburg zu Grabe bringen. Ueber erstere Genossenschaften vermogte der Senat nichts; letzteren aber, seinen Trabanten, befahl er ernstlich, „das todte Corpus ohne alle Weiterung im Kammerwagen zur Kirche zu geleiten und allda einzusenken." Indessen parirten sie nicht sogleich, sie wandten vor: wenn ihre Hände sich mit Bruchvögten befasseten, die man für unehrlich hielte, so würde sich hinfort keine vornehme Leiche von ihnen anfassen lassen mögen; was der Senat unerörtert ließ, nun aber ihrer 10 namentlich dazu commandirte bei 15 Thaler Strafe für jede halbe Stunde Weigerung. Das fruchtete; „aus respectueusester Ehrfurcht" leisteten sie Folge, obschon unter Protest für künftige Fälle. — Oldenburg's Nachfolger, Gerd Holzkampf, starb 1758. Friedliebende Gönner in

der Rathsstube vermittelten es, daß diesmal die Reitenden Die=
ner völlig außer Spiel blieben, indem fromme Schulmeister bereit
waren, die Leiche zu bestatten. Senatus vernahm daher mit Be=
fremden Tags darnach vom Prätor: freilich hätten's die Schul=
meister übernommen gehabt, auch das Geld dafür bereits ein=
gestrichen, dennoch aber aus Furcht vor übler Nachrede die Leiche
nicht selber getragen, sondern ganz ordinaire Kerle substituirt,
was gar nicht fein von den Schulmeistern sei, die er deshalb
mit gebührlicher Strafe ansehen werde. — Als nun endlich
1766 der Oberbruchvogt Rust starb, da fügten sich die von der
Wittwe requirirten Reitenden Diener ohne Widerrede. Der
Rath verfügte übrigens, damit durch unnöthigen Prunk kein
Aergerniß entstehe, es solle der Mann nicht im vornehmsten Him=
melwagen, sondern mit simplen Sargbeschlägen im simplen
Jungfernwagen bestattet werden, was wahrscheinlich wiederum
ein maaßloses Aergerniß bei den hiesigen ledigen Frauenzimmern
verursacht hat.

Seit dieser Zeit wissen wir Hamburger von solchen Ge=
schichten nichts mehr, wie sie sich in kleineren, vom Culturfort=
schritt unberührt gebliebenen Städten noch zu Anfang dieses
Jahrhunderts ereignet haben. Fritz Reuter erzählt von seiner
Vaterstadt Stavenhagen unter vielen erlebten Ergötzlichkeiten auch
vom tragischen Begräbniß des alten Amtsschließers Ferge, im
fernsten Winkel des Kirchhofs. „Kein Nachbar, kein Freund
folgte dem rohgezimmerten Sarge, nur die dürftig schwarz geklei=
dete einzige Tochter gab ihm das letzte Geleite. Er war ja
unehrlich gewesen durch sein Amt!"

Neuntes Capitel.

Vom Scharfrichter und seinen Gesellen.

a. Allgemeiner Ueberblick.

Nicht sonder Scheu geht Autor an dies schwierigste Capitel
seiner Aufgabe, dessen Ausarbeitung er aus Gründen natürlicher
Bequemlichkeit bisher aufgeschoben, und alles Sonstige, sogar die
folgenden Abschnitte, früher in die Feder gefaßt hat. Das Ma=
terial zu dieser unendlich vielseitigen und genau ebenso verwirrten
Materie in rechts= wie culturgeschichtlicher Hinsicht, ist ihm der=
gestalt angeschwollen, daß er im Voraus um Entschuldigung
bitten muß, wenn etwa seine durch mehrere Sichtungssiebe ge=
gangene Darstellung den Gegenstand weder erschöpfend, noch mit
wünschenswerther Klarheit zur Anschauung bringt. Ein im
Ganzen sehr gelungenes Miniaturbild unseres Gegenstandes
bietet in gedrängter Kürze ein Aufsatz in Prutz' Deutschem Mu=
seum, 1857 Nr. 16. S. 577—583, betitelt: Der deutsche
Scharfrichter.

Für den Schreckensmann, welcher die von Rechtswegen
ergangenen Strafsentenzen zur Vollstreckung bringt, giebt's der
Benennungen so viele, daß schon die Wahl der obigen Ueber=
schrift einiges Kopfbrechen erforderte. Erwägt man aber, daß
im Scharfrichter auch der Henker steckt, und daß die von seinem
obersten Knechte, dem s. v. Schinder oder Halbmeister verwaltete
Abbeckerei mit seinem Dienste verbunden ist, so wird's nur der
gelegentlichen Erläuterung der übrigen einschlagenden Titulaturen
bedürfen, und im Ganzen das lockende Aushängeschild dieses
Capitels gerechtfertigt erscheinen.

Auf diese Vorbemerkung folge die Erklärung, daß an sich
das Vollstrecken eines nach göttlichen und menschlichen Rechten
ergangenen Urtheils, so wenig in juristischer, wie in bürgerlicher
und moralischer Beziehung ein ehrloses Geschäft sein kann. Nur
krankhafte Natur= oder verschrobene Vernunftphilosophen würden

hier eine Unehrlichkeit behaupten, die sonst in keinen positiven Rechten und Gesetzen erfindlich wäre. Wenn vormals allgemein der Galgen vorzugsweise „die Justiz" hieß und das Hinrichten selbst „justificiren" genannt wurde, so kann der auf dem Justificator lastende Makel unmöglich aus dieser seiner gewissermaaßen heiligen Amtspflicht herstammen. Und weshalb sollte sein Thun für unehrenhafter gelten, als das der Soldaten, welche die Erschießung des kriegsrechtlich verurtheilten Cameraden vollziehen, und nach wie vor der vollen Kriegerehre theilhaftig bleiben, welcher sie, gewöhnlich ausgesucht brave Männer, auch persönlich genießen. In der That, der mittelalterliche Scharfrichter, als solcher, wenn er nur sonst makellos gewesen, wenn er nur strenge bei der gerichtlichen Stange geblieben und namentlich mit dem verwerflichen Abdecken verschont gewesen wäre, er hätte allewege eine grundehrliche Person mit respectgebietendem Beigeschmack vorstellen können. Und die Naivität der Vorzeit würde nicht verfehlt haben, seine schwierigen Dienstverrichtungen einer höchst ehrbaren zunftmäßigen Erlernung zu unterwerfen, und die darin erlangte, Gott weiß an wie vielen Hälsen erprobte Meisterlichkeit, ganz ernsthaft zu einer „feinen, raren Kunst" erhoben haben. Es ist daher vollkommen correct, wenn die Reichsgesetze von 1731 und 1772, welche die Unehrlichkeit der scharfrichterlichen Nachkommen heilsam beschränken, niemals vom Scharfrichter sprechen, sondern nur von den Kindern des „Schinders" reden, womit sie die Achillesferse des gestrengen Dienstmanns der heiligen Justiz ganz treffend hervorheben. — Aber diese Dinge verdienen noch einige nähere Betrachtung. Blicken wir zurück in die vorchristliche Zeit, so finden wir bei den deutschen Stämmen wohl Verbrechen und Strafen, aber keinen Scharfrichterdienst. Der Verbrecher wurde, nach Tacitus Zeugniß, durch Priester gerichtet, deren geweihte Hände den Beleidiger der Götter, denselben als Sühnopfer überlieferten, mittelst Aufknüpfung an eine heilige Eiche. Die diesem Verfahren zum Grunde liegenden Anschauungen waren, vom damaligen Standpunkte aus betrachtet, gewiß ebenso richtig, als sie schön und edel genannt werden müssen. Als nun aber die christlichen Priester zu solcher

Justizvollstreckung die Hände zu bieten Bedenken trugen, da brachen sich manche andere Verfahrungsarten Bahn, verschieden nach Sitte, Gewohnheit und Anschauung der einzelnen Volksstämme, alle aber darin übereinstimmend: daß die Vollstreckung peinlicher Urtheile keinen ehrlichen Mann beschimpfe. Hier war's der jüngste Richter, dem sie oblag, und dem daher der Name Nachrichter zu Theil wurde, dort der jüngste Bürger oder Familienvater einer Gemeinde, und er besorgte diese Funktion qua Ehrenamt oder bürgerliche Pflicht so gut und gern, wie das Sammeln mit dem Klingelbeutel sein späterer Enkel vollbringt. An vielen Orten war's auch der Frohnbote, ein ehrbarer, zuverlässiger Diener des Gerichts, der das Fürgebot, die Ladung der Parteien besorgte und bei Hegung jedes Gerichts unentbehrlich war.

Nun aber kam mit dem allmähligen Eindringen des römischen Rechts auch das römische Scharfrichter-Institut in's Land. Freilich mag es fast Jahrhunderte gedauert haben, bis der gewerbsmäßige Scharfrichterdienst überall die alten volksthümlichen Executoren verdrängt hatte; aber er faßte festen Fuß zunächst in den größeren Städten. Hier fand man, wegen der sich häufenden Hinrichtungen, die Bestellung eines eigenen Dienstmannes für dieselben äußerst bequem, welcher von dort aus nach und nach die kleineren Städte und die Landämter sich eroberte. Aber auch der Scharfrichter, als gewerbsmäßiger Diener der Justiz, hätte seine römische Herkunft und die altrömische Infamie seines Standes vergessen machen, hätte sich frei halten können von der deutschen Unehrlichkeit, wenn nicht zwei Umstände seiner Reputation den Hals gebrochen hätten: die Unfreiheit der ersten bestallten Scharfrichter, und ihre Befassung mit der Abdeckerei.

Es spricht gar sehr für die durchgängige Ehrenhaftigkeit der unteren Volksclassen des Mittelalters, wenn wir erfahren, daß zur Uebernahme des mit allen Vorzügen einer festen Lebensversorgung ausgestatteten Scharfrichterdienstes, sich nicht leicht ein freier deutscher Mann, weder Bürger noch Bauer, bereit finden ließ. Nicht des Aufknüpfens und Enthauptens wegen, das konnte ja (wie wir gesehen) der redliche Bürger ganz füglich ebenso unbescholten als Ehrenamt verrichten, wie es sein Raths-

herr oder Gerichtsschöppe gethan; das Menschentödten aber zeit=
lebens als Dienst zu verrichten, dagegen sperrte sich sein christlich=
germanisches Unabhängigkeitsgefühl. Und da nun auch im Ge=
folge des römischen Rechts der ganze bisher unbekannte Apparat
eines complicirten Criminalverfahrens, die Tortur mit ihren
schrecklichen Künsten und eine sinnreiche Vervielfachung und Ver=
schiedenartigkeit der Todes= und anderer Leibesstrafen hinzu=
kam, — diese Dinge aber ganz unmöglich einem Bürger als
gelegentliches Ehrenamt aufzubürden waren, sondern einen schul=
mäßig ausgebildeten, fachkundigen Dienstmann erforderten, welcher
sich als Carnifex am schicklichsten darstellen ließ: so mußten die
Magistrate der Städte Gott danken, wenn sie für diesen neuen
Dienst irgend einen entlaufenen Leibeigenen oder einen an seiner
Ehre beschädigten Landflüchtigen fanden, — denn anders mußten
sie einem Verbrecher das Leben schenken, um ihn mit dem Scharf=
richterdienste zu begnadigen. Der große Makel aber, welcher von
vorn herein auf den Personen dieser neuen Beamten bereits lastete,
übertrug sich von selbst auf den neuen Dienst und verstärkte
dessen Verächtlichkeit, weßhalb dieser Makel mächtiger und ein=
flußreicher wurde als jeder andere Ehrenmangel. Die Kinder
und Nachkommen dieser ersten leibeigenen oder verbrecherischen
Scharfrichter wurden dann die Stammväter der verschiedenen
„Schelmensippen" im Reiche, und durch das hinzugetretene Ab=
deckereigeschäft steigerte sich folgerichtig die deutsche Unehrlichkeit,
auch ohne Beihülfe gelehrter Rechtstheoretiker, zur altrömischen
Infamie mit alles durchdringender Contagiosität.

Vermuthlich um die dergestalt verachteten Scharfrichter gegen
die Folgen einer volksthümlichen Vogelfreiheit zu schützen, wurden
sie durch kaiserliche oder landesherrliche Privilegien und sogenannte
Freibriefe thunlich geschirmt. Und so mag die seltsame und ihrer
unfreien Herkunft widersprechende Benennung der Scharfrichter
und ihrer Leute in einigen meist süddeutschen Ländern, Frei=
mannen und Freiknechte, entweder aus ihrer vogelfreien — oder
aus ihrer durch Schutzbriefe gefreiten Stellung entstanden sein.

Der Abdecker (Wasenmeister, Caviller, Filler) scheint schon
vor Einführung des Scharfrichterdienstes in Deutschland, als

ein nothwendiges Uebel längst bestanden zu haben. In den Städten war mit seinem Geschäft auch die Cloakenreinigung verbunden. Es war eine Collection der schmutzigsten, ekelhaftesten, abscheulichsten Dienste, gegen deren Verrichtung sich eine angeborene Antipathie sträubt, wie denn die alttestamentliche Ansicht vom seelischen Unreinwerden durch körperliche Schmutzzustände etwas allgemein Empfundenes ausdrückt, dessen Verleugnung nicht ohne einige Entmenschung gedacht werden kann. Deshalb fiel dies Geschäft überall nur dem Auswurfe der niedrigsten Leibeigenen, den allerverkommensten Subjecten anheim, denn ein freier Mann starb sicherlich lieber Hungers, als daß er sich zu solchen Diensten hätte gebrauchen lassen. Und hierin ist das Motiv der Unehrlichkeit des Abdeckers zu suchen, denn Justus Möser's Ansicht, daß dieselbe nichts als eine schlaue Erfindung der Betheiligten gewesen wäre, um ihr Brodgeschäft gegen fremde Concurrenz zu schützen, ist zwar recht scharfsinnig, jedoch culturhistorisch unerweisbar, und setzt eine so infam niedrige Gesinnung voraus, daß sie nicht eben eine patriotische Phantasie des trefflichen Verfassers genannt werden kann. Allerdings aber mögen die späteren Abdecker ihre und ihres Geschäfts Berrufenheit dann nützlich ausgebeutet haben, um ehrliche Personen vor gelegentlichen Eingriffen zurückzuscheuchen.

Das Factum nun, daß der neue Scharfrichter überall, um besserer Nahrung willen, auch die Verwaltung der schimpflichen Abdeckerei mit in seinen Dienst aufnehmen mußte, und somit alles Odioseste hübsch in seiner Hand beisammen hielt, — das hätte ihn, auch wenn er zuvor ein freier, ehrbarer Mann gewesen wäre, unehrlich gemacht mit Kind und Kindeskindern, — das mußte die Unehrlichkeit dessen, der zuvor Leibeigener oder ein sonst Uebelberüchtigter gewesen, bis zur Infamie steigern.

Es mag in Deutschland in der nicht kurzen Uebergangsperiode hinsichtlich dieser Zustände bunt genug ausgesehen haben. Während in größeren Städten bereits ein bestallter und belehnter Scharfrichter, ebenso gefürchtet als verachtet, in wohlverwahrter Frohnveste residirte, und draußen vor'm Thore beim Rabenstein sein Halbmeister mit der ganzen saubern Cavillerbande in der vom Bann des Abscheu's geschützten Abdeckerei sein Wesen trieb, — blieben in den benachbarten kleineren Städten und Amtsorten noch längere Zeit die alten Gebräuche in theilweiser Wirksamkeit, kraft welcher irgend ein rechtschaffener Staatsbürger ganz harmlos und unbescholten die armen Sünder vom Leben zum Tode brachte. Zu Buttstädt im Weimar'schen enthauptete noch 1470 der älteste Blutsverwandte des Ermordeten, dessen Mörder. In Friesland knüpfte vorzugsweise der Bestohlene den Dieb seiner Habe an den Galgen. In einigen fränkischen Städten, und auch in Sonderburg (nach den um 1377 geschrie- benen Artikeln) lag das Blutamt dem jeweiligen jüngsten Ehe- mann ob, was eben nicht gerade als Verschönerung der Flitter- wochen dienen kann. In Dithmarschen vollzog die Hinrichtung unglücklicher Mädchen und Kindesmörderinnen Niemand anders, als der älteste Mann ihrer Familie, was beinahe wie eine sin- nige Berücksichtigung des Zartgefühls der Frauenzimmer heraus- kommt, die sich bekanntlich ungern von fremden Mannsbildern anfassen lassen mögen. Ja sogar der Fall kommt vor, daß das schöne Geschlecht selbst sich bei einer Hinrichtungsart, und zwar beim Pfählen, zu betheiligen hatte. Dem zu dieser Todes- art verurtheilten Vergewaltiger der Frauenehre wurde ein wohl- gespitzter Eichenpfahl auf's schwarze Herz gestellt; dann trat die schwergekränkte Dame herzu und that mit einem wuchtigen Ham- mer die ersten drei Schläge auf den Pfahl, worauf der Gerichts- diener das Werk kräftig vollendete. So erzählt Emerich, der Sammler frankenbergischer Rechte und Gewohnheiten gegen Ende des 15. Jahrhunderts.

Vielfach galt der Grundsatz: wie die Gemeinde das Ur- theil findet, so muß sie auch Hand anlegen zu seiner Vollstreckung, zumal wenn sie keinen Scharfrichter hält; und deshalb brachten die dithmarsischen Bauern den protestantischen Märtyrer Henrich von Zütphen selbst um's Leben, „dewile dat Land kenen Scharp- richter heft." In Jütland, wo's Sitte war, „dat man keen Fronrichter gehatt", führten die Colonen unter den Bauern den auf einen Wagen gestellten Dieb unter den Hängebaum, und legten ihm den Strick um den Hals; dann mußte jeder Harbes-

mann oder Vollbauer der Gemeinde den Strick anrühren, worauf
man die Pferde mit Steinen bewarf, daß sie mit dem Wagen
ausrissen und den Dieb am Baum hängen ließen. — In Dith=
marschen „hänketen und köpfeten" die Schlüter, die Vorsteher
und Richter der Kirchspiele, und die benachbarten Collegen halfen
ihnen dabei, wenn's Noth that (s. Dreyer, altdeutsche Strafen ꝛc.).
Andere Dorfgemeinden betrachteten es noch in späteren Zeiten
als ihr werthvolles Vorrecht, sich durch Selbstexecution die
Kosten und Förmlichkeiten des Landgerichts ersparen zu dürfen,
wie die Wiesenbrunner im fränkischen Amt Castell, welche ihre
Diebe selbst an den Baum knüpften, wobei alle Einwohner an
den Strick griffen, zur Constatirung des wohlbewahrten Dorf=
rechts. Und selbst dort, wo später ein Scharfrichter gehalten
wurde, trat dann, wenn er verhindert war oder seine Kraft allein
nicht ausreichte, die Verbindlichkeit der Gemeinde zur Hülfs=
leistung wieder ein.

Der analoge Grundsatz: daß der Richter, welcher ein Blut=
urtheil gesprochen, dasselbe auch müsse wahrmachen können, fand
ebenfalls noch in vielen Gegenden seine Anwendung, und dar=
nach mußte einer der Schöppen, häufig der jüngste, als Nach=
richter die Justification der Maleficanten übernehmen. So war's
zu Ulm, zu Reutlingen und in andern schwäbischen Städten, wo
das Schöppenamt mit dem Rathsstuhl zusammenfiel, und der
jüngste wohlweise Senator allemal als sorglicher Aufbewahrer
und kräftiger Schwinger des Richtschwertes fungirte. So grundlos
ist deshalb die alte hamburgische Sage nicht, nach welcher bei
Ermangelung eines Scharfrichters nach gefälltem Todesurtheil,
der jüngste Rathsherr dasselbe zu vollstrecken habe. Dies wäre
gewiß in grauer Vorzeit nach allgemeinen Anschauungen ganz
zulässig gewesen, und hätte es recht gut passiren können, wenn
gleich kein Beispiel davon uns mitgetheilt ist. — Der Ulmer
oder der Reutlinger Rathsherr konnte sich übrigens mit dem
ersten Prätor jeder flandrischen Stadt trösten, welchem dieselben
peinlichen Pflichten oblagen. Er konnte sich noch wirksamer mit
den sämmtlichen Freischöppen der westphälischen sogenannten
Fehmgerichte trösten, welche insgesammt gehalten waren, ihre

Verurtheilten mittelst des Weidenruthenstranges an den grünen Baum zu knüpfen.

Daneben kommen aber auch edle und erlauchte Dilettan=ten der Hinrichtungskunst vor, welche eben dadurch als eine an sich keineswegs entehrende Handlung bezeugt wird. Kein amt=liches Pflichtgefühl, sondern reiner Justizeifer beseelte z. B. den Herrn Gans zu Putlitz, als er den durch Richterspruch ver=urtheilten Raubritter Johan von Slavelestorp, vor dessen erstürm=ter Burg Glasin an der Elbe, am Johannistage des Jahres 1298 eigenhändig aufknüpfte. — Von einem flandrischen Grafen Balduin werden ebenfalls gelungene Exercitia dieser Geschicklich=keit erzählt. — Unter den deutschen Fürsten erwarben sich die Herzoge Magnus und Heinrich von Mecklenburg, wegen persön=licher Vollstreckung standrechtlicher Todesurtheile und dadurch beurkundeter promptester Justizpflege, viel Lob bei ihren Zeitgenos=sen. Von Letzterem heißt es, er habe mit so vielem Fleiß das Unkraut der Buschklepperei ausgereutet, daß er selbst in den wildesten Wäldern und sumpfigsten Schlupfwinkeln die Raub=gesellen aufgesucht, um sie stracks persönlich abzustrafen, weshalb er niemals ohne einen Vorrath tüchtiger am Sattelknopf hängen=der Stricke ausgeritten sei. Ertappte er dann seinen Mann, so fertigte er selbst die runde Schlinge, that sie dem Kerl um den Hals, er mochte sein Herr oder Knecht, gleichviel, und sprach das Urtheil: „Du most mi dorch den Ring kiken.“ Ein Vater=unser ließ er ihn noch beten, dann zum nächsten Baum geschleppt, die Schlinge an den Ast gehängt, das Pferd unter dem Räuber weggezogen, und vollzogen war die Justiz. Selbst aus den Kirchen holte er die Verbrecher, denn Gotteshaus, so sagte er, sei keine Räuberhöhle. Nicht einmal beichten ließ er sie, das Vaterunser sei für solche Buben genug, so meinte er; sie stürben dann immer noch besser, als wenn sie im Mordkampfe erschlagen würden, oder als die armen Kaufleute, die meuchlings von ihnen umgebracht wären. Daher bekam er als Ehrentitel den schönen Beinamen „de Henker“, und hieß in gewählter Redeform „Hin-ricus Suspensor.“

Desgleichen wissen wir von der ähnlichen Passion Herzogs

Otto von Braunschweig=Lüneburg (um 1430), welcher wegen einer Beinverkrümmung den Beinamen „Scheevbeen“ führte. Ein alter Geschichtsschreiber meldet von ihm: Der Herzog hatte einen gar großen Eifer zur Gerechtigkeit und war sehr gestrenge gegen die Uebelthäter, die er auf allen Wegen und Stegen auf= suchte, in Busch und Moor und wilder Haide. Wann er einen Straßenräuber betraf, so that er selber den Halfter seines Pfer= des ihm um den Hals, band ihn an den nächsten Baumast, und ließ dann das Pferd unter ihm wegziehen. Und wegen solcher Justizritte hieß er auch: „Herr Ott von der Haide.“

Wie selten nun auch in späteren Jahrhunderten die Bei= spiele so leuchtenden Justizeifers in jenen Regionen geworden sind, wo man auf der Menschheit Höhen wandelt, so soll die entsprechende noble Passion doch noch heutigen Tages in Eng= land vorkommen, wo einst der Sage nach ein als Scharfrichter maskirter Edelmann die Hinrichtung seines Königs Karl’s I. (30. Januar 1649) vollzogen haben soll. Es berichteten vor einigen Jahren die Zeitungen, daß sehr ehrenwerthe Gentlemen, welche gewohnt seien, dem Schlachter ein Stück Geld zu geben, um statt seiner den Capitalochsen niederzuschmettern, auch ge= legentlich im Lande umherzögen, und noch größere Summen für das Vergnügen zahlten, des Scharfrichters Functionen am Gal= gen incognito zu übernehmen.

Am häufigsten aber, namentlich in Niedersachsen und Nord= deutschland überhaupt, mag vor allgemeiner Einführung des knechtischen Scharfrichterdienstes, die Vollstreckung der Todes= strafen dem Frohnboten anvertraut gewesen sein. Sagt doch der Sachsenspiegel ausdrücklich: die freien Leute, welche Leib und Leben verwirken, soll Niemand anders richten, denn der ächte Fronbote. Wie ehrenhaft dieser Mann ursprünglich war, geht schon aus seinem Amtstitel hervor, denn das Wort Fron, dem mehrere Bedeutungen innewohnen, heißt auch heilig, geweiht (daher z. B. Fronleichnamsfest). Er war ein Sendbote der hei= ligen Justiz oder der mit dem höchsten Gerichtsbann betrauten königlichen Gewalt, welche mit dessen Ausübung wieder die Lan= desherren und Städte beliehen hatte. Er war mithin eine geweihte, geheiligte, unverletzliche Person. Wenn diesem redlichen Biedermann kraft besondern Auftrags die Exequirung der Todesurtheile zugetheilt wurde, so mag er dieselben ebenso pflichtgetreu und sonder Skrupel seines Ehrgefühls besorgt haben, wie seine Civilgeschäfte, oder wie der Soldat seine Waffe gebraucht. Als aber nach und nach, mit Cultivirung des romanischen Justizwesens, das Criminalgeschäft gewohnheitsgemäß zur nothwendigen Schattenseite seines Berufs geworden war, als es z. B. in großen Städten so überhand genommen hatte, daß es ihn ausschließlich beschäftigte, da theilte man wohl die Arbeit; ein neuer Beamter für Civilsachen hieß Gerichtsbote, dem alten, auf peinliche Dinge bereits eingeschulten Frohnboten aber nahm man seine Botschafterstelle, nannte ihn kurzweg Frohn, und seine Dienstwohnung die Frohnerei. Und als man nun auch die sogenannte scharfe Fragestellung diesem Frohn auferlegte, da saß der Träger dieses einst so geachteten Amtes mitten unter den unehrlichen römischen Scharfrichtern in einer und derselben Verdammniß. Niemandem aber fiel es ein, wie unglaublich weit sich sein jetziger verachteter Titel Frohn von der ursprünglichen Fronbedeutung entfernt hatte. Sobald nun diesergestalt das Frohnbotenamt vom Pferd auf den Esel gekommen war, mag sich fortan kein freier ehrbarer Mann um ein solches beworben haben, mithin fiel es als ein knechtisches Lehn in die Hände unfreier Leute oder in die der Abkömmlinge jener ersten römisch zugeschnittenen Scharfrichter. — Ganz ähnlich erging es dem Gerichtsdiener und Boten da, wo man ihm die bittere Pille peinlicher Functionen mit dem vornehmer klingenden Titel Pedell versüßt hatte; bald genug wurde der Bodellus in einen Büttel corrumpirt und sank in gleiche Schmach. Aus diesem Sachverhalt aber erklären sich die mancherlei Ueberreste höchst ehrbarer Functionen des unehrlichen Frohns oder Scharfrichters bei Hegung der Civilgerichte bis in die neueste Zeit. Und wie wir oben sahen, daß oftmals ein ehrbarer Schöppe von seiner Richterbank herabsprang, um einen Missethäter zu justificiren, so sehen wir nicht minder häufig die Frohne ganz ernsthaft auf der Schöppenbank sitzen, was mit den alten Ansichten über das

Botenamt sich ganz wohl vertragen hätte, jetzt aber eigentlich ein Anachronismus war. An manchen Orten, wo des Sachsen=spiegels Satzungen galten, auch nach dem dortmunder Stadt=recht von 1275 und nach dem lüb'schen Recht von 1294, blieb dem mit dem Frohnboten verwechselten Frohn die Jurisdiction in den Bagatellsachen der Bürger ganz unanstößlich übertragen. So entschied auch der Büttelmeister zu Ulm in Streitsachen unter einem Werth von 5 Schilling Heller. Und eben daher erklärt es sich auch, daß sogar bei schwierigen Findungen in criminalibus der wohlerfahrene Frohn mit seiner praktischen Präjudicatenkunde auf die Schöffenbank berufen wurde, z. B. in Wismar 1427 bei Verurtheilung zweier Rathsherren. Nach dem freiberger Statut mußte man in Betreff des Urtheils über Friedebrecher und Gewaltthäter „den Büttel fragen, der soll das Urtheil finden und theilen mit dem Schwerte oder der Wiede" (dem Weidenruthenstrang). Bekanntlich machte die Sentenz gegen Jürgen Wullenweber, den hochfliegenden lübischen Bürgermeister, im Jahre 1537 seinen braunschweigischen Richtern viel Kopfbrechens. End=lich fand Herr Styr die Findung: das ehrliche Land findet, daß der Nachrichter die Findung finden soll. Und da fand denn Meister Hans, daß er ihn viertheilen müsse u. s. w. — Einige Jahre zuvor hatte sein College in Hannover, Meister Bit, über einen Selbstmörder die kluge Sentenz erkannt: den Todten aus der Stadt zu schaffen, damit er's nicht wieder thun könne. — Das waren die verworrenen Zustände in den Uebergangszeiten. Deutsche Bräuche und Rechtsbegriffe stritten mit dem eingedrunge=nen römischen Recht und wälscher Sitte. Und wenn das Deutsch=thum in diesem Kampfe allmählig unterlag, so rächte es sich desto bitterer durch die grimmige Verachtung, die es dem knechtischen Scharfrichterdienst mit seiner römischen Infamie, seiner Tortur=schmach und Abdeckerschande zuwarf.

Zuweilen milderte eine ächt deutsche Gutmüthigkeit insofern die strenge Infamie, als sie, charakteristisch für jene Zeit, den Carnifex weniger für einen ehrlosen Mann, als vielmehr für einen der Gnade Gottes und des Mitleids seiner Mitmenschen bedürfenden, sehr großen Sünder angesehen wissen wollte,

deſſen vielfache Blutſchuld indeſſen durch ſtrenge Buße zu ſühnen
ſei. Als Hans Maurer, ein Ulmer Stadtkind, ſeinen Scharf=
richterdienſt in Heilbronn aufgab, da atteſtirte ihm der Rath
dieſer Stadt in einem Schreiben an den zu Ulm, daß Maurer
ſich ſtets „ziementlich und züchtiglich“, als einem Nachrichter zu=
komme, verhalten habe; daß er aber nun durch Einſprache des
heil. Geiſtes von ſeinem ſündhaften Amte ab= und der Beſſe=
rung zugewendet ſei, weshalb er auch die vom Würzburger Biſchofe
ihm auferlegte Buße vollbracht habe. Er wünſche nun als ein
demüthiger Reuer nach Rom zu pilgern, um Ablaß zu erwerben,
wozu er der milden Beiſteuer ſeiner Vaterſtadt ſehr bedürftig
ſei u. ſ. w. — Indeſſen werden ſich ſolche Beiſpiele nur ſelten
finden, allgemeiner war gewiß die ſtrengere Anſicht von der Ehr=
loſigkeit des übrigens auch ſündhaften Scharfrichterſtandes.

Als nun endlich des Kampfes Wogen ſich gelegt hatten,
da befand ſich der von unehrlichen Eltern geborene Scharfrichter
im unangefochtenen Beſitz ſeines zwar ſehr verachteten, aber zu=
gleich gefürchteten und obendrein immer einträglicher gewordenen
Dienſtes, welcher auch ſeinen Söhnen eine faſt nothwendige Erb=
folge verhieß. Scharfrichterſöhne, durch den väterlichen Bann
der Schmach von allen andern Ständen ausgeſchloſſen, konnten
einerſeits nichts anderes thun, als in ihres Erzeugers verrufene
Fußſtapfen treten, andererſeits aber waren ſie lange Zeit hin=
durch ein ſehr begehrter Artikel, um die allmählig immer häufi=
ger etablirten Scharfrichterdienſte zu übernehmen. Provinzen=
weiſe waren mit den Scharfrichterdienſten die Angehörigen einer
und derſelben Familie belehnt, die man auch wohl „Schelmen=
ſippen“ nannte. Das Wort Schelm ſoll von ſchälen, abſchälen,
ſtammen, und zunächſt dem Abdecker gegolten haben, der dem
gefallenen Vieh das Fell abzieht; die Uebertragung dieſer Be=
nennung auf den Scharfrichter wäre ſonach, genau genommen,
etwas uncorrect, was aber der volksthümlichen Sprachweiſe in
ihrer Rückſichtsloſigkeit keine Sorge macht. Daneben nannte man
alle verbrecheriſch=ehrloſen Perſonen voll nachdrücklichen Ernſtes
„Schelme“, während wir gewohnt ſind, dies Wort meiſt in neck=
haft=freundlicher Weiſe von liebenswürdigen Schalken und

Taugenichtsen zu gebrauchen. Jedenfalls aber war der vielfach vorkommende Ausdruck Schelm ein überaus starkes Schmähwort unter ehrlichen Zänkern. Eine solche Schelmensippe der Heyland't's (ein merkwürdiger Name für eine derartige Schreckensfamilie) besorgte noch um 1600 den Leipziger Kreis und das Altenburgische. Etwas später besaß die Familie der Gebhard's alle Scharfrichtereien des Saalkreises mit Halle als Residenz ihres Hauptes, von wo aus sie auch weiter nordwärts Eroberungen versuchte und wirklich einen Zweig nach Hamburg verpflanzte, der aber bald wieder abstarb. In Celle war die Familie Suhr über 100 Jahre lang im Besitz der dortigen Scharfrichterei, und Jahrhunderte lang soll die Stoeff'sche Sippschaft in Holstein nebst Nachbarlanden geherrscht haben, und allein zu Oldesloe ihrer 75 begraben liegen. Von den hamburgischen Schelmensippen werden wir später ein Mehreres erfahren.

Inzwischen wuchsen diese Scharfrichter- und Abdecker-Familien mit zahlreicher Descendenz zu einer bedenklichen Corporation heran. Bei wieder abnehmender Häufigkeit der Todesstrafen, bei zunehmender Einschränkung der Tortur, gebrach's an genügender Beschäftigung, die unversorgten Scharfrichtersöhne, für die es keine neufundirten Dienste mehr geben konnte, mußten als Halbmeister und Knechte ihrem Vater oder ältesten Bruder dienen, — die überzähligen Kinder der Abdecker und Schinderknechte aber konnten nur gleich verhungern, wenn sie nicht etwa die Räuberprofession vorzogen.

Pflichtmäßiger Selbsterhaltungstrieb wie christliche Humanität gebot endlich, der wachsenden Sündfluth der unehrlichen Leute einen Damm entgegen zu setzen, oder vielmehr ihre Zuflüsse abzuleiten. Dies geschah in dem oft citirten Reichsgesetz vom 16. August 1731, Art. 4, woselbst bestimmt wird, daß die Unehrlichkeit bei den Nachkommen des „Schinders" in erster und zweiter Generation stehen bleiben soll, die ferneren Generationen aber zu allen und jeden ehrlichen Handwerken und Erwerbsarten zugelassen werden sollen. Wenn aber bereits die erste Generation eine andere, nämlich eine ehrliche, Profession ergriffen und darin 30 Jahre lang mit den Ihrigen continuiret hatte, so soll

auch die zweite Generation derselben Vergünstigung sich zu
erfreuen haben. Letzterer Fall mag freilich nicht leicht vorgekom=
men sein, da das Abdeckerkind noch rechtlich unehrlich war, also
zu keiner ehrlichen Profession zugelassen wurde, geschweige 30
Jahre lang darin continuiren konnte, um seinem Kinde den
Ehrenstand zu [verschaffen. Weit durchgreifender gebot daher
das kaiserliche Patent vom 23. April 1772 §. 5: „die Kinder
der Wasenmeister, welche die verwerfliche Arbeit ihres Vaters
noch nicht getrieben haben, noch treiben wollen", von den Hand=
werken nicht auszuschließen, mithin für ehrlich zu achten.

Werfen wir einen Blick auf die Zusammensetzung dieser
unheimlichen Corporation der unehrlichsten Leute, so finden wir
als aristokratisches Element voran die eigentlichen Scharfrichter=
familien, deren Söhne die Weise des englischen Adels befolgten,
indem die ältesten des Vaters Meistertitel und Lehne erbten,
während die jüngeren, sofern ihnen nicht etwa heimgefallene
Lehne zu Theil wurden, in die unteren Schichten der Henkers=
knechte und Abbeckersleute untertauchten, und unter diesen den
immer noch besseren Theil, die Halb= und Wasenmeister=Dienste,
erhielten. Die ganze übrige Bande aber dieser Henkersknechte,
sofern sie nicht aus begenerirten Scharfrichter=Epigonen bestand,
rekrutirte sich aus ihrem eigenen Nachwuchs, wie aus den ver=
kommensten Subjecten, die der Abschaum der Menschheit ihnen
zuwarf. Nicht nur einfache Unehrliche in bürglicher wie mora=
lischer Hinsicht, auch verfolgte Räuber und Mörder, entsprungene
Zuchthäusler suchten und fanden Zuflucht im Kittel des Schin=
derknechts., und wohl selten mag und kann unter dieser verwor=
fenen Rotte entmenschter Gesellen ein gutes, treues, wackeres
Herz geschlagen haben.

Der Scharfrichter=Meister, der grablinige Nachkomme und
Erbe einiger 20 Vorweser im Meisteramt, beschaute gewiß mit
Stolz seinen Stammbaum, und überlieferte die Geschichte seiner
Väter in getreuen Traditionen dem Sohne und Erben. Ein
gewiß ganz eigenthümlicher Character, ein durchaus frembartiges
Wesen, muß sich bei der wunderbaren Berufsart und völlig
abgeschlossenen Lebensweise dieser Leute ausgebildet haben. Wenn

auch aus ihrem einsiedlerischen Pariathum begreiflicherweise nicht viel in's große Publicum gedrungen ist, so darf man doch getrost die triviale Vorstellung vom blutdürstigen Wütherich und rohen Thiermenschen zu den Ammenmärchen werfen, und wird nicht sehr irren, wenn man sich unter einem Scharfrichtermeister einen in seiner Art feinen sehr klugen Mann denkt, aus dessen reservirtem Benehmen neben einiger Bildung auch eine gewisse Melancholie blickt. Hierüber wird unten noch ein Mehreres zu sagen sein. Seine Frau fand er in einer benachbarten, nah= oder fern= gesippten Scharfrichterei, und gewiß würde er kein Mädchen unter dem Range einer Meisterstochter geheirathet haben. Den ältesten Sohn erzog er zu seinem Thronfolger, die jüngeren zu Halbmeisterstellen; jener heirathete wie sein Vater, diese blieben meistens ledig, wie die Hagestolzen unter den Söhnen eines alt= deutschen Bauerhofes. Die Töchter, sofern sich kein ebenbürtiger Meister für sie fand, mögen vielfach das traurige Loos einsamer Klosternonnen getheilt haben; zu stolz, um freiwillig dienende Rollen in andern Scharfrichtereien zu übernehmen (und wo sonst hätte man sie willkommen geheißen?), mag wohl nur die bitterste Noth nach des Vaters Tode sie dazu gezwungen haben, sich hier mit den Verworfensten ihres Geschlechtes gleich zu stellen; und besten Falls, wenn des Vaters Sammelfleiß ihnen ein auskömm= liches Dasein gegründet, blühten und welkten sie hinter den Git= tern der Frohnereien als betrübte Dornröschen, zu welchen kein irrender Ritter den Weg zu suchen unternahm. Liebestragödien können nur vorgekommen sein, wenn ein stadtfremder Jüngling, bezaubert von dem eigenthümlich aparten Wesen eines ihm hie oder da begegnenden schönen Mädchens, zu spät ihres Vaters Namen und Stand erfuhr. Dann ward sie ihm unmöglich. Er hätte denn Eltern, Geschwister, Familie, Genossenschaft, Stand und — Ehre aufopfern wollen für ihren Besitz.

Rücksichtsloser in dieser Hinsicht verfuhr vor etwa 80 Jah= ren ein Candidatus der Theologie, welcher sich in eine junge Scharfrichters = Wittwe verliebt und mit derselben verlobt hatte. Aller Abmahnungen der Seinigen, aller Erinnerungen geehrter Gönner unerachtet, blieb er seiner Liebe getreu. Vergebens drohte man ihm mit dem elterlichen Fluch, mit Enterbung, mit dem Verbot der Kanzel und Unfähigkeit zum geistlichen Amte. In letzterer Beziehung consultirte er den berühmten Juristen Knorrius, welcher für ihn (1784) ein Gutachten dahin abgab: daß der mit einer Scharfrichters = Wittwe oder = Tochter verlobte oder verheirathete Candidat der Theologie keineswegs rechtlich unfähig sei zur Erlangung eines geistlichen Amtes. Damit hatte er allerdings seinen persönlichen Ehrenstand salvirt, ein Pastorat aber wird er schwerlich je erhalten haben.

Daß die Schelmensippen unter einander zu größeren cor= porativen Genossenschaften zusammen getreten, davon finden wir eigentlich keine Spuren. Zwar hatten sich auch bei ihnen zunft= ähnliche Handwerksbräuche ausgebildet; die Scharfrichtersöhne, vom Vater in all' seinen traurigen Künsten unterwiesen, hatten ihre Lehr= und Wanderjahre durchzumachen; eine Art Hand= werksgruß zum Erkennen des ächten Fachgenossen, eine Geheim= losung unter den verwandten Sippen wird nicht gefehlt haben (und gewiß war der Familiensinn in diesen so völlig auf ein= ander angewiesenen Kreisen besonders stark), — aber über die von den Gliedern derselben großen Sippschaft bewohnten Pro= vinz wird das corporative Band schwerlich hinausgereicht haben.

Es sollen aber im vormaligen deutschen Reich vier eigene Standes = Gerichte für die Scharfrichter und ihre Gesellen vor= handen gewesen sein, eins zu Augsburg, eins zu Hamburg, eins zu Basel, und eins an irgend einem vierten Orte. In Betreff Hamburg's darf versichert werden, daß leider von einem so interessanten Institute auch nicht die geringste Spur zu erforschen gewesen ist, nicht einmal die Sage leitet auf die verschollene Existenz eines solchen in den grauesten Vorzeiten. In Betreff Augsburg's, wie des namenlosen Ortes, ist gleichfalls nichts bei= zubringen; nur über das zu Basel kann folgende Mittheilung gegeben werden.

Am Kohlenberge zu Basel sollen vormals nur Henkersleute gewohnt haben. Dort vor des Scharfrichters Haus stand eine alte Linde, und unter dieser Linde wurde gehegt „das Kohlen= berger Gericht für Nachrichter und ihre Gespannen." Vor diesem

Gericht „rechtfertigten einander die Scharfrichter und salvo honore die Schinder, und der ehrliche Mann, der mit ihnen verzwistet war, mußte sie hier anklagen." Zu den Gespannen gehörten namentlich auch die für Pestleichen angestellten Todtengräber, welche gewiß aus der Hefe der unehrlichen Leute genommen wurden. Beisitzer und Urtheilsfinder waren „die Frpetsknapen" (die von der Stadt verordneten — sicherlich derselben Sippschaft verwandten — Sackträger), nämlich „Sieben die da sitzen" (sieben Urtelssprecher). Der älteste war der Richter, führte den Stab und saß für sich allein auf der Bank, und daneben auf jeder Seite drei bei einander. Der Richter mußte, so lange die Sitzung dauerte, Sommers wie Winters, den rechten Schenkel nackt und bloß tragen, und den Fuß in einem neuen Zuber mit Wasser gestellt haben, weshalb ihm zu jedem Gerichtstag ein neuer Zuber geliefert wurde; die sechs Uebrigen wurden mit solchem Fußbade verschont, jedoch mußten auch sie den rechten Schenkel entblößt zeigen. „Weil nun diese geringen Leute zum Urtheilen zu unverständig, so sind geschworene Amtleute und Procuratoren der Stadt Basel allemal zugegen, die tragen der Parteien Klag' und Einred' vor, die rathen den Richtern, was sie finden sollen, und der Ordinary-Gerichtschreiber sitzet dabei an seinem Tischlein und beschreibt fleißig alle Acta." —.

Von dem Umfange der Unehrlichkeit des Henkers nur so viel: jede Strafe, die er vollzog, verunehrte; jede Berührung seiner Hand beschimpfte; man mied seinen Umgang, man floh seine Nähe, um zufälligen Contacten vorzubeugen, und zwang ihn, aus solchem Grunde, zu leicht erkenntlicher, den Mann der Schmach bezeichnender Kleidung. In der Kirche war weit ab von den Plätzen der übrigen Mitchristen die demüthigende Stätte seiner Gottesverehrung, wo er vernahm das schöne Wort von der Nächstenliebe, die einzig ihm nicht galt. Bei Austheilung des heil. Abendmahls stand er abgesondert allein, und trat als der Allerletzte an des Herrn Tisch; fiel er krank zu Boden, keine Hand rührte sich ihn aufzuheben, stürzte er in's Wasser, Niemand zog ihn heraus; starb er, so mochten seine Leute sehen, wie und wo sie ihn in der Stille verscharrten, das kümmerte fürwahr keine ehrliche Seele.

Inmitten solcher Schmach, die wie ein trüber Nebel durch sein Leben ging, stand dem mittelalterlichen Scharfrichter noch obendrein das schreckliche Gespenst bräuender Todesgefahr unab=läffig vor seinen Augen: die Möglichkeit, bei einer Execution einen Fehler zu begehen, in welchem Falle er dem furchtbaren Gericht der Volksjustiz verfiel. Zu dem an sich gerechtfertigten tiefen Mitleid der Zuschauer mit dem armen Sünder (und d i e s e Seite der Dinge wollen wir gern anerkennen), gesellte sich die tiefein=gewurzelte Verachtung gegen den gefürchteten Henker, den das Volk vogelfrei glaubte, sobald er nur die geringste Ungeschicklich=keit bei Verrichtung seines Amtes zeigte. Es gehörte zu derfel=ben schon an sich ein ungewöhnliches Maaß von Characterstärke, und neben körperlicher Kraft und Gewandtheit, kaltes Blut, fester Sinn, ruhiges Auge. So durch Gewohnheit vertraut mit allen ergreifenden Vorkommniffen einer Hinrichtung wird niemals ein Scharfrichter gewesen sein, daß das Menschentödten seinem gehär=teten Herzen zur andern Natur geworden wäre, daß er jedesmal das Hochgericht sonder Anwandlung einiger Gemüthsbewegung bestiegen hätte. Der Fälle, in welchen ein Fehlhauen oder sonst ein Mißgriff des Scharfrichters constatirtermaaßen aus einer plötzlichen Anwandlung von Weichmüthigkeit entsprungen war, die seinen festen Blick geirrt hatte, giebt es gar viele. Und gerade solche Weichmüthigkeit, solch' menschlich Rühren, war der ärgste Feind, die schwerste Gefahr des starken Mannes, weshalb es denn auch ein vom hier begreiflichen Aberglauben erfundenes oder abergläubig gebrauchtes Geheimmittel gab, ein Elixir gegen das plötzliche Erwachen des Menschenherzens in der gepanzerten Scharfrichterbrust, wenn er den Arm hob zum Todesstreiche. In eben derselben Furcht vor solcher Weichmüthigkeit liegt auch der Grund, weshalb alle Scharfrichter darauf bestanden haben und bestehen, daß dem armen Sünder die Augen verbunden werden. Es ist dabei von keinem sogenannten bösen Blick die Rede, son=dern von dem rein menschlichen, aus dem eine geängstete, zitternde

Seele spricht. Wenn solch' ein Blick, — oder ein flehentlich
bittender, oder ein verzweifelnder — in des Scharfrichters Auge
fällt, so ist's um seine Fassung geschehen, sein eignes Auge trübt
sich, sein Arm bebt, und eine unglückliche Execution ist die noth=
wendige Folge. Ebenso ist's ja auch bei den militairischen Exe=
cutionen. Selten gestatten die dazu befehligten Soldaten einem
besonders beliebten und gefaßt zum Tode schreitenden Cameraden
die offenen Augen. In der Regel können und mögen sie nicht
auf Den zielen und schießen, der wehrlos und erwartungsvoll
sie anblickt. Doch, wo sie es gestatten, da vermögen sie's um
deswillen auch auszuführen, weil der heroisch zum Sterben bereite
Krieger einen ganz andern, einen erhebenderen Eindruck macht, als
die in Todesfurcht versinkende Jammergestalt auf dem Armen=
sünderstuhle. Ein Beispiel giebt der hamburgische Obristlieutenant
Henrich Manecke, welcher einige militairische Fehler der Kriegs=
führung, entschuldbar nach Gutachten seiner Vorgesetzten, dennoch
am 13. März 1686 mit dem Tode büßen mußte, da die heiß=
blütigen Schnitger=Jastram'schen Machthaber in ihm einen An=
hänger Meurer's aus dem Wege schaffen wollten. Im Horn=
werk ward er arkebusiret. „Er ging sehr beherzt und freudig
zum Tode. Nachdem er allen umbstehenden Officieren, Soldaten
und Bürgern Abieu gesaget und sie umb Verzeihung gebeten,
that er noch eine heroische Oration, worinnen er der Stadt Ham=
burg Heil und Glück wünschte und seinen Freunden dankete.
Dann ging er zu den drei Unterofficieren, welche er selbst dazu
erwählet, ermahnte sie zur Herzhaftigkeit, stellte sie in Reih' und
Glied, und wies ihnen das Zeichen auf seiner Brust, darauf sie
zielen und losschießen sollten, sobald er die Hände würde sinken
lassen. Hierauf stellete er sich ganz frei hin, da er keinen Pfahl
zur Anlehnung haben wollte, auch ohne Zubindung der Augen,
und also stehend hub er die Hände gen Himmel und rief mit
lauter Stimme: „Herr Jesu, Dir leb' ich, Dir sterb' ich, Dein
bin ich todt und lebendig", mit welchem letztern Wort er dann
die Hände fallen ließ, worauf augenblicklich die drei Schüsse
fielen, und er, mitten in's Herz getroffen, entseelt zu Boden
sank."

Um gerecht zu sein, müssen wir aber auch einräumen, daß uns eine große Menge Beispiele männlich gefaßten Sterbens durch Henkershand überliefert sind. Joh. Jac. Moser, der berühmte württembergische Staatsrechtslehrer und Landschafts=Consulent, hat vor 100 Jahren in einem kürzlich neu herausgegebenen Büchlein „die seligen letzten Stunden hingerichteter Personen" beschrieben, welche, von würdigen Geistlichen zur wahren Buße und Bekehrung geleitet, versöhnt mit Gott und Menschen geschieden sind. Vielfach erfahren wir auch sonst, wie es den Verbrecher getrieben, noch in den letzten Sekunden seines Lebens, vom Schaffot aus, mit fester Haltung und aufrichtigen Worten die versammelte Menge anzureden, das Bekenntniß der Schuld und Reue zu wiederholen, um Vergebung zu bitten und dann getrosten Muthes dem Todesstreich entgegen zu sehen.

Von solchen schönen Todesscenen wenden wir uns wieder zu den Scharfrichtern und ihren Gefahren bei mißrathenen Executionen. Es kamen Beispiele der schrecklichsten Ausbrüche ungezügelter Volkswuth vor; unglückliche Exequenten waren unmenschlich gemartert, endlich gesteinigt, oder buchstäblich in Stücke gerissen, anderer noch gräulicheret Todesarten gar nicht zu gedenken. Wohl suchten die Obrigkeiten durch scharfe Verbote und harte Bestrafungen hinterdrein, durch Ausrufung des Friedens und sichern Geleits für den Henker und seine Leute, dem Uebel zu steuern; aber wirksam gelang dies erst, als man anfing, bei jeder Hinrichtung zum Schutz des Scharfrichters eine hinreichend starke Militairmacht aufzustellen. Und wie häufig waren selbst einige hundert Soldaten zu Fuß und zu Roß gegen die Tausend und aber Tausend fanatisirten Zuschauer viel zu schwach. In den Hamburger Geschichten und Sagen (S. 203 und 305) sind Beispiele erzählt, mit wie genauer Noth der geängstigte Frohn den mörderischen Händen der Volksjustiz entkam, oder gerettet wurde durch die schirmenden Schwerter der städtischen Reiterei. — Andererseits suchte man auch den Scharfrichter durch einen Eid zu binden, der ihm eine Art Verantwortlichkeit aufbürdete. Und darauf gründet sich eine nach glücklich vollbrachter Execution früher fast allgemein gebräuchliche Ceremonie, welche durch Art. 98

der Carolina gewissermaaßen bestätigt wird. Der Scharfrichter salutirte und redete vom Schaffot herab das anwesende Mitglied des Criminalgerichts an mit der Frage, ob er recht gerichtet? Der Richter antwortete dann etwa: du hast gerichtet, wie Urthel und Recht gegeben, und wie der arme Sünder es verschuldet hat. Dann replicirte der Scharfrichter schließlich: „Davor danke ich Gott und meinem Meister, der mir diese Kunst gelernet.“ — Dies Alles ist z. B. noch am 31. Juli 1812 in Heidelberg bei Hinrichtung einiger Odenwälder Raubmörder vorgekommen. Phister's lehrreiche „aktenmäßige Geschichte“ dieses Criminalfalles theilt das Verfahren umständlich mit, welches, obschon reichlich modernisirt, sich doch dem uralten Gerichtsbrauch anschloß. Das hochnothpeinliche Halsgericht, diese Recapitulation der Schluß= sentenz unter freiem Himmel, mit dem verhängnißvollen Stab= brechen, fand statt auf öffentlichem Markte vor dem Rathhause, bei welchem Akte es beinah etwas theatralisch hergegangen zu sein scheint. Dann begab sich Alles hinaus zur Richtstätte an der Mannheimer Chaussee bei Eppelheim; der Stadtdirector gebot und verkündete dreimal den Scharfrichterfrieden, und nach glück= lich vollführter Enthauptung der vier Räuber salutirte der Scharf= richter mit dem blutigen Schwerte, fragte und erhielt Bescheid, wie oben erwähnt. Gott und seinem Meister zu danken, unter= ließ jedoch der aufgeklärte Mann. —

Manche Leser, welche sich trotz obengedachter Gutmüthigkeit mancher Scharfrichter, dennoch diesen Mann als einen brutalen Blutmenschen denken, mögen für solche Ansicht die Tortur an= führen, deren Grausamkeiten beständig anzuwenden, ihn nothwen= digerweise hätte entmenschen müssen.

Aber auch dieser Einwurf wird milder aufzufassen sein. Man bedenke doch, daß die scharfe Frage, der Rechtsregel nach, überall gar nicht nach bloßer Willkür der Inquirenten angewen= det werden durfte. Ihr letzter Grund lag eigentlich in der über= großen Gewissenhaftigkeit des deutschen Strafrechts, das selbst überführten Verbrechern nur dann die gesetzliche Todesstrafe zuerkannte, wenn sein Geständniß hinzukam. Einzig in diesem

Falle, da der Inquisit durch Zeugnisse und Thatumstände über=
wiesen war, jedoch eigensinnig das Bekenntniß verweigerte, —
also in einem Falle, der unsere Geschwornengerichte schon zur Ver=
hängung der Todesstrafe berechtigen würde, — erkannte das
ordentliche Gericht auf Anwendung der scharfen Frage, um das
fehlende Geständniß herbeizuschaffen, welches dann später, ohne
Folter, wiederholt sein mußte, bevor es galt. Der Scharfrichter
diente also in diesem Falle nicht der rohen tyrannischen Gewalt,
er führte nur dasjenige aus, was ein Tribunal gewissenhafter
hochgeachteter Männer für Recht erkannt hatte. Er durfte seine
etwanigen Herzensregungen während des Peinigens auch mit der
Ueberzeugung beruhigen, daß der Inquisit ein überführter Ver=
brecher sei, der durch eigene Schuld leide. Und anerkannt ist es,
daß die Scharfrichter einen besonderen Ruhm darin suchten „ver=
nünftig zu martern“, d. h. so, daß die Torturleiden ohne schäd=
liche Folgen blieben und etwanige Wunden völlig geheilt wur=
den, — zu welchem Zwecke sie sich einige wissenschaftliche Kennt=
nisse vom menschlichen Körper und Gliederbau anzueignen ge=
wohnt waren.

Es könnte Einem dabei in den Sinn kommen, wie unendlich
viele Kranke wochen=, monatelang und noch länger, eine noch
viel ärgere Folterpein leiden müssen, und zwar unverschuldet!
Dem Arzte, der zuletzt mit ziemlicher Gelassenheit solche Schmer=
zenslast täglich betrachten muß, die er vielleicht durch seine Mittel
eher mehrt als mindert, wird Niemand nachzusagen wagen, daß
im täglichen, stündlichen Anblick menschlicher Qualen sein Herz
sich verhärte. — Und wenn dem Chirurgen etwa das Herz ge=
blutet haben sollte beim Anblick der unsäglichen Pein, die seine
Amputationssäge oder sonst eins seiner Instrumente dem Kranken
verursachte, bevor das Chloroformiren erfunden war, — und
wenn dann der Gedanke an die Nothwendigkeit solcher Pein,
um größeren Uebeln vorzubeugen, ihn trostreich beruhigt haben
wird, — weshalb sollte nicht auch den Scharfrichter der analoge
Ideengang begütigt haben: daß seine Operationen bestimmt seien,
dem Inquisiten das schuldbeladene Gewissen zu erleichtern, und
die dessen Seelenheil drohenden viel größeren Uebel einer ver=

stockten Unbußfertigkeit abzuwenden, — übrigens aber, im Namen der heiligen Justiz, der ewigen Wahrheit zu dienen.

Die Diensteinnahmen der Scharfrichter waren nach Landes= sitte und Ortsverhältnissen sehr verschieden. Neben der Woh= nung und andern Emolumenten hatten sie nach bestimmten Taxen ihre Gebühren für ihre einzelnen Verrichtungen, welche Taxen im Laufe der Jahrhunderte oftmals erweitert und erhöht werden mußten. Außerdem aber pflegte man schon sehr früh diesem Dienste einen festen Sold beizulegen, um in den auf Gebühren allein angewiesenen Scharfrichtern „keine böse, unordentliche Be= gier nach Vergießung von Menschenblut" zu erwecken, wie die bamberger Halsgerichts=Ordnung sagt.

Noch wären einige Worte über die Bildungsstufe dieser Leute zu sagen. Der Scharfrichter selbst, der Sprosse alter Mei= stergeschlechter aus der Haute-volée dieser Pariakaste, war gewiß in seiner Art kein unebener Mann. Sein Beruf erforderte und verschaffte ihm gewandte Klugheit, umfassende Menschenkunde, praktische Tüchtigkeit. Daß er mit dem Abdeckereibetriebe sich nicht persönlich zu befassen brauchte, ist schon gesagt. Meisten= theils vollzog er auch nicht die geringen Strafen des Staupen= schlages und Brandmarkens 2c., welche sein Meisterknecht aus= führte. Ja in einigen großen Städten fielen diesem auch die Executionen mit Galgen und Rad anheim, wofür er den Spe= cialtitel Henker und ein noch größeres Maaß von Ehrlosigkeit erhielt als sein Meister, welcher mit dem höheren Scharfrichter= titel characterisirt, einzig die noblere Function des Schwertes ausübte. Bei solcher Theilung der Arbeit fiel dann das Stäu= pen und Brandmarken dem ersten der Henkersknechte zu; man sieht, Alles war wohlgeordnet nach einem durchdachten Schema= tismus.

Sein vom Vater ererbtes Wissen in allerlei Zweigen der Naturkunde, übte der Scharfrichter, als heilkundiger Arzt erkrankter Vieh= und Menschheit, vielfach aus. Begreiflicherweise suchte er seine Kunde wie deren Anwendung mit dem Nimbus des Ge= heimnißvollen zu umgeben, und pflegte, nach damaligem Stand= punkte, insbesondere der Sympathie zu huldigen. Daß er dadurch

in den Ruf zauberkundigen Wissens gerieth, schor ihn wenig,
war ihm vielmehr lieb, da es die Zahl Derjenigen vermehrte,
welche zu dunkler Nachtzeit im strengsten Incognito seine Schwelle
beehrten und seiner Hülfe begehrten.

Berühmt und reich wurde der Scharfrichter zu Passau,
welcher im Jahre 1611 zuerst den Kriegern des damaligen Erz=
herzog Matthias einen Talisman gegen Hieb, Stich und Schuß
verkaufte, kleine, mit frembartigen Characteren bedruckte Zettelchen,
welche man dort tragen mußte, wo, nach Schiller's Schlacht=
gesang, das Männerherz an die Rippen pocht. Da diesen Krie=
gern damals wenig Widerstand, folglich auch wenig Tod und
Wunden begegnete, so brachte dieser Umstand das Geheimmittel
sehr in Schwung, so daß es (auch sonder Zeitungsreclame) in
ganz Deutschland, ja Europa, unter dem Namen der Passauer
Kunst eine ganz fabelhafte Reputation erlangte. Zwar eiferte
die Geistlichkeit dawider, indem sie argumentirte: entweder sei
nichts daran, und dann müsse man dem heillosen Betruge ein
Ende machen; oder aber es sei etwas daran, und dann müsse
man's erst recht ausrotten, denn dann könne es nur mit Hülfe
des Teufels geschehen, der sich mit dem Passauischen Scharfrichter
verbündet habe. Dennoch beuteten noch des Erfinders Nach=
kommen das väterliche Arcanum nützlichst aus. Und erst vor
dem allgemeineren Gebrauch des verbesserten Schießgewehrs, vor
dem immer rücksichtsloser werdenden Ernst der Kanone, verstob
die Passauer Kunst.

Gleichzeitig kommen manche verwandte Künste vor. Der
Scharfrichter zu Pilsen im Jahre 1618 verstand sich z. B. auf
das Gießen nie fehlender Freikugeln (aber täglich nur drei), mit
welchen er pro patria das Mansfeldische Lager heimsuchte. Als
freilich die Mansfelder dennoch die Stadt erstürmten, da mußte
er's büßen; und da er kugel= und hiebfest war, so ging's ihm
an den Hals, nämlich an einem expreß für solche Hexenmeister
erbauten Galgen. Viele andere Scharfrichter verstanden sich
ebenfalls auf das Festmachen, und zwar nicht nur gegen alle
übliche Waffen, sondern auch gegen Feuer und Wasser; aber
leider verstand der Einzelne selten mehr als eine dieser Arten,

und gegen den Strang kannte Keiner eine Sympathie. Der Profos der Hatzfeld'schen Armada im Jahre 1636 war von mehreren befreundeten Scharfrichtern äußerst fest gemacht, er war, was man nannte „ganz und gar gefroren." Dabei war leider übersehen, daß man auch mit Aexten todt geworfen werden kann. Denn als die Schweden ihn fingen und bereits verschiedene Tödtungsarten vergebens an ihm probirt hatten, verfielen die klugen Leute auf obige Manier, welche sie flugs zum Ziele führte.

Die Welt will betrogen sein, und warum sollten die von allen Menschen verachteten Scharfrichter nicht den Triumph genießen, aufgesucht und um Rath gefragt und fast mit Gewalt zur Application ihrer geheimen Mittel genöthigt zu werden, welche sie gewiß Keinem aufzudrängen im Stande waren. Und warum sollten sie nicht auch selbst an die Heilkraft der meisten ihrer Mittel geglaubt haben, welche seit grauen Zeiten in ihren Familien als erprobte Arcana gegolten hatten?

Zu den vielen, fast noch mehr vom Volke dafür gehaltenen, als von Scharfrichtern dafür ausgepriesenen Zauber- und sympathetischen Mitteln gehörten die Stücke und Splitter des Stäbchens, welches über dem armen Sünder gebrochen und ihm vor die Füße geworfen wird. Ferner der von Entwendern fremder Habe vielgesuchte Diebesdaumen, möglichst warm dem Galgen entnommen, und jene wunderbare Wurzel, die tief in der Erde beim Rabenstein wächst, entstehend aus den letzten Thränen unschuldig Gerichteter, und deshalb so selten. Wer die glücklich aus der Erde zog, ohne durch den dabei erschallenden Wehelaut todt hinzufallen oder wahnwitzig zu werden, der besaß in dieser Wurzel ein ersehntes Alräunchen. Das bei Enthauptungen dem Halse entspringende und sofort warm getrunkene Blut galt beim Volke als Mittel gegen die fallende Sucht; die schreckliche Krankheit mag die Abscheulichkeit des Mittels entschuldigen; vermag ein Kranker, in der Hoffnung dadurch zu genesen, doch selbst das Unsinnigste, das Widernatürlichste. Pfister erzählt, daß bei der im Juli 1812 zu Neustadt am Breuberg (im hessischen Odenwalde) stattgehabten Hinrichtung einiger Raubmörder, ein Henkersknecht bereit gestanden, um jedesmal, wenn ein Kopf fiel, von dem fontainenartig emporfpringenden Blut ein Glas voll aufzufangen, welches dann von den anwefenden Patienten aus= getrunken worden fei.

Alle Scharfrichtereien ftanden beim Volke als Wohnftätten auch überirdifchen Grauens, als Schauplätze gefpenftifcher Spuke= reien, in äußerft großem Refpect. Wer nicht mußte, befuchte fie gewiß nicht; nur die Liebe für ein krankes Kind oder die Sorge um ein leidendes Stück Rindvieh konnte folchen Befuch veranlaffen, der aber niemals bis in's Innerfte drang. Wer da drin und „in Frohnshänden" gewefen, der fprach natürlich nicht gern davon; daher war nichts Gewiffes zu erfahren und die Phantafie des Volks erging fich im weiteften Spielraum. Man munkelte aber, daß die Geifter der juftificirten armen Sün= der, die der Enthaupteten ohne Kopf, die der Gehängten mit dem Strick am baumelnden Halfe, die Geräderten mit fchlottern= den Gebeinen, zu gewiffen Zeiten ftöhnend und ächzend die Froh= nereien befuchten, wobei alle Richtfchwerter und Foltergeräthe erklängen und polterten; — daß alle die armen Seelen, deren Leiber vormals im Marterkeller unter Frohnshänden gelitten, in den Zwölf=Nächten fchaarenweife durch die fchauerlichen Räume zögen, wehklagend, Gott dankend, wer weiß es?

Vom Aberglauben zur fcharfrichterlichen Bildungsftufe zurück= kehrend, beweifet uns eine folche der Meifter Franz Schmidt, welcher 1573 Adjunct feines Vaters zu Bamberg, 1578 aber nach Nürnberg berufen wurde. Diefer Mann hat ein Tagebuch feiner Verrichtungen geführt, wonach er bis 1617, alfo in 44 Jahren, zufammen 361 Perfonen mit Strang, Schwert, Rad und Waffer vom Leben zum Tode gebracht, daneben 345 Per= fonen am Leibe geftrafet mit Ruthenftreichen, Brandmarken, Ohrenabfchneiden und Fingerabfchlagen, alfo durchfchnittlich jährlich 16 Executionen vollführt hat. Darauf hat er gedacht auf feinen Lorbeeren ausruhen zu dürfen, hat feinen Dienft quittiret und ift auf Fürwort feines Raths vom Kaifer ehrlich gefprochen. Aus feinen vor einigen 30 Jahren gedruckt herausgegebenen Auf= zeichnungen erfcheint er als ein für feine Verhältniffe recht gebil= deter Mann. Schon daß er ein Tagebuch mit Reflexionen geführt, zeigt dies deutlich, noch mehr aber der Inhalt derselben, welche in ihm einen kritischen Kopf in Betreff der Weisheit mancher Sentenzen seiner Gerichtsherren, einen frommen, gottes= fürchtigen Sinn, und ein Herz voll Compaſſion für seine armen Patienten unzweifelhaft erkennen laſſen.

Die Vorliebe der Scharfrichter für Studien und Exercitien der praktischen Heilkunde zu Gunsten der vernünftigen wie un= vernünftigen Creatur, vererbten sie mit ihrem Wiſſen auf ihre Söhne und Enkel. Und da es vor hundert Jahren noch keine Staats= examina gab, auch der medicinische Doctorhut kein ausschließliches Privilegium ertheilte für den als freies Gewerbe geltenden ärzt= lichen Beruf, so bot derselbe manchem strebenden Scharfrichter= sohne eine erwünschte Gelegenheit, des Vaters Profeſſion zu verlaſſen und sich als Medicinae Practicus durch's Leben zu schlagen. Auf diese Weise konnte denn auch der obengedachte Reichsschluß von 1731 der zweiten Generation die Wohlthat völliger Ehrlichkeit zu Wege bringen. Und in der That soll es manchen namhaften rite promovirten Doctor der Medicin und Chirurgie gegeben haben, deſſen Vater oder Großvater noch das Richtschwert geschwungen und sich auf die Operationen der schar= fen Frage verstanden.

b. Vom hamburgischen Frohn.

Das Stadtarchiv zu Hamburg besitzt in einer leider lücken= haften Reihe Pergamentbände, welche die ältesten uns überliefer= ten Stadtrechnungen, seit 1350, enthalten, einen bisher nur gelegentlich genutzten Schatz stadtgeschichtlichen und culturhisto= rischen Materials. Aehnliche Schätze werden gewiß die Archive der meisten älteren Städte bergen. Beginnend zu einer Zeit, da man noch an keine Actenschreiberei dachte, und fast nur obrig= keitliche oder kirchliche Verleihungen, Schenkungen und andere Contracte den Gegenstand der schriftlichen Aufzeichnungen bilde= ten, giebt es für die Kunde der innern städtischen Verfaſſung, der Gewerbeverhältnisse, der Wehr= und sonstigen gemeinnützigen

Anstalten, sowie überhaupt für alle Beziehungen der Bürger zum Staat, kaum ein fruchtbareres Material. Durch eine umfassende geschickte Benutzung desselben, würde ohne Zweifel manche noch völlig unbekannte Lichtseite des „barbarischen" Mittelalters sich herausstellen, und manche Nachtseite desselben eine milde Beleuch= tung empfangen, abgesehen von der Bereicherung des Wissens in Betreff der Specialgeschichten. Ein vollständiger Abbruck der ältesten Kämmereirechnungen der bedeutendsten unserer alten Städte würde sicherlich, wenn dieselben von den durch Beruf und Kenntniß dazu befähigten Männern mit Geist und Dar= stellungstalent ausgebeutet und commentirt würden, von folge= reichstem Nutzen sein, — wie der kürzlich veröffentlichte Bericht des Herrn Archivar Lappenberg über den Ursprung und Bestand der Realgewerberechte in Hamburg, dies darthut.

Aus diesen hamburgischen Stadtrechnungen, geführt in der wunderlichen Latinität jener Zeit, von den wechselnden Käm= mereiherren des Senats (welche, beiläufig bemerkt, obschon un= studirt, doch dieser gelehrten Kunstsprache mächtig gewesen sein müssen) — stammen nicht allein viele schätzbare, in den früheren Capiteln dieses Buches vorkommenden Nachrichten, sondern auch manche, den jetzt vorliegenden Gegenstand erläuternde Kunden.

———

Schwerlich irren wir, wenn wir in dem „Woltboden" des ältesten hamburgischen Stadtrechts von 1270, einen für die Ge= richtsvollstreckung angestellten Frohnboten, mithin eine ursprüng= lich ganz ehrbare Person erblicken. Woltbode ist niederdeutsch für Waltbote; unter Walt aber ist Gewalt, insbesondere die königliche Gewalt, die regia potestas, zu verstehen, aus welcher alle Justizhoheit nebst Blutbann der Landesherren und Städte, herzuleiten ist. Schon vor 1270, damals, als ein gräflicher Vogt den Volksgerichten präsidirte, wird solch' ein ernsthafter Gewaltbote existirt haben, dem die Vollstreckung der Strafurtheile obgelegen. Sein Haus (domus praeconis oder bedelli, unbe= zweifelt auf derselben Stelle am Berge belegen, wo die nachmals Bödelei, dann Frohnerei genannte Scharfrichterwohnung lag);

war, zugleich ein Gefängniß; und zwar nicht nur für die ihr Urtheil gewärtigenden Verbrecher, sondern auch für Diejenigen, welche ihre Schulden oder Strafgelder nicht bezahlen konnten. Andere Freiheitsstrafen kannte man damals nicht, wie denn auch das Stadtrecht von 1270 keinen Thurm oder kein sonstiges Haftlocal namhaft macht. Wenn nun zu jener Zeit ehrliche Leute, wegen Schulden oder geringer nicht peinlicher Vergehungen, in das Haus des Waltboten gesetzt werden konnten, so scheint daraus zu folgen, daß sein Dienst um 1270 noch kein entschieden unehrlicher gewesen sei, mithin der Aufenthalt in seinem Hause noch keine solche Beschimpfung nach sich gezogen habe, wie spä= terhin, als der scharfrichterliche Character seines Dienstes aus= gebildet und zur Perfection gekommen war.

Kaum 100 Jahre später finden wir, ausweise der Stadt= rechnungen, in diesem Dienst noch viele Merkmale des alten ehrbaren Walt= oder Frohnboten=Amtes. Der praeco oder bo= dellus läutet die Ebbaghe ein, die Tage des Echtedings, an welchen den versammelten Bürgern vor dem Rathhause auch das civiloquium, die Bursprake, vorgelesen wurde. Derselbe Mann bewachte und beköstigte in seiner Amtswohnung Missethäter und andere Verhaftete, wofür ihm ein Kostgeld vergütet wurde. Der= selbe Mann vollzog alle Hinrichtungen und andere Strafen, nicht nur hier am Orte, sondern auch auswärts, wenn er als Sachverständiger dahin berufen wurde. Um 1372 hieß der Mann Vicko, und Peter Funcke war 1384 sein Nachfolger. Neben ihm erscheint der Magister oder Meister Hinze von Stettin als cloacarius oder Abbecker, sowie als emsiger Ver= scharrer der Leichen aller von Jenem hingerichteten Verbrecher. Seine Wohnung nebst der Abbeckerei war in der damals sehr entlegenen sogenannten Rackerstraße, der man später, als diese Institute weiter hinaus verlegt wurden, den besto säuberlicheren Namen Lilienstraße gab, wie der benachbarten Gasse den noch duftigeren Namen Rosenstraße, um die ganze Gegend gründlich in guten Geruch zu bringen.

Wenn nun in den Stadtrechnungen um 1370 und später der cloacarius und der bedellus als ganz verschiebenartige Per=

fonen behandelt werden, so darf man wohl schließen, daß damals die Abbekerei noch nicht mit dem Frohndienst verbunden gewesen, daß sie also mit der ihr anklebenden Verachtung seinen Makel noch nicht vergrößert hatte. Worin eine Bestätigung der obigen Annahme, daß damals der Frohndienst noch keinen so entschieden scharfrichterlich=unehrlichen Character gehabt, als nach der Refor=mation, da die Abbekerei in ihm aufging.

Die in den ältesten Stadtrechnungen um 1370—1385 ge=bräuchlichen Ausdrücke bodellus und praeco, machen bald darauf gewöhnlich dem spiculator, einige Male auch dem lictor Platz. Die späteren Inhaber dieses Dienstes, Johann Hageborn, 1471, Michel Dannenberg, 1481, Claus Flügge, 1485, Hinrich Pen=ningk, 1521, heißen bald bodellus, bald spiculator. Die Be=zeichnung carnifex kommt 1463 nur einmal vor, wird aber ersichtlich nicht von dem bestallten Frohn gebraucht, sondern ver=muthlich von zweien seiner Knechte, welche zur Verfolgung einiger Räuber denselben bis in die Harkshaide nachgeschickt waren. Erst 1528 wird einmal zur Abwechslung der Frohn Claus Rose carnifex genannt, wie 1547 sein Nachfolger Henrich Wendeborn auch gewöhnlich als carnifex bezeichnet ist.

Festes Salarium hatte der Frohn damals noch nicht; es nährten ihn seine reichlichen Kostgelder und seine Gebühren für die einzelnen Dienstverrichtungen. Für das Glockenläuten zur Bursprake bekam er 8 — 9 Schillinge, und ebenso viel für's Köpfen, Aufhängen und Rädern. Theuerer kamen andere Hin=richtungen zu stehen. 1375 heißt es: für eine Bratpfanne, für Holz und als Lohn „do der velschere zoden ward" 10 Thaler und 9 Schillinge. 1385 kostete es gar $14\frac{1}{2}$ Thaler „pro una sartagine etc. in qua falsarius monetae bulliebatur." Stäupen und Stadtverweisen brachte ihm nur 6 Schillinge ein. Pro emen-datione gladii ad executionem justiciae wurden häufig Aus=gaben berechnet.

Der Cloacarius oder Abbeker hatte neben manchen zufälli=gen auch einige feststehende Diensteinnahmen für regelmäßige Verrichtungen, wohin wohl das Fortschaffen gefallenen Viehes von den Gassen zu rechnen. Besonders bezahlt wird er „pro purgatione" verschiedener öffentlicher Gebäude und Abflußcanäle, auf deren Verbesserung er sich auch verstand, wie sein Lohn bezeugt „pro reformatione Syli ad privatum commodum" im Schafferhause (1499). Um 1481 kommt die von ihm zu verrichtende Reinigung eines turris captivorum vor, da vermuthlich die Frohnerei die Menge der Gefangenen nicht mehr fassen konnte. Um dieselbe Zeit ist ihm auch — jahrelang — die Säuberung der melancholischen Klause des Erich Wessel anvertraut, eines räthselhaften Gefangenen, für welchen die Stadtcasse namhafte Summen zu seiner Ernährung (an Herman vom Lo, keinen Frohn), sowie zur Bekleidung mit Linnen und Wand verausgabte.

Die Lebensläufe und Thaten der hamburger Scharfrichter zu beschreiben, ist nicht der Zweck dieser Blätter; doch mögen folgende Notizen über einige derselben von Interesse sein.

Das Mittelalter mit seiner zügellosen Kraft spiegelt sich ab in den beiden Scharfrichtern Rosenfeld (um 1402) und Claus Flügge (um 1488). Jener, welcher nach der Volkssage die Massenhinrichtung der Störtebeker'schen Piraten mit dem Schwerte vollzog, und dabei in seinen geschnürten Schuhen bis über die Enkel im Blute stand, freute sich solcher Bethätigung seiner riesigen Armkraft. Und als der am Richtplatz in corpore versammelte Rath ihm ein höflich theilnehmend Wort sagte über seine enorme Anstrengung, da hohnlachte er wild und äußerte spöttisch: er habe noch Kraft genug, um Augenblicks auch den ganzen weisen Rath abzuthun; welch' grausamen Affront dieser sehr übel genommen haben soll. — Claus Flügge aber war noch stärker, noch gewandter. Er verstand's (der Sage nach) mit einem und demselben Schwertstreiche je sechs Piraten zugleich zu enthaupten (1488), was ihm aber verboten wurde, da in solcher Weise die Hinrichtungen der Seeräuberbanden zu rasch von Statten gingen und die Schaulust offenbar in ihrem Genusse unbillig verkürzt wurde. — Hermann oder Hartmann Rüter (seit etwa 1560) scheint ein verbrecherischer Mensch gewesen zu sein, und nebenbei ungeschickt, da er wegen schlechten Köpfens bestraft werden mußte. Am 22. August 1575 enthauptete er einen Kerl, Woltes hieß er, dessen mitschuldige Frau ihm damals prophezeite: nun werde er bald auch sie, dann aber Niemand mehr hinrichten. Am 3. October traf der erste Theil der Weissagung ein, und der letzte Theil wurde auch wahr, denn die nächstfolgende Hinrichtung, 24. März 1576, galt dem Scharfrichter Rüter selbst, welcher wegen eines inzwischen verübten Todtschlages durch einen auswärtigen Collegen enthauptet wurde.

Marx Grave (1612 — 1621) gehörte seinem Wesen nach schon der neuen milderen Zeit an. Er war, wie die Chronik ihn nennt, ein gutmüthiger gar possierlicher Kerl, der nicht nur bei der Tortur zur Erheiterung des armen Gepeinigten allerlei tröstliche Schwänke trieb, sondern auch bei den Hinrichtungsprocessionen durch lustige Erzählungen den armen Sünder, so gut es gehen wollte, zu zerstreuen trachtete. Manche seiner Witzworte gingen durch die ganze Stadt, z. B. bei Gelegenheit der Hinrichtung des flüchtig gewesenen Diebes Kayser, welchen der harburger Schiffer König wieder eingeliefert hatte. Meister Grave's Bonmot lautete: den Kaiser hat ein König gefangen und ein Grab hat ihn gehenkt, das heiß ich eine vornehme Justiz! — Neben diesem, bei einem Scharfrichter gewiß sehr seltenen, harmlos-komischen Talent, war er auch ein geschickter Arzt. Und nicht nur heilte er die von ihm torquirten Inquisiten schnell und glücklich, wie jeden andern chirurgischen Fall, sondern er verstand sich sogar auf die Irrenheilkunde. Gerade in diesem Zweige muß er Ruf gehabt haben, denn sonst würde die Waisenhaus-Verwaltung Anno 1618 sich schwerlich veranlaßt gesehen haben, gerade ihm, dem Scharfrichter, die Cur zweier geisteskranker Mädchen anzuvertrauen, welchen man bereits einige teuflische Besessenheit beizumessen begann. Gelang ihm nun auch diese Cur nicht nach Wunsch, so brachte er jedenfalls seine Patienten so weit, daß man sie später — in's neue Zuchthaus schicken konnte. Eine nähere Aufklärung über diesen sehr wunderlichen Fall (den Kiehn in seiner trefflichen Schrift „das hamburger Waisenhaus" erzählt) ist leider nicht zu finden. Vielleicht gelang es dem klugen Meister Grave, die beiden Kranken der Simulation zu überführen, worauf man sie an den für solche

moralische Patienten passenderen Ort brachte. Vielleicht aber
erkannte er sie als unheilbare Irre, für welche es damals kein
schicklicheres Asyl gab, als das Zuchthaus, da dasselbe auch eine
Bewahrungsanstalt für nicht verbrecherische Hülflose in sich
faßte. —

Grave's Nachfolger (1622), Balten Matz (von Duderstadt),
ist bemerkenswerth wegen seiner mehrfach bewiesenen Weichmüthig=
keit im Moment der Executionen, welche deshalb unglücklich ver=
liefen. Das tragische Geschick eines melancholischen Karren=
gefangenen, der 1624 einen Mord beging, um aus Karre und
Welt zu kommen, irrte ihm Auge und Arm dermaaßen, daß er
ihn vor lauter Mitleid ganz grausam schlecht richtete, und nur
mühsam der Rache des Volks entging. Zur Katastrophe mit
ihm kam's aber erst im Jahre 1639, als er den jungen Johann
Körner enthaupten sollte, diesen liebenswürdigsten aller Ver=
brecher, der seinen sieben Jahre früher im Jähzorn begangenen
Todtschlag, von innerer Gewissensmacht getrieben, freiwillig an=
gezeigt und um die Todesstrafe gebeten hatte. Betrat er doch
die Richtstätte so freudig und getrost, und lag doch auf seinem
von schönen blonden Haaren umflossenen lieblichen Angesicht ein
so heller Glanz, „daß man schier meinte, eines Engels Antlitz
zu sehen." Und als er dem Meister Balten dankte, für das,
was er nun an ihm verrichten werde, und ihn anblickte mit
guten treuherzigen Augen, da war's völlig aus mit des Meisters
Kaltsinnigkeit, die schon längst in's Wanken gekommen war
durch dieses Jünglings wunderbares Wesen. Noch hoffte er sich
zu fassen, indem er ihn heftig zurückstieß und niederdrückte auf
den Armsünderstuhl. Aber wie dieser nun laut betend des To=
desstreichs gewärtig da saß, da brach's dem Scharfrichter das
Herz, — verwirrt schwang er das Schwert, die Augen voll Thrä=
nen hieb er fehl, zweimal. Und als endlich das Werk gelungen,
da warf er das Schwert weit von sich, sich verfluchend, wenn
er es je wieder höbe. — Gleichgültig gegen das, was um ihn
vorging, ließ er sich von seinen Leuten fortreißen und von der
bewaffneten Macht schützen vor der gegen ihn heranstürmenden
entfesselten Wuth eines wilden Volksgerichts. Fast ein Gefecht

entspann sich aus dieser unglücklichen Hinrichtung des Jünglings, der alle Herzen so wunderbar eingenommen hatte, — und nur mit größter Mühe gelang es der in Eile durch Reiterei verstärkten Soldateska, sich mit den Dienern der Justiz durchzuschlagen durch die mit Aexten, Steinen und Knitteln bewaffneten Massen des aufgeregten Volkes. — Eine Chronik sagt: Balten Matz sei darauf um deshalb vom Rathe cassirt, „weil er sein Schwert weggeworfen." Gewiß ist, daß er aufhörte Scharfrichter zu sein, aber, wenn er wegen wiederholten schlechten Richtens cassirt wurde, so ließ er sich um so bereitwilliger absetzen, als er eigentlich schon durch das symbolische Wegwerfen des Schwertes seine Entlassung gefordert hatte. Er blieb indessen in Hamburg, baute sich in der damaligen Vorstadt vor dem Millernthore an, da, wo jetzt die Schlachterstraße im St. Michaelis-Kirchspiel ist, und wählte sich von nun an ein besseres Gewerbe. Er betrieb nämlich ausschließlich die ärztliche und chirurgische Praxis, er bestrebte sich, sein früheres Fehlen wieder gut zu machen, indem er heilte und Schmerzen linderte, statt zu peinigen und zu tödten. Und in diesem Beruf, den der damals noch kindliche Zustand des Medicinalwesens duldete, und den sein vorstädtischer Wohnort gegen die Angriffe der zünftigen Wundärzte beschützte, wirkte er noch viele Jahre, „that seine Curen an Menschen und Vieh, und hatte viel Respect, selbst beim Volke." Seine Frau starb im Juni 1654 und wurde auf einem mit schwarzem Tuch behängten Wagen, unter Absingung geistlicher Lieder, begraben.

Ihm folgte 1639 ein Zweig der großen halleschen Scharfrichter-Familie Gebhart (hierorts Gevert genannt), zuerst der aus Ruppin gebürtige Vater, dann dessen Sohn. Letzterer jedoch machte sich und seine etwanigen Nachkommen in Hamburg unmöglich, indem er im Jahre 1653 seinen Gegner in einer Privatstreitigkeit mit einem Messerstich schwer verwundete und sofort das Weite suchte, worauf er cassirt, seine alte Mutter aber mit einem Reisegratial von 100 Thalern ihm nachgeschickt wurde.

Sodann gelangte zum Regimente in der hamburger Frohnerei der Erste der Familie Asthusen, von welcher, sowie von

den neueren Scharfrichtern, weiter unten ein Mehreres berichtet
werden wird.

Wenn die Reichs- und viele Particular-Gesetze stets mit
einer kaum zu billigenden Härte von dem „verwerflichen" Gewerbe der Henkersleute reden, kann man der officiellen Sprache
Hamburgs solche Rücksichtslosigkeit nicht nachsagen. Unsere Ge-
setzgeber und Machthaber haben überhaupt mit lobenswerther
Menschenfreundlichkeit von jeher dahin getrachtet, dem armen
Frohn sein unehrliches schweres Amt, das ihm inmitten der
großen lustigen Stadt die traurige Stellung eines trappistischen
Einsieblers anwies, nach Kräften zu erleichtern, und sein in Ent-
behrungen aller Art vertieftes Dasein thunlichst gehoben. Nirgendwo in älteren oder neueren Nachrichten, in den ältesten
Stadtrechnungen wie in den späteren Acten, findet man eine
die Frohnsächtung bezeichnende Sprache, überall, und z. B. in
allen Erlassen an ihn, herrscht, bei großem Ernst und entschiedener Zurückhaltung, ein durchaus humaner Ton, und einzig erinnert
die Auslassung einer Courtoisie in den ärarischen Dienstcontrac-
ten des Frohns, an seine reichsgesetzliche wie volksthümliche
Unehrlichkeit. In allen von der Kämmerei mit den Bürgern
und Einwohnern abgeschlossenen Contracten, welcher Art sie auch
sein mögen, erhält nämlich der Contrahent das Prädicat „Ehrbar." Und während dasselbe in Bezug auf andere dubiöse Personen vom Stande der unehrlichen Gewerbs- und Dienstleute,
nicht weggelassen wurde, weil man sie als Bürger anerkannte
und ihren volksthümlichen Makel ignorirte, — fehlt dies Prä-
bicat „Ehrbar" grundsätzlich bei dem Namen des Scharfrichters
in den mit ihm abgeschlossenen Contracten über die Frohnerei,
die Abdeckerei und seine Dienstverhältnisse, weil er als anerkannt
unehrlicher Mann weder Bürger war noch sein konnte. Fast
komisch erscheint dagegen die Gutmüthigkeit, mit welcher die Kämmerei seinen Vorweser, wenn im Contracte desselben erwähnt
wird, allemal den „seligen Frohn" nennt. Welche Aussicht
auf eine schließliche moralische Anerkennung im besseren Jenseits,
nach hienieden vollbrachtem unehrlichen Lebenslauf, jeden Neu-
bestellten sattsam getröstet haben mag.

Wenn nun auch der hamburgische Frohn (wie sein römischer College) des Bürgerrechts nicht theilhaftig werden könnte, so fehlten ihm auch folgeweise die aus diesem nach hamburger Recht resultirenden Hauptbefugnisse jedes Menschen: eine Gattin und Grundeigenthum erwerben zu dürfen. Letzteres war eigentlich ein Luxus für ihn, denn er besaß eine Amtswohnung. Wenn er aber doch liegende Gründe erworben hatte, so gestattete der Rath ausnahmsweise allemal durch besonderes Conclusum (z. B. 1765 und 1770), daß ihm dieselben in den Hypothekenbüchern auch namentlich zugeschrieben werden durften. Desgleichen verweigerte der Rath niemals seinen speciell erforderlichen Consens zu des Frohns Heirathen als Nichtbürger, und verschaffte ihm sogar die Expedienda der Proclamation gratis. So z. B. 1771 und 1797, da einem Frohnssohne die Proclamation mit einer Bürgerstochter gestattet wurde, obschon er selbst nicht Bürger war. Aus wohlgemeinter aber uncorrecter Humanität, — wenn nicht aus bloßem Uebersehen der Kämmereibürger, kam übrigens in neuerer Zeit einmal das gedachte Prädicat „ehrbar“ in einen revidirten Scharfrichtercontract; im Senat ignorirte man diese Neuerung, oder man übersah sie ebenfalls. Nicht so das allezeit wachende zweite „Auge der Stadt“, das Oberalten-Collegium. Wohl dasselbe fand sogleich das ungehörige Wundpflaster auf der Achillesferse des Frohns, und rügte das höchst unpassende Beiwort, worauf der Senat ihrer Ansicht beitrat und dasselbe ausmerzen ließ. So blieb es weg bis zum Jahre 1830. Damals nämlich erhielt den Dienst, nach Aussterben der letzten Frohnsdynastie, ein homo novus, ein zeitheriger (übrigens sehr geachteter) Pferdehändler und -Verleiher, welcher als solcher im Besitz des Bürgerrechts sich befand, was gewiß noch nicht dagewesen war. Consequenterweise hätte man nun seinen Bürgerbrief cassiren müssen. Die Humanität war aber allbereits soweit zur Gewohnheit des Daseins geworden, daß keine Seele daran dachte. Sein Dienstcontract nennt ihn ohne Umstände „ehrbar“ und selbst die Oberalten vergaßen zu widersprechen. Das Sachverhältniß kam auch nicht einmal dann in Erinnerung, als er bald nach seiner Ernennung um die Berichtigung eines seiner

Vornamen in seinem Bürgerbriefe nachsuchte und der Senat dieselbe anstandslos verfügte. Durch diesen Vorgang scheint demnach — obschon zuverlässig ohne legislatives Bewußtsein — der am hamburgischen Frohndienst zeither gesetzlich klebende Makel getilgt, und derselbe nunmehr stillschweigend mindestens für fähig erklärt zu sein, das Bürgerrecht in Anspruch nehmen zu können. Ob er dagegen für vollkommen ebenbürtig zu achten, das scheint lediglich von der Volksmeinung zu dependiren, denn an diese appellirt das Gesetz im §. 12 des Bürgermilitair-Reglements v. J. 1854. Es heißt daselbst nämlich: „ausgeschlossen vom Dienste ist, wer ein nach allgemeinen Volksbegriffen entehrendes Gewerbe treibt," wobei vielleicht weniger an den Frohn als an gewisse Wirthsclassen, aber keinenfalls an die erforderliche Unzweideutigkeit und Bestimmtheit eines solchen Gesetzes gedacht ist.

Seinem Ursprunge gemäß stand der hamburgische Frohn zunächst vasallenartig unter dem ältesten Gerichtsherrn oder Prätor, einem jährlich wechselnden Senatsmitgliede, welchem er bei dessen Abtreten vom Regimente einen Lehnsschilling, den sogenannten Scharfrichterpfennig zu überreichen hatte. Derselbe war eine häufig leicht vergoldete Schaumünze von Blei, größer als ein Doppelthalerstück, darauf einerseits das Stadtwappen, andrerseits das Familienwappen des Gerichtsherrn mit dessen Namen und der Jahreszahl. Wir besitzen noch eine ganze Reihe dieser, in der Regel nur in einem einzigen Exemplare vorkommenden Denkmünzen, welche noch im ersten Jahrzehent dieses Jahrhunderts gebräuchlich gewesen, dann aber durch das französische Interregnum spurlos in Vergessenheit gekommen sind. Manche derselben sind in unseren vaterstädtischen Münzwerken beschrieben. Ein in des Verfassers Besitz befindliches Exemplar hat die ungewöhnliche Größe von etwa 4 Zoll im Durchmesser und die Inschrift: „Hr. Petrus Lütkens J. U. L. trat vom richterlichen Ampt ab Anno 1686." Uebrigens stand fast überall der Scharfrichter in einem ähnlichen, meist noch schärfer ausgeprägten Lehnsverhältniß. Der zu Halle a. d. Saale dependirte noch (um 1750) als „Caviller" vom Oberst-Jägermeister-Amte, dem er einen Lehnscanon zu entrichten hatte, — als Frohn aber von dem Vorstande des Stadtgerichts, dem Stadtschultheißen, welchem er jährlich einen wunderlichen Tribut darbringen mußte, nämlich ein paar Handschuhe von Hundsleder und — Pfeffer, Ingber u. a. feine Gewürze! Gerade dieselben Vasallengaben waren an sehr vielen andern Orten gebräuchlich, und namentlich scheinen die hundsledernen Handschuhe ein sehr allgemeines Huldigungssymbol gewesen zu sein, vielleicht weil man dadurch die Eigenschaft der Treue andeuten wollte, welche bekanntlich die Hunde auszeichnet.

Für solche Diensttreue aber patronisirte ihn auch sein Herr, wo und wie er nur konnte. Der hamburgische Gerichtsherr vertrat ex officio regelmäßig Pathenstelle bei allen Kindern seines Frohns, so viel ihrer auch geboren werden mochten, denn manchmal war derselbe ein sogenannter zahlreicher Familienvater. Zu solchem Gevatterstande hätten sich ohnehin nicht leicht ehrbare Bürger des guten Mittelstandes herbeigelassen, sintemal sie durch das ohnvermeidliche Essen und Trinken mit dem unheimlichen Angstmann (ganz abgesehen von körperlichen Berührungen mit ihm, wie vom biederen Handschlag seiner unehrlichen Faust), befahren hätten, schmählich inficirt und von ihren Genossenschaften gemieden zu werden, — was natürlich die über solches Vorurtheil erhabenen Rathsherren nicht im Geringsten anfocht. — Das herkömmliche Gevattergeschenk pflegte der Prätor mit 15 Mark aus der Gerichtscasse zu nehmen, was im Jahre 1661 die Kämmerei, bei Revision der Präturrechnung, nicht passiren ließ. Aufgeklärt aber über den Sachverhalt dieser entschieden amtlichen Ausgabe, restituirte sie später dem Gerichtsherrn das Geld, und wünschte nur, daß solche Verwendungen künftig, wie alle Ehrengeschenke der Stadt, besonders bei ihr angesprochen würden. Noch bis in die neueste Zeit findet sich Dominus Praetor fast regelmäßig als Hauptgevatter der Frohnskinder im Taufregister zu St. Petri eingetragen, neben ihm gewöhnlich auch seine Frau Gemahlin oder eine ältere Verwandte, und häufig auch noch ein zweiter Herr

des Raths, dessen Pathenpfennige aber ex propriis gespendet
wurden. Noch im Jahre 1802 standen 3 Senatoren: Rücker,
Jenisch und Bartels, — 1805: Koch, Schröder, Meyer und
Schütze, und 1809 Schlüter, Gräpel und Sonntag, bei Kindern
des Frohns Gevatter. Hier zeichnen sich also unsere Herren
vom Regimente vortheilhaft vor den Magistraten anderer Städte
aus, die zwar stets mit aller ersinnlichen Anstrengung dem
Frohn die erforderlichen Gevattern (meist aus den untersten
Schichten ihrer Untergebenen) zu verschaffen trachteten, sich
selbst aber für viel zu vornehm hielten, um sich persönlich zu
solchen herrschaftlichen Liebesdiensten herablassen zu mögen.

Auch dafür, daß der Frohn nach beschaffter Tagesarbeit
unangefochten zu Wein gehen und sich bei seinem Gläschen
erholen konnte, war von Altersher von Staatswegen im Raths-
weinkeller gesorgt. Da man doch mindestens das Menschthum
des Frohns anerkennen mußte, und die Befugniß zum Kneipen
sonder Zweifel zu den unveräußerlichen Menschen- und Grund-
rechten der Deutschen gehört, so war eine solche oberliche Fürsorge um so billiger, als es sonst dem Frohn schwer geworden
wäre, zum Genuß seines Kneiprechtes zu gelangen. In jeder
andern Wein- oder Bierstube hätte er sich gefaßt machen müssen,
sofort an die Luft gesetzt zu werden, sobald man seinen Character erkannte. Er mußte also, wollte er solche Locale betreten, allemal in der Thür stehen bleiben, und den Hut lüf-
tend sich als Frohn erkennen geben, geduldig erwartend, ob
Jemand unter den Gästen wider sein Erscheinen protestiren
werde. Geschah dies, so mußte er sich lautlos wieder ver-
ziehen. Dagegen stand ihm das große allgemeine Gastzimmer
des Rathsweinkellers unbestritten offen. Mit dem Hut auf
dem Kopf durfte er eintreten, Platz nehmen wo er einen leeren
Tisch fand, sich bringen lassen was er wollte, die Kellner
mußten ihn bedienen. Wer seine Nachbarschaft nicht mochte,
der konnte sich ferner setzen, wem die Luft in seiner Nähe drückend
wurde, der konnte sein Glas austrinken und weggehen, ihn
selbst aber durfte kein Mensch aus diesem Zimmer weisen,
welches nach ihm „die Henkerstube" genannt wurde.

In manchen andern Städten verweigerte man den Henkers-
leuten nicht geradezu den Eintritt in die Schenkstuben, aber
man wußte ihnen deren Besuch in andrer Weise zu verleiden,
indem man ihnen den Trunk in besonderen, nämlich henkel-
losen Krügen vorsetzte, und ihnen einen ehrenrührigen aparten
Stuhl, nämlich einen dreibeinigen anwies, was gewiß so verletzend
war, daß es einem directen consilium abeundi gleichkam. Ach
ja, ein Scharfrichter hatte auf seinem dornenvollen Lebenspfade
der bitterlichsten Kränkungen und Zurücksetzungen so viele zu
erdulden, daß ihm oft genug zu Muthe gewesen sein mag, als
torquirten ihn die ehrlichen Leute auf der Streckbank seiner
Geduld mit moralischen Daumschrauben, und eben so häufig
mag er versucht gewesen sein, à la Mephistopheles auszurufen:
Wenn ich nicht selbst der Henker wär, möcht ich des Henkers
werden.

Wie die bruchvogteilichen Leichenbegängnisse, so zeigen auch
die Beerdigungen der Scharfrichter und ihrer Angehörigen besonders deutlich die vorzügliche Verachtung, in welche die
Volksstimme sie versenkt hatte. Was ehrliche Leute der mitt-
leren und unteren Stände waren, die lebten nach ihren Gewerben in Genossenschaften, zu deren Zwecken auch das brüder-
liche zu Grabe Tragen der Mitglieder unter einander gehörte.
Diese Leute aber hätten eher einen höllischen Pech- und Schwefel-
brand angefaßt, als den Sarg, darin die sterbliche Hülle eines
Frohns gelegen. Selbst die nach älteren Vorurtheilen unehrlichen Gewerbe waren zahlreich genug, um zu solchen Ver-
brüderungen zusammen zu treten, und so gering geachtet sie
von den ehrlichen Zünften wurden, so hielten sie sich doch noch
für unendlich viel besser, als die Frohnsleute, welchen sie daher
keinen Eintritt in ihre „Todtenladen" und Sterbecassen ge-
statteten, geschweige ihre Leichen zu tragen übernommen hätten.
Die Leichen aller Personen höherer Stände, welche keinen
solchen Gesellschaften angehörten, bestatteten bekanntlich die
darauf privilegirten Reitenden Diener, welche für kein Geld
der Welt sich mit solchen Erdbestätigungen befaßt hätten, da
ihr ihren vornehmen Kunden die Haut geschunden hätte. Zu

stand denn der einsame Frohn mitten in der großen Stadt
unter all den unzähligen Manieren in's Grab zu kommen,
gänzlich verlassen und verwaiset da. Seine Knechte, mit ihm
in gleicher Verdammniß, hätten ihn allerdings tragen können,
aber das ließ denn doch selbst für den Frohn zu verächtlich,
der auch seinen Stolz hatte und was Besseres zu sein empfand
als die Schwefelbande seiner Schinderknechte! Und um so weniger
konnte man ihn dazu zwingen, sich von diesen wie ein in der
Untersuchungshaft verendeter Inquisit, oder wie ein muthwilliger
Selbstmörder expediren zu lassen, da bekanntlich auch von ihm,
wenn er todt war, die Regel galt: „de mortuis nil nisi bene,“
— siehe die Kämmerei-Contracte! Begraben aber mußte der
selige Mann werden, da schon das Gassenrecht besagte, „es ist
nicht möglich, daß der Todte bei den Lebendigen bleibe.“

Wie es nun in diesem höchst kitzlichen Punkte in den
ältesten Zeiten gehalten, darüber schweigt die Geschichte. Etwa
zur Reformationszeit und ferner 150 Jahre lang, scheint nun aber
der hiesigen Krahnzieher-Brüderschaft die odiose Verpflichtung
obgelegen zu haben, verlebte Frohne und ihre Familienglieder,
sofern sie natürlichen Todes verfahren, einfach zu bestatten,
was allerdings schwer zu erklären ist, da man doch nicht annehmen kann, daß deshalb, weil vielleicht einmal ein abtrün-
niges Mitglied buchstäblich zum Henker gegangen, die ganze
Genossenschaft mit solchem Onus belastet worden sei. Denn
diese, die Güterexpedition nach und vom Krahn besorgenden
Leute, bildeten eine ebenso kräftige als durchaus ehrenwerthe
Corporation, welcher man sonst nicht den leisesten Makel auf-
halsen konnte. Sie waren sogar vor allen ihren Mitbürgern
darin bevorrechtet, daß sie ihre todten Gespane, ohne Beihülfe
des Todtengräbers, selbst in die Grube legen, und dessen Gebühr sparen durften. Ob ihnen etwa als schuldige Gegen-
leistung für solch unerhörtes Prärogativ jene gehässige Pflicht
aufgebürdet war? Zwar erst seit 1594 als Brüderschaft förmlich anerkannt, war gleichwohl ihr Gewerbe schon sehr alt.
Reichlich weit griffen sie aber in die Vergangenheit, wenn sie
dessen Ursprung über Adam hinauf datirten, und dies durch-

ein schönes (leider verloren gegangenes) Gemälde in der vormaligen St. Johannis = Klosterkirche documentirten. Dasselbe bildete nämlich die biblische Schöpfungsgeschichte recht natürlich ab, und zeigte auf dem vorderften Felde, also gewiffermaaßen noch v o r dem noch nicht gewordenen erften Menschen, drei fertige richtige hamburgische Krahnzieher in ihrer herkömmlichen Tracht, mit der Karre, den sogenannten Stangenherrn in der Mitte an der Gabeldeichfel. Dann erft folgten die eigentlichen Darstellungen der Schöpfungstage, mit der gehörigen Orts angebrachten Unterschrift „unde God sprak: latet uns Minschen maken.“ Kein Wunder also, daß die alten hamburgischen Witzbolde unsere Krahnzieher die Präadamiten und Musterknaben der Menschheit zu nennen pflegten.

Im October 1664 wird nun noch herkömmlicherweise von diesen Leuten der Scharfrichter Jsmael Afthusen I. bestattet sein. (Beiläufig mag der gute, aber eine schwermüthige Reflexion bergende Gedanke anerkannt werden: ein schon bei seiner Geburt geächtetes Henkerskind, nach Abrahams unächtem verstoßenen Sohne Jsmael zu benennen.) Von seinen Nachfolgern hat Hans Barthold Deutschmann i. J. 1674 zufällig in Glückftadt (wo er vormals die Frohnerei bediente) seine letzte Ruheftätte gefunden, Jacob Stoeff aber Gott weiß wo, denn er entfloh am 3. Nov. 1685 in die weite Welt, nachdem er sich hierorts fträflich vergangen, und aus Privatgründen einen ehrlichen Brauer durchgeftäupt hatte, ein Erlebniß, welches ähnlich bereits einen seiner Vorwefer, Jacob Gebhart II. von hinnen gejagt hatte. Steckbriefe flogen ihm nach, aber er entkam glücklich. Diese Unterbrechung veranlaßte wohl die Krahnzieher, ihre Pflicht als aufgehoben, lächerlich veraltet oder vergeffen zu betrachten. Inzwischen hatte seit Jan. 1686 Jsmael Afthusen II. (des obigen Sohn) den Frohnbienst für 6000 Mark gekauft und denselben exemplarisch verwaltet. Da er noch in den sogenannten besten Jahren ftand, so verfahen sich die Krahnzieher seines so nahen Endes gar nicht, als er am 6. Apr. 1703 verschied. Am 6. März nämlich hatte ein Gärtner Jochim Braftieck auf dem Valentinskamp seine Ehefrau erstochen; Untersuchung und Criminalproceß beider Instanzen verlief so staunenswerth rasch, daß der Maleficant bereits am 20sten Tage nach verübtem Morde auf dem Hochgericht stand. Meister Ismael aber hatte an diesem 26. März seinen Unglückstag; er hieb zweimal fehl, was er sich schwer zu Gemüth zog. Ein völlig gebrochener Mann kam er nach Hause, legte sich nieder und erstand nicht wieder, denn 3 Wochen darauf war er todt.

Als nun seine Wittwe, Frau Engel Asthusen, die Dienste der Krahnzieher in Anspruch nahm, da weigerten sich diese jeder Betheiligung, und stellten Pflicht und Herkommen entschieden in Abrede. Da periculum in mora, so mußte Frau Engel, um nur ihres Gatten Körper los zu werden, Bootsleute engagiren, welche, im Punkte der Ehre weniger skrupulös als die Landratten, sich dennoch nur vermummten Antlitzes dazu herzugeben wagten. Um alles Aufsehen zu vermeiden, wurde eine Stunde vor Mitternacht von diesen unheimlichen Gesellen die gefürchtete Leiche des todten Schreckensmannes auf St. Petri-Kirchhof, draußen am Beinhofe, eingesenkt. Trotz aller Vorsicht kam es dennoch dabei zu einer blutigen Rauferei. Mehrere Krahnzieher wollten sich vergewissern, ob etwa von ihren Genossen sich einige Freigeister zum Leichentragen hätten einschüchtern lassen; sie rissen den Trägern Kopftücher und Mäntel ab; diese vertheidigten sich und schlugen drauf los, worauf der allemal am Platze befindliche Janhagel pro et contra interbenirte u. s. w. Die gebeugte Wittwe reichte hernach dem Prätor die ganze Unkostenrechnung ein; denn da sie ein Recht auf ihres Seligen Francobestattung durch die aufsätzigen Krahnzieher zu haben vermeinte, so forderte sie billigen Ersatz: 75 Mark Trägerlohn, 11 Mark für Bewirthung, 3 Mark für's Flicken der bei der Balgerei zerrissenen Mäntel, Summa 89 Mark, welche man ihr auch vergütete.

Seit dieser Zeit ist es vorbei gewesen mit des Frohns behaupteтem Anrecht auf die Dienste der Krahnzieher, welche somit von der correspondirenden Pflicht entbunden geblieben sind, woraus man lernt, wie man durch dreistes Ableugnen ein lästiges Herkommen erst durchlöchern, dann förmlich aufheben kann. Uebrigens war den Krahnziehern bei dieser Gelegenheit, welche ihre vormalige Betheiligung bei den Frohnsbeerbigungen wieder zur Sprache brachte, einiger Geruch gewerblicher Unehrlichkeit angeflogen, weshalb sie es durchsetzten, daß in dem General = Reglement hiesiger Aemter und Brüderschaften v. J. 1710, neben den Gerichts = und Gefängnißdienern auch sie namentlich genannt wurden, als eine keineswegs von ehrlichen Zünften und Gilden ausschließbare Genossenschaft.

Obgleich nun der Frohn i. J. 1732 ausdrücklich angewiesen war, die Begräbnißangelegenheiten seiner Person und Familie selbst in die Hand zu nehmen und den Gerichtsherrn damit ungeschoren zu lassen, so sah der arme Mann sich dennoch zuweilen gezwungen, die Vermittelung desselben in Anspruch zu nehmen. Anno 1741 war des damaligen Frohns Frau gestorben, und nicht sonder große Mühe gelang es, arme Schulmeister zum Leichentragen zu persuabiren. Sie hatten eigentlich im Stillen auf ein Douceur für solchen Dienst gehofft, sahen sich aber darin getäuscht und mußten sich mit dem schönen Bewußtsein begnügen, welches die Ausübung eines Werkes christlicher Liebe immer am sichersten belohnt. Als nun i. J. 1753 des wiederverheiratheten Frohns vierjährig Kind starb, da drang bis in die Rathsstube seine Wehklage „daß er es schlechterdings nicht zur Erde kriegen könne, inmaaßen der Marstallskutscher es nicht fahren und die Reitenden Diener es nicht tragen wollten." Nun wurden die verarmten Schulmeister wieder beschickt, sie zeigten sich aber schwierig, meinten, sie hätten viel üble Nachrede auszustehen gehabt wegen ihrer damaligen Gutmüthigkeit, endlich aber übernahmen es ihrer viere für ½ Thaler pro Mann. Der im folgenden Jahre vom Senate seinem Mitgliede Hrn. Anckelmann ertheilte ehrenvolle Auftrag: „seine Gedanken ergehen zu lassen über den Punkt, wie es künftig mit der Beerbigung derer Frohnsleichen zu halten sei, um allen bisherigen Unliebsamkeiten vorzubeugen," mag den klugen Herrn sehr beschäftigt haben, ohne daß es ihm gelang, eine passende Manier zu ersinnen. Und als bald darauf des Frohns Frau starb und der Wittwer wiederum officielle Hülfe ansprach, da bezog man sich abweisend auf die Verfügung von 1732, und verbot ihm, den Herren Gerichts=verwaltern ferner mit solchen Dingen beschwerlich zu fallen. Seitdem scheint es ihm denn auch stets gelungen zu sein, eine anständige Bestattung für sich und seine Familie selbst zu be=schaffen, obschon durchgängig nur eine äußerst stille. Als 1767 der Frohn starb und die Familie dringend wünschte, den Sarg, bevor er an der Mauer des Petri=Kirchhofes eingesenkt werde, ein einziges Mal durch die Kirche tragen zu lassen, verweigerten dies die Juraten als unschicklich. Und in allen Fällen, wenn ein Frohn beerdigt wurde (z. B. noch 1772), commandirte der Rath eine genügende Militairmacht in die Gassen, durch welche der Zug kam, um Tumulte zu verhüten.

Uebrigens hatte die Asthusensche Familie ihr eigenes Be=gräbniß auf dem Petri=Kirchhofe, am Beinhause, woselbst, an der Südseite der Kirchhofsmauer, auch der späteren Frohne Ruhestätte war. Des Meisterknechts Leiche ward gewohnheits=gemäß darin mit aufgenommen. Aber kein Henkers= oder Ab=deckerknecht. Eine benachbarte Stadt fragte um 1745 bei unserm Rathe brieflich an, wie es hier mit den Scharfrichter=knechten in dieser Hinsicht gehalten werde. Die Antwort war nicht leicht, denn es zeigte sich, daß hierorts seit undenklichen Jahren kein solches Subject gestorben war; nicht als ob der=gleichen Unkraut unvergänglich sei, sondern weil dieser Art Leute entweder wegen bezeigter Unbändigkeit in Stock und Eisen ge=legt und sobann der Stadt verwiesen wurden, was z. B. 1701 mit 4 Frohnknechten zugleich passirte; oder weil sie in be=ständiger Desertion von einem Herrn zum andern zogen, und gewöhnlich irgendwo hinter'm Zaun verenbeten. Sollte sich aber der Fall ereignen, responbirte der Rath, so würde man den todten Kerl von seinen Mitknechten auf dem Armenkirch=hof, nach Art der unsinnigen Selbstmörder aus Melancholey, in aller Stille eingraben lassen. — Ein alt und gebrechlich gewordenes Exemplar dieser verkommenen Menschenclasse war's, das sich um 1750 mühsam von einem Dorf zum andern schleppte, in Scheunen und Haidehütten übernachtete, und Tags über bettelnd und stehlend sein elendes Dasein fristete. Am 28. Mai lag er auf dem Felde bei Saaffel, hart an dem alten heidnischen Opfersteine der dort noch immer zu sehen ist, und hat zu sterben begehrt. Aber die Saaffeler haben ihm Branntwein zu trinken gegeben und ihn von dannen getrieben, da sie nicht gemocht, daß er auf ihrer Feldmark verende. Auf der Haide, seitwärts von Bargstedt, da hat ihn ein Schäfer gesprochen, dem hat er seine bitterliche Noth geklagt, wie er so ganz verlassen sei von Gott und aller Welt, und wie er 7 Frauen gehabt, ob zwar keine einzige ächte, einigen wäre er entlaufen, die andern hätten ihn im Stiche gelassen. 2 Tage darauf ist er unweit des Lothbecks bei Hoysbüttel, auf hamburgischem Territorio unter freiem Himmel todt gefunden. Der Wohldorfer Waldvogt hat ihn dann beerdigen lassen in seinen nichtswürdigen zerlumpten Kleidern; sein leerer Bettelsack und sein zerbrochener Bettelstab sind ihm mit in's Grab gelegt. —

— Obengedachte Wittwe Engel Asthusen setzte übrigens damals (1703) Himmel und Erde in Bewegung, um die erledigte Frohnerei ihrem Sohne zu-, und den beabsichtigten öffentlichen Verkauf des Dienstes an den Meistbietenden unter den Concurrirenden vom Metier abzuwenden. Denn in gesammter Christenheit, so erklärte sie, sei es unerhört, solch ein wichtiges Amt, dessen Kunst so schwer zu erlernen, irgend einem wohlhabenden Stümper ohne Schule zuzuschlagen. Da sie nun auch sagen konnte, daß schon Vater und Großvater der Stadt getreulich gedient, und der hoffnungsvolle Enkel von Kindesbeinen an mit allen Geheimnissen der Scharfrichterei vertraut sei, auch bereits 1702 für seinen Vater „ungemein wohl" enthauptet habe, so verzichtete man auf den Verkauf und conferirte ihm den Dienst für 3000 Mark unter der Bedingung, seines Vaters Schulden zu bezahlen und seine 2 unverheiratheten Schwestern ebenso auszustatten, wie der Vater die älteste dotirt hatte.

Hierauf ergriff er als Ismael Afthusen III. das Schwert seiner Väter. Als er noch in jungen Jahren Anno 1722 starb, da war sein 1717 geborener Sohn Ismael das Kind, zur Succession noch viel zu jung. Der Wittwe Bruder, der Kieler Scharfrichter Pickel trat als gewichtiger Candidat auf, da er äußerst kunstreich zu arbeiten und vorzüglich „artlich mit dem Rade zu spielen" verstand, alles, laut Attestation, „zu vornehmer Zuschauer höchstem Contentement." Ihn besiegte jedoch ein junger Parvenu hiesiger Henkerwelt, Franz Wilm Hennings, nicht nur, weil er eben so geschickt sein wollte, sondern weil er (was durchschlug) sich erbot, seines Vorwesers Wittwe mit 5 Kindern zu heirathen, und somit die letzten der Afthusenschen Ismaeliter zu versorgen. Es kam mit ihm die Dynastie Hennings' zum Regimente der Frohnerei, darin sie 108 Jahre lang gesessen und mit ihren überzähligen Spröß-lingen die Scharfrichtereien aller Nachbarländer versorgt hat. Hennings I. gab in Anbetracht seiner Ehelasten nur 1000 Thaler für den Dienst, den er gerade 50 Jahre lang inne hatte, ohne daß man dies rare Ereigniß durch ein Jubelfest gefeiert hätte. Als er 1772 starb, hinterließ er eine 3te Frau, 10 lebendige Kinder (ihrer 18 hatte er gehabt) und ein Vermögen von 50,000 Mark. Von seinen Söhnen waren mehrere Scharfrichter an anderen Orten, einer lebte hier als Medicinae Practicus. Er muß gut berufen gewesen sein, denn der Senat gestattete ihm ausdrücklich, „auch seine Geschicklichkeit puncto artis Chirurgiae, von hiesigen Barbieren, Wundärzten und Badern unangefochten, zu exerciren." Einige dieser Frohnstöchter hatten auswärtige Standesgenossen geheirathet, Hanna Elisa-beth blieb aber in der Frohnerei, da sie die Adjuncten ihres Vaters zu ehelichen pflegte. Dieser hatte derselben nach und nach drei, sämmtlich seine Neffen, nämlich Söhne seiner Brüder, der Scharfrichter zu Glückstadt und Mölln: Hennings II., welcher sehr rasch starb, Hennings III., welcher auch von seinem alten Schwiegervater überlebt wurde, und Hennings IV., welcher diesen überlebte und ihm 1772 förmlich succedirte. Ihm folgte sein einziger Sohn, Hennings V., welcher 1822 starb, worauf es mit dem Geschlecht zu Ende eilte. Denn der hinterlassene noch unmündige, aber majorenn erklärte Sohn, Hennings VI., trat allerdings das Amt seiner Vorfahren an, starb aber schon 1830 unverehelicht, und mit ihm erlosch der hiesige Hauptzweig dieser Frohnenfamilie. — Unter den 12 Candidaten des nun erledigten Frohndienstes waren 6 praktische Scharfrichter aus Buxtehude, Lüneburg, Bremervörde, Altona, Lübeck und Bützow; 2 Scharfrichterssöhne, nämlich aus Bergedorf ein Hennings, Urenkel Hennings I., übrigens Schutzbürger und Arbeitsmann in Hamburg, und ein Schuster Stohff aus Oldesloe, der seines vormals weit und breit berühmten Scharfrichtergeschlechts nicht ohne Stolz gedachte und sich einen Abkömmling des 1684 entwichenen hiesigen Frohns Jacob Stoeff nannte, was ihn eben nicht empfahl; sodann 4 hiesige Bürger: 1 Lohndiener, 1 Barbierer, 1 gewesener Bader, nunmehriger Schenkwirth, und der Pferdeverleiher Raphael Georg Voigt, welcher den Dienst erhielt, worauf ihm, nach seinem i. J. 1852 erfolgten Tode, sein Sohn Georg Eduard Voigt gefolgt ist.

Es leuchtet ein, daß die Scharfrichterei einer großen, wegen prompter Strafrechtspflege berühmten Stadt wie Hamburg, wo man Seeräuber schockweise zu enthaupten pflegte, eine besonders lehrreiche Schule, eine Art Musteranstalt für lernbegierige Kunstjünger war, weshalb beständig einige auswärtige Scharfrichterssöhne unserm Frohn als Gesellen dienten, und die Magistrate kleinerer Städte sich häufig ihren Bedarf von hier verschrieben. Fanden die hansischen Pflanzstädte an der Ostsee ihre Rechtsbelehrungen zwar gewöhnlich an dem reinen Urborn zu Lübeck, so suchten sie doch mehrfach den geeigneten Mann zur Vollstreckung ihrer peinlichen Sprüche in Hamburg. Mit dem Meister, den unser Rath den Collegen zu Reval i. J. 1650 auf ihr Ansuchen zugewiesen hatten, waren dieselben so zufrieden gewesen, daß sie i. J. 1670, als er schleunigen Todes verfahren, abermals um Zusendung „eines seiner Charge capabeln Subjectes" ersuchten. Als dessen Ein-

kommen gaben sie an: 50 Thaler Salarium nebst Amtswohnung und Feuerung, 8 Tonnen Malz, 8 Tonnen Roggen, 4
Tonnen Hafer, 5 Thaler Heugeld, und alle 4 Jahre eine neue
complete Bekleidung vom Kopf bis zu den Füßen, nebst Schar-
lach=Mantel; ferner 1 Thaler für jeden Fall der Hinrichtung,
des Torquirens und Ausstreichens am Pranger; ferner in Be=
treff der Abbeckerei (salva venia) „vor ein groß Aas wegzu-
bringen ½ Thaler, vor ein klein Aas ¼ Thaler; vor Nacht=
arbeit (Cloakenreinigung) mit Karre und zwo Pferden, jedes=
mal 4 Thaler, 1 Stübchen spanischen Wein und genugsam
Hafer, welches was ehrliches einträgt." Endlich: „wenn die
Herrschaft ihn dazu animmt, kann er auch, wie sein Vorweser,
den Dienst auf dem Thumsthurm mit jährlich 30 Silberdalern
kriegen."*)

Etwas mehr als sein Amtsbruder zu Reval hatte damals
schon der hamburgische Frohn einzunehmen, nämlich (abgesehen
von den erheblichen Gebühren rücksichtlich aller peinlichen Ver=
richtungen) freie Wohnung, und zwar recht vornehm, in 2 Ge=
bäuden, Winters in der Frohnerei an dem Marktplatz, Berg
genannt, mitten in der Stadt, und zur Sommerlust mit Gar-
tenvergnügen: die Abbeckerei draußen am Galgenfelde; sodann
ein Salarium von 600 Mark aus der Gerichtscasse, ein reich=
liches Kostgeld für die seiner Obhut bereits überantworteten
Maleficanten, deren beständig eine nicht kleine Anzahl in der
Frohnerei die Leiden eines antecipirten Fegefeuers erduldete;
ferner 600 Mark aus der Kämmerei für Wegschaffung aller
Viehcadaver von den Gassen und aus den Canälen. Für
dieselbe Arbeit aus den Privathäusern 1 Thaler für's Stück.
Für jede „Nachtarbeit" nach Accord, was, wie in Reval „was
ehrliches eintrug," da damals noch lange keine Sielsysteme er=

*) Wenn vormals auch vielfach der Wärterdienst auf städtischen
Mauer= und Thorthürmen den Scharfrichtern zur Verwaltung durch
einen Knecht als Gehaltsverbesserung eingeräumt wurde, woraus sich
zum Theil die Unehrlichkeit der Thürmer erklärt, so erscheint diese
Association in Betreff der geweihten Kirchenthürme doch sehr räthselhaft.

funden waren; ferner den Ertrag einer ihm zuständigen Haus=
sammlung, Frohnspflicht genannt, welche aber von allen Be=
theiligten verwünscht wurde. Der Frohn klagte beständig über
groben Empfang, unwirsche Behandlung und vielfältige Zah=
lungsverweigerung, — andrerseits lamentirten die Bürger
unablässig über diesen alten Zopf; sie mochten überhaupt nicht
gern besammelt werden, aber am wenigstem vom Frohn, dessen
Betreten ihrer geweihten Schwelle die Hausehre beleidigte. In
Folge dieser Beschwerden und mehrfacher Reformwühlereien
schaffte denn der Rath i. J. 1732 die Frohnspflicht gänzlich
ab, und entschädigte den Mann durch eine jährliche Zahlung
von 500 Mark aus der Kammer. Ferner empfing der Frohn
für Beschaffung des unehrlichen Begräbnisses eines Selbst=
mörders (Verscharrung am Galgenfelde) eine gute Gebühr,
welche i. J. 1751 auf 10 Thaler bestimmt wurde. Für Un=
vermögende zahlte die Präturcasse, und zwar nach Senatsbe=
schluß von 1762 „auch für solche quocunque modo Selbstent=
leibte, welche per indulgentiam Senatus nicht durch den Frohn,
sondern in der Stille beerdigt werden,‟ welche ihm also gar
keine Mühe machten. — Die weitere Verwerthung der Ab=
deckerei endlich; welche sich zu einem förmlichen Lederhandel
gestaltete, war gar nicht zu berechnen. Der dagegen beim
Amtsantritt vom Frohn zu erlegende sogenannte Kaufpreis
seines Dienstes, 1—2000 Thaler, kann bei solchen in die
Tausende gehenden Jahreseinnahmen gar nicht in Betracht
kommen. — Uebrigens war der Frohn von allen sogenannten
bürgerlichen Lasten wie auch vom damaligen Kopfgelde befreit.

Wie mehrfach erwähnt, durfte der Frohn kein ehrliches
Menschenkind, insbesondere aber keinen Bürger, anrühren. Wir
haben gesehen, daß Meister Jacob Stoeff, als er einen Brauer
angetastet, d. h. (nach vielleicht lange geduldig ertragenen
Kränkungen) durchgeprügelt, Amt, Weib und Kind im Stiche
ließ, um nur den Folgen seiner Uebereilung zu entgehen. Da
man bekanntlich von zweien Uebeln stets das kleinere wählt,
so dürfen wir schließen, daß er die ihm drohende Bestrafung
für unendlich viel schmerzhafter als Cassation, Weibes= und

Kinderverluſt halten mußte, — ſo ſchwer rächte man alſo
damals des Ehrloſen unbeſonnene Selbſthülfe gegen ehrliche
Widerſacher. Noch i. J. 1770, als ein Henkersknecht einen
Musketier hieſiger Garniſon durch einen Schlag inſultirt hatte,
wurde der freche Thäter ſofort in Eiſen gelegt und nach ge=
ſchloſſener Unterſuchung der Stadt verwieſen. Aber auch zu=
fällige harmloſe Berührungen mußte der Carnifex meiden,
denn in „Frohnshänden‟ geweſen zu ſein, das war auch unter
den mildeſten Umſtänden allemal ein ſo großes Unglück für
den Berührten, daß es ſicherlich auch äußerſt ſchmerzhaft auf
den Berührer zurückgewirkt hätte. Und wenn etwa einmal
einer zärtlichen Mutter ehrliches Kind von der Zollenbrücke in's
Waſſer gefallen wäre, und ein hochherziger Scharfrichter wäre
nachgeſprungen und hätte es mit eigener Lebensgefahr gerettet
und heil und geſund der händeringenden Mutter dargebracht,
dann hätte er nur gleich dabei ſagen müſſen „den Dank, Dame,
begehr' ich nicht,‟ — denn bekommen hätte er zuverläſſig
keinen.

Hiermit ſcheinen nun zwei Thatſachen in Widerſpruch zu
ſtehen. Erſtens war nämlich nach den älteſten Stadtrechten
von 1270 u. f. des „Woltboten Haus‟ (die Frohnerei), ein Ge=
fängniß nicht nur für Verbrecher, ſondern auch für alle, die
ihre Geldſtrafen und Schulden nicht bezahlen konnten, ohne
daß die letzteren durch ſolche Cuſtodie entehrt erſchienen. In=
deſſen war damals dies Haus noch kein beſchimpfendes Ge=
fängniß, was es erſt wurde, nachdem der römiſche Carnifex in
dem vormals ehrlichen Woltboten zur Perfection gekommen
war. Allerdings iſt die Frohnerei auch ſpäter, und noch im
vorigen Jahrhunderte (laut Receß von 1529) ein Detentions=
lokal auch für nichtcriminelle, für bloß polizeiliche Uebelthäter
geblieben. Indeſſen iſt wohl zu merken, daß niemals Bürger
dieſer Gattung dahin geſetzt wurden, ſondern nur Vagabonden,
Tumultuanten aus der Hefe des Volks, bereits beſtraft ge=
weſene Frevler und andere Subjecte, mit welchen man wenig
Umſtände zu machen brauchte, z. B. aufrühreriſche fremde
Handwerksgeſellen. Dieſe wurden nun allerdings durch ſolche

haft nach Volksansicht unehrlich, und ein mildherziger Commentator des Statuts beklagt die nur Leichtsinnigen unter den Tumultuanten, die durch dies Verfahren zeitlebens ruinirt würden: „Denn, weil Keiner mit dem mehr arbeiten will, der nur einmal im Halseisen gestecket, wie wird gar ein in der Frohnerei Gesessener angesehen!" Die Bürger und Bürgerskinder unter den Tumultuanten wurden, laut Art. 65, P. IV. Stadtbuchs, zum ehrlichen Gefängniß im Winserbaum oder Brooksthurm abgeführt. Nach der Reorganisation unserer Justizpflege i. J. 1815, wurde übrigens diese Detentionsqualität der Frohnerei grundsätzlich aufgehoben. — Zweitens befand sich der hamburgische Frohn im Genusse der Kruggerechtigkeit in seiner Dienstwohnung. Man fragt mit Recht: wer in aller Welt mochte und durfte seine Erholungsstunden suchen bei Bier und Wein im Hause des Henkers, bedient von ihm und seinen verworfenen Leuten? Wer waren diese Gäste? Sicherlich niemals gute Bürger und ehrliche Gesellen! Es waren Menschen, deren guter Leumund längst schadhaft, deren Ehre bruchfällig geworden war und an unheilbaren Schäden dahin siechte; eine vollständige Schaar Geächteter, die ganze Bande aller derer, die bereits einmal in Frohnshänden gewesen, und dadurch zeitlebens unehrlich geworden waren; aller derer, die eben nur zufällig auf freien Füßen gingen, morgen aber vielleicht schon wieder eingesponnen waren; aller derer, die man als die Verstrickten in den Netzen wachsamer Polizei bezeichnen kann. Gleich und gleich gesellt sich so gern! Sie konnten hier ganz ungestört und unbeirrt von anzüglichen Sichelreden, im Kreise froher luger Zecher ihr Gläschen in Frieden genießen. Andrerseits aber liegt eben deshalb die Vermuthung nahe, daß die Concessionirung des Frohns als Krugwirths weniger in liebevoller Begünstigung seines Dienstes, als vielmehr in damaliger Polizeipolitik ihren Grund gehabt habe. Indem man nämlich dem verdächtigen Publicum in Form eines harmlosen Asyls einen Concentrationspunkt gab, erleichterte man sich ihre polizeiliche Ueberwachung ungemein, und konnte erforderlichen Falls in gefährlichen Zeiten die Hauptingredienzien der Grundsuppe der Gesellschaft beisammen finden. — Erst i. J. 1771 wurde diese Kruggerechtigkeit förmlich abgeschafft, nachdem sie freilich schon einige Jahre lang, bei veränderten Zeitverhältnissen, nicht mehr ausgeübt worden war.

Ob der hamburgische Frohn vormals im gewöhnlichen Leben eine ihn und sein unehrliches Geschäft schon von fern kenn= zeichnende Kleidung getragen? Kaiser Karls V. Reichspolizei= Ordnung v. J. 1530 (welche beiläufig bemerkt, in ganzen 7 Artikeln wider das gotteslästerliche Fluchen und Schwören der verschiedenen Stände eifert) schreibt freilich ausdrücklich im 21. Artikel vor: daß alle Züchtiger, Nachrichter und Abdecker eine absonderliche Kleidung tragen sollen, damit sie desto leichter erkannt und gemieden werden können, — wie dasselbe Gesetz auch für leichtfertige Weibsbilder wie für Juden unterscheidende Merkmale an ihrer Kleidung bestimmt. Wenn man nun einer= seits in Hamburg gewiß großen Respect vor allen Reichsge= setzen gehabt und deren Befolgung sich zweifelsohne hat ange= legen sein lassen, so kommen doch keine Spuren solcher obiosen Livrée der Frohnsleute in Hamburg vor. In den alten Kämmereirechnungen, welche genau die nach damaligem Brauch den verschiedenen Stadtbeamten und Subalternofficianten ge= lieferten Kleidungsstücke verzeichnen, vom Secretarius und Phy= sicus bis zum Nachtwächter, finden wir niemals den Scharf= richter und seine Gesellen. Und unzweifelhaft ist anzunehmen, daß jedenfalls schon im 17. Jahrhundert diese besondere Klei= dung, wenn sie überall gebräuchlich gewesen, bereits stillschwei= gend wieder abgelegt war, während noch um 1750 die Scharf= richter und Caviller im ganzen hallischen Saalkreise die durch königl. Edict v. 1734 vorgeschriebene graue Kleidung trugen, da jede andere Farbe (wie auch das Degentragen laut Patent v. 1718) ihnen bei Karrenstrafe verboten war. Selbst frag= lich erscheint es, ob der hamburgische Frohn jemals bei großen Staatsactionen den berüchtigten blutrothen Mantel als Amts= habit getragen, dessen sich der College zu Reval erfreute; denn erwähnt wird des Scharlachmantels niemals. Daß er dagegen einen Degen tragen durfte, erfahren wir aus einem Bericht

über die Händel eines Scharfrichters mit dem Militair = Com=
mando, bei Gelegenheit einer Execution. Einige Musketiere,
die ihn nicht von Person kannten (und da er keinen rothen
Mantel besaß, auch nicht zu kennen brauchten), wollten ihn
nicht durch den von ihnen gebildeten Kreis zum Köpfelberg
schreiten lassen, wo er doch eine nothwendige Person war; der
Frohn ergrimmte; besonnen genug, um seine Hände nicht un=
mittelbar zu gebrauchen, zog er gerade den Degen, als ein
Officier hinzutrat und den Streit beilegte, welcher die ehr=
liebende Soldateska bereits höchlich empört hatte. — Da er
also den Degen tragen durfte, so konnte er zufrieden sein und
des rothen Prunks gern entrathen. Der Amtsbruder aber,
der weder Degen noch Roth tragen durfte, trachtete darnach
mit sehnsüchtigem Verlangen. Als der 65jährige Scharfrichter
Nord zu Neustadt im hess. Odenwalde i. J. 1812 mit sicherem
Auge und festem Arm zwei Raubmörder enthauptet hatte, da
eilte seine betagte Frau, die mit eben so großer Theilnahme
als Weichherzigkeit dem Acte zugesehen, und nun ebenso viel
Entsetzen als Freude und Stolz über das gute Verhalten ihres
Mannes empfand, auf den Richter zu und sagte, nun dürfe
doch wohl ihr Mann rothe Hosen und einen Degen tragen!

Das Obengesagte gilt jedenfalls von den 2 letzten Jahr=
hunderten, in welchem Zeitraum der Frohn, wenigstens was
das Aeußere betrifft, durchgängig wie ein feiner Mann aus
den besseren Ständen erschien und sich demgemäß betrug, mit
höflichen Manieren und anspruchslosen Sitten. Ein auffälliger
Ernst der Gesichtszüge, den man an fast allen Scharfrichter=
meistern wahrzunehmen geglaubt hat, und das Zurückhaltende
in ihrem Wesen, erklärt sich genügend aus der isolirten und
geächteten Weltstellung, wie aus der absoluten Nothwendig=
keit, ohne körperlichen Anstoß durch das Gewühl der empfind=
lichen Mitmenschen zu wandeln.

Dasselbe Streben nach äußerer Cultur zeigte sich auch in
der Sprache und Redeweise des Frohns, ausweise vieler vor=
liegender Berichte, welche zwar nicht allemal vollkommen cor=
rect geschrieben sind, aber doch das entschiedene Trachten nach

Bildung verrathen und sorgsam gewählte Ausbrücke in Menge
enthalten. Die Wirkungen der Tortur z. B. bespricht ein
Scharfrichter etwa wie ein akademischer Docent der Osteologie.
Besonders trat diese Politur hervor in der eigenthümlichen
Terminologie der scharfrichterlichen Functionen, aus welcher
alle abschreckenden Ausbrücke entfernt und durch wohllautendere
ersetzt waren. Den Staupbesen geben hieß in der Kunstsprache
ganz unverdächtig „fegen," und wer diese Leistung gut verstand,
der „fegte reinlich." Ein geschickter Meister mußte außerdem
folgende Dinge können: „zierlich zeichnen," d. h. brandmarken;
„vernünftig die Glieder versetzen," d. h. torquiren, auf der
Streckbank u. s. w.; „einen feinen Knoten schlagen," d. h.
henken; „rasch absetzen," d. h. köpfen; „artlich mit dem Rade
spielen," d. h. rädern; „nett tranchiren," d. h. viertheilen;
„einem eine Hitze abjagen," d. h. verbrennen.

Einen tieferen Sinn hatte des Scharfrichters Höflichkeit
gegen den armen Sünder auf dem Blutgerüste. Bevor er das
Schwert schwang oder den Knoten schürzte, trat er zu ihm,
und bat ihn um Verzeihung wegen dessen, was Leides er ihm
nun zufügen müsse. Mit dem mehr oder weniger ähnlich
lautenden Wunsche: „kurze Noth, sanften Tod, Gnade bei Gott,"
ging er dann an sein Amt. —

Nachdem wir so manches Günstige vom Scharfrichter vernommen haben, gebietet die Wahrheitsliebe, auch eine schlimme
Eigenschaft desselben nicht zu verschweigen. Es ist dies die
allen hamburgischen Frohnen wiederholt vorgeworfene über-
große Habsucht und Geldgier, diese Passion für's Reichwerden,
und dieselbe Klage über unleibliche Sportelmacherei und Ueber-
vortheilung des Publicums wird aller Orten gegen die Genossen dieses Standes erhoben. Wenn man nun aber, um
billig zu sein, erwägt, in welcher feindlichen Stellung sie sich
ihren Mitmenschen gegenüber befanden, wie diese es gewesen,
die sie von sich ausgezählt, in Acht und Bann gethan, — so
darf man ihnen einige Shylock'sche Empfindungs- und Handlungsweise wohl zu Gute halten. Hennings IV. äußert sich
in dieser Hinsicht Anno 1772 in einer unterthänigen Eingabe

an den Prätor, welcher die Taxen auf die alte gesetzliche, indessen bei veränderten Zeiten etwas gering geworbene Norm
zurückgeführt hatte, folgendermaaßen: „Ew. Hochweisheit möge
doch bedenken, daß eine von Nahrungssorgen freie Subsistenz
das Allereinzige ist, was ein Scharfrichter von seinem aller
Freude baarem Leben haben kann; daß ferner ein kleiner Sparpfennig besgleichen das Einzige ist, was er seinen Kindern zu
hinterlassen vermag, da bekanntlich der Segen eines ehrlichen
Vaternamens denselben versagt ist. Ew. Hochweisheit möge
dahero geruhen, die schlimme Condition meines traurigen
Standes, welcher ja durch das Vorurtheil des Publicums verachtet genug ist, nicht noch unglückseliger zu machen durch
hinzukommende Armuth.“ — Fürwahr, recht nachdenkliche Worte,
welche nebenbei bemerkt, von des Frohns eigener sehr sauberer
Hand geschrieben, zugleich ein Zeugniß über des Mannes Bildungsstufe abgeben können. Dieses Trachten nach Geld und
Gut, nach einem soliden Sparpfennig, es hatte hier seinen sehr
raisonnabeln Grund. Es war ja das gedenkbar einzige Mittel,
um mit der Zeit einmal völlig aus diesem verachteten ver-
henkerten Dasein herauszukommen, vielleicht im Auslande
incognito ein stilles geachtetes Leben zu führen, und endlich
begraben zu werden mit allen Ehren eines ehrlichen Mannes.
Mindestens aber, wenn dies löbliche Ziel dem Vater unerreich-
bar blieb, wurde sein errafftes Vermögen für seine Kinder die
Brücke, welche ihnen den Uebergang in ehrliche bürgerliche
Stände vermittelte. Freilich mag dieses an sich gute und
vollkommen berechtigte Ziel wohl nur sehr selten durch den
ersehnten Erfolg gekrönt gewesen sein. Denn es ruhte auf
den in mehr als einer Hinsicht „peinlichen“ Einkünften der
Scharfrichter kein Segen, und namentlich den hamburger
Frohnen wurde es trotz der guten Dotation ihres Dienstes und
trotz all ihrer finanziellen Kunst- und Uebergriffe doch sehr
sauer, sich ein kleines Vermögen zu erbeuten. Der fressende
Krebs ihrer Haushaltung war ihr Gesinde. Alle unsere Frohne
klagen bitterlich über ihre Knechte, die wir oben als den Auswurf der menschlichen Gesellschaft bezeichneten, Kerls, die ihrer

unehrlichen Geburt einen verbrecherischen Lebenslauf beigesellt hatten, roheste, brutalste Gesellen, die sich darin gefielen, ihren Meister zu betrügen und zu bestehlen, und, sobald er Miene machte sie zur Rechenschaft zu ziehen, auf und davon gingen. Ihnen war's gleichgültig, wo sie hausten, kein Band fesselte sie. Sie bekamen sehr hohen Lohn, und für jedes außergewöhnliche Werk Extrabezahlung. Gab der Meister ihren unverschämten Forderungen nicht nach, so desertirten sie und ließen ihn in tausend Verlegenheiten im Stich. Vier bis sechs Mägde, die er halten mußte, waren würdige Seitenstücke jener Galgenstricke, wahre Kehr-, Schatten- und Nachtseiten des edeln, schönen Geschlechts, die ebenfalls alle ersinnlichen Unterschleife und Veruntreuungen trieben.

Daneben war ein altes Herkommen bei den Scharfrichtern äußerst kostspielig. Sie waren unter einander zur liberalsten Gastfreiheit verbunden. Eiserne Nothwendigkeit hatte diesen Reciprocitätsvertrag vermittelt, da sonst kein reisendes Mitglied der Henkerssippen anderswo als in Diebeshöhlen und Bettlerspelunken Herberge gefunden hätte. „Mich oder meine Leute nimmt ja Niemand auch nur für eine Nacht auf", klagte Hennings V., als er, zu einer nächtlichen Galgenreparatur befehligt, um Offenhaltung des Lübeckerthors bat, damit er in dem (damals dort belegenen) Abdeckerhause Unterkunft finde. So war's denn nicht minder Brauch, daß auch alle Scharfrichtersöhne mit ihren Pferden (und sie reisten nie anders als beritten) jederzeit Aufnahme, Kost und Logis in hiesiger Frohnerei erhielten, so lange sie bleiben mochten. Es kamen ihrer aber („inmaßen in Hamburg gar manches vor einen vom Metier zu lernen ist") immer sehr viele hieher. Reisende Knechte mußte der Frohn drei Tage umsonst beherbergen und beköstigen, und sie dann mit einem Zehrpfennig weiter ziehen lassen. Das waren sogenannte Ehrenausgaben eines ehrlosen Mannes. Hennings I. hinterließ, wie erwähnt, etwa 50,000 Mark, zum Theil in Grundstücken angelegt. Er hatte aber auch mit seiner zweiten Heirath „einige Mittel bezweckt", und daneben das Glück gehabt, außer der hiesigen Bedienung auch noch die Scharfrichtereien zu Bergedorf und in mehreren holſteiniſchen Aemtern zu erhalten. Wie ein mittelalterlicher Feudalherr theilte er noch bei Lebzeiten dieſe ländlichen Lehne unter ſeine qualificirten Söhne aus, welche dort blieben und neue Linien der Dynaſtie bildeten, während er in Hamburg ſaß mit ſeinem Alterego aus der Zahl ſeiner Nepoten.

Daß der hamburgiſche Frohn auch geiſtliche Functionen übte, und als ein treuer pater familias die Hausandacht ſeiner Gefangenen leitete, mag uralten Brauches geweſen ſein. In Betreff der von ihm Beſeelſorgten kann dies nicht auffallen, die waren ja bereits in Frohnshänden, woſelbſt ihre Ehrlichkeit keinen Pfifferling Werth mehr hatte, und mußten vorlieb nehmen mit dieſen Broſamen geiſtlicher Speiſe. Er mußte Morgens und Abends mit ihnen ſingen und beten! Daneben freilich waren ordinirte Paſtoren und Candidaten als Frohnerei=Geiſtliche und Katecheten angeſtellt, welche Sonntags und Donnerstags im Betſaal des Hauſes Gottesdienſt und Kinderlehre hielten. Freilich pflegte der Frohn die Exercitien dieſer ſeiner Concurrenten zu beſpötteln, und verrieth dem Gerichtsherrn gern, daß dieſelben ihre Betſtunden oft verſäumten, und bei den Gefangenen ſehr unbeliebt wären, weil ſie allemal die längſten Bußgeſänge ſingen ließen, die es gebe, und niemals ihnen das ſehr gedehnte Bußgebet ſchenkten, welches den Kerls gar nicht mundete; ihre Rede ſelbſt dauere höchſtens ¼ Stunde. Dagegen gaben ſich manche Paſtoren unendlich viele Mühe mit dieſen verwahrloſten Leuten, theilten Geſangbücher und Katechismen aus, ſorgten auch dafür, daß ein Vorſänger in der Perſon eines unſchuldigen Waiſen=knaben angeſtellt wurde, um dem Gottesdienſte doch einige Feierlichkeit zu geben.

Vormals mußte jährlich am Thomastage (21. December) nach Verleſung der Burſprake am Rathhauſe, der Frohn vor verſammelten Rath treten. Der worthaltende Bürgermeiſter richtete dann einige Gewiſſensfragen an ihn, puncto pflichtgetreuer Verwaltung ſeines Dienſtes. Eine derſelben lautete: „Frohn, ſingeſt und beteſt du auch Morgens und Abends mit deinen Gefangenen?“ Das Examen ſchloß dann mit dieſer ernſten Anſprache: „Frohn, E. H. Rath ermahnt dich, daß du im bevor=

stehenden hohen Weihnachtsfeste dich mit deinem Hause fleißig
zur Kirche und zu Gottes Wort haltest, überhaupt aber, daß du
mäßig und nüchtern lebest, deine Gefangenen in guter Aufsicht
habest, sie gut haltest, auch andächtig mit ihnen singest und
betest." Diesen Act fand der Rath um 1740 „nach itzigen
Umbständen ganz ohnnütz und schier ohnanständig", und schaffte
ihn ab; — übrigens gelobte jeder Frohn in seinem Amtseid:
daß er mit den Gefangenen der Frohnerei, sowie mit Allen, die
durch ihn gerichtet werden sollten, „nicht tyrannisch" umgehen wolle.

Eine fernere, ersichtlich von dem alten Cloacariat des Ab=
deckers herrührende Verrichtung des hamburgischen Frohns, war
gassenpolizeilicher Natur. Er mußte nämlich durch seine Leute
zur Winterszeit, wenn Schnee und Eis massenhaft das Pflaster
bedeckte, an jeder Straßenecke dreimal laut und deutlich ausrufen
lassen: „Haar van de Straaten, edder myne Herren wardt
ju panden laten", womit die Einwohner gewahrschauet wur=
den, ihrer Reinigungspflicht alsobald nachzukommen, wenn sie
nicht unnachsichtig in Strafe genommen werden wollten. „Haar",
auch Haer und Har geschrieben, heißt nämlich (nach Richey u. a.
Sprachforschern) soviel wie Unrath, wonach also vermuthlich
unsere reinliche Nachbarstadt Harburg die Bedeutung ihres Na=
mens herzuleiten hat, und sich darüber nicht erbozen kann, da
sie auch in dieser Hinsicht sich völlig gleichstellen kann mit der
alten Lutetia, heut zu Tage Paris genannt. Es mag bei dieser
Gelegenheit daran erinnert werden, daß des sommerlichen soge=
nannten Heer- oder Höhenrauchs andere Benennung Haarrauch
zweifelsohne denselben Ursprung hat, wie denn in der Seemanns=
sprache „smuttig" oder schmutzig soviel wie nebelig ist. — Das
„Haar van de Straaten" erscholl noch in den ersten zehn Jahren
dieses Säculums, und hat, nach Aussage älterer Leute, stets
willigere Befolgung gefunden, als die späteren Polizeigebote. An
die sommerliche Verpflichtung unserer Vorfahren, in der heißesten
Zeit (den sogenannten Hundstagen) die Gassen fleißig besprengen
zu lassen, wurde nicht durch die Frohnsleute, sondern durch die
Diener der Bürgermeister und in deren Namen erinnert.

Das dem Frohn als Abdecker ferner obliegende sogenannte

Hundeschlagen kommt auch in andern deutschen Städten vor: Es war dies die Aufsicht auf herrenlose Hunde, welche, er namentlich zur Sommerszeit in Form einer Treibjagd auszuüben befugt war, zunächst im Interesse der öffentlichen Sicherheit, zur Verhütung der Hundswuth. Daraus, daß dann manche Herren ihre eingefangenen Hunde gern wieder einlöseten, wurde dies Geschäft ganz einträglich für den Frohn, weshalb er es cultivirte und Blechzeichen à 6 Schillinge ausgab, welche so viel wie ein Passe-partout für die damit behangenen Köter galten. Dies stellte sich Anno 1728 an's Licht, als die Beschwerde vieler Bürger, „daß der Frohn sich unterstehe wider allen Gebrauch alle Tage in der Woche Hunde zu schlagen", durch die Oberalten dem Senate mitgetheilt wurde. Hierauf wurde zur Beruhigung der Gemüther jene Hundejagd nur an den drei Sitzungstagen des Raths, Mondtags, Mittewochs und Freitags (weshalb gerade an diesen, ist räthselhaft geblieben) stattfinden solle. — Während man in Norddeutschland allgemein die Sommermonate hierfür bestimmt hatte, soll in vielen süddeutschen Städten das Hundeschlagen zu derjenigen Jahreszeit stattgefunden haben, „da vormahlen die bacchanalia, nunmehro aber die Fastel-Abende gefeiert werden." So erzählt Johann Peter Schmidt, Dr. und Professor der Rechte zu Rostock, in seinem Anno 1742 geschrienen Werke „Geschichtsmäßige Untersuchung der Fastelabends-Gebräuche in Mecklenburg, darinnen die Kreuzkringel und Heetwecken, Schweinsschinken und Mettwürste, dann auch das Fastnachts-Gesöffe, die Verkleidungen, das Schreien, Spielen, Tanzen 2c. erläutert wird 2c." Der Autor, welcher in diesem Buche eine wahrhaft monströse Gelehrsamkeit und die fabelhaftesten Detailkenntnisse entwickelt, leitet den Gebrauch des Hundeschlagens zur Fastenzeit von den römischen Luperkalien her, „bei welchen schändlichen Festen die Luperci und andere junge Bursche die ihnen aufstoßenden Frauen und Jungfern mit Riemen von Bocksleder peitschten, und sodann durch Opferung eines Hundes ihr Fest, zum Andenken an die Romulus und Remus genährt habende Wölfin, beschlossen." Zu gelehrt, um das Hundetödten im Sommer einfach aus der alsdann häufigen Hundswuth zu

erklären, datirt er diesen Brauch von dem im August einfallen=
den Feste der Diana, „bei welchem die Hunde vielfach herhalten
mußten." Nachdem der Autor dann noch eine Menge interessan=
ter Notizen über geschichtlich denkwürdige Hunde beibringt, kriti=
sirt er einige mit dem Hundenamen zusammenhängende Schimpf=
wörter, citirt dann die gelahrten Abhandlungen über die Bedeut=
samkeit des nächtlichen Hundeheulens, sowie über die thierfreund=
liche Frage: ob es recht sei, den Hunden die Ohren abzuschnei=
den, und schließt endlich diesen Paragraphen mit dem artigen
Distichon auf den seligen Professor Hund in Wittenberg, welcher
als Decanus „von grauen Haaren" disputirte:

> „Es canis, atque canis. de canis cane Decane,
> Quin cane de canis cane Decane canis."

Aber wir fallen selbst in die Schmidt'schen Anfechtungen, vom
Thema abzuirren, und kehren rasch zum hamburgischen Frohn
zurück.

Von seinen eigentlichen Dienstpflichten gehörten einige un=
leugbar dem altdeutschen ehrlichen Frohnbotenamte an, aus
welchem sein nachmals so verrufener Dienst entstanden war. Die
feierliche Versammlung der Bürgergemeine zum Echtding oder
zur Anhörung der Bursprake hatte er einzuläuten, bis die Func=
tion an die Küster des Doms und der Nicolaikirche überging.
Bei Hegung des (erst Anno 1784 abgeschafften) Gassenrechts
über ermordet gefundene Personen, war ihm eine bedeutende
Rolle zugetheilt; mit gezogenem Schwerte erhub er zu dreien
Malen sein officielles Zetergeschrei über diesen frevelichen Mord,
und eschete den unbekannten Mörder in die vier Winde. Bei
Hegung des ordentlichen Civilgerichts war freilich im Laufe der
Zeiten seine Mitwirkung bis auf ein Minimum zusammen=
geschmolzen: er mußte nämlich an ten Audienztagen das Nieder=
gericht öffnen, lüften und fegen, und letzlich schließen. Er voll=
führte die Oeffnung wie andere Menschen dergleichen thun,
dann aber nahm er, nicht wie diese, seinen Rückweg durch die
Thüre, sondern er sprang zum Fenster hinaus auf die Gasse,
was zum Glück ungefährlich war, da das Local zur ebenen Erde
lag. Sodann beschloß er diese Function, indem er laut ausrief:

„Well klagen will, de klage fast." In dieser Obliegenheit (welche
der Frohn übrigens zuletzt immer durch einen seiner Knechte
ausüben ließ) hatte derselbe um 1799 oftmals Händel mit der
benachbarten Rathhauswache, welche es durchsetzte, daß er das
Gericht alle Morgen und zwar $\frac{1}{2}$ Stunde früher als nöthig,
öffnen mußte. Es kam nun zur Sprache, daß die damals von
der Garnison besetzte Wache zu jener Stunde abgelöst wurde,
worauf die entlassenen Soldaten ihre Röcke und Schuhe im
Audienzsaale des Gerichts zu reinigen beliebten, um dann ohne
Aufenthalt wohladjustirt zur Parade zu eilen. Die Procuratoren,
deren ernsthafte Amtsmäntel in demselben Saale hingen, kamen
durch die massenhafte Staubablagerung zuerst hinter diese Pro-
fanation des Justiztempels, und schlugen so wirksam Lärm, daß
Wandel geschafft wurde.

Die Hegung „hochnothpeinlicher Halsgerichte" (welche Be-
zeichnung ebenso vielsagend ist wie pechkohlrabenschwarz) war in
Hamburg (mindestens in den letzten Jahrhunderten) nicht gebräuchlich, und ein Drama, wie es Herr von Dreyhaupt in seinem
Saalkreise so imposant beschreibt, auf offnem Markte vor dem
Rolandsbilde zu Halle gehalten am 5. Mai 1747 vom Schultheißen, Schöppen und Rathsdeputirten cum Secretario Joh.
Frauendienst über Anna Böserin, die Kindesmörderin, mit dem
Frohn Fritze sonder Zetergeschrei und dem Blutschreier Schneider, — dergleichen interessante Acte kannte man zu Hamburg
nicht, mithin auch nicht die Ceremonie des Stabbrechens.

Als ein Nachhall dieser altdeutschen Blutgerichte unter
Gottes freiem Himmel, erscheint der in Hamburg gebräuchlich
gewesene feierliche Act der Urtheilspublication höchster Instanz,
vor versammeltem Rathe in öffentlicher Audienz, gehalten in der
großen Rathhaushalle, in deren Decke eine Oeffnung war, durch
welche mittelst einer dann aufgesperrten Dachluke des lichten
Tages Sonne und Luft hereinströmte. Daselbst saßen Bürgermeister und Rathmannen unbedeckten Hauptes, „und wenn Dominus Protonotarius das Bluturtheil verlas, so satzten sie ihre
Hüte auf." Nach anderer neuerer Version nahm der präsidirende
Bürgermeister beim Beginn der Urtheilsverlesung seinen Hut ab,

und legte denselben vor sich auf den Tisch, während alle übrigen Senatsglieder bedeckten Hauptes blieben.

Diese Acte fanden hierorts regelmäßig an Freitagen statt, worauf am folgenden Monbtag die Execution vor sich ging, welche man anderswo am Freitag, oder auch an dem alten Gerichtstag, dem Dingstag, vorzunehmen pflegte. Dem Scharf=richter war bei diesem Drama, als letzte Spur seiner vormals viel bedeutsameren Stellung zu peinlichen Urtheilsfindungen, eine kleine Rolle zugetheilt: ihm wurde der zur Todes= (oder ent=ehrenden Gefängniß=) Strafe verurtheilte Missethäter übergeben, und er übernahm ihn mit bezeichnenden Redensarten. War der zum Tode Bestimmte ein hamburger Bürger, so erschien er auch zu Beginn dieses Actes noch als ein solcher, bekleidet (zum letzten Male) mit seinem Ehrengewande, dem schwarzen Bürgermantel und ohne Fesseln. Nach Verlesung des Urtheils aber, sobald das strenge „von Rechteswegen" verhallt war, nahm der Bruch=vogt dem Verurtheilten den Mantel von den Schultern, womit sein Bürgerrecht cassirt war. Jetzt trat der Frohn hinzu, und legte bedeutsam seine Hand auf den Arm des ihm Verfallenen. Unter den halblaut gemurmelten Worten „das Urtheil ist ge=sprochen, der Stab der ist gebrochen, die Unthat wird gerochen", ergriff er ihn und band ihm die Hände zusammen, wobei er laut ausrief „gebunden ist der Gefangene!" Dann übergab er den Gefesselten seinen hinter ihm wartenden Knechten zur Abführung, wozu er schließlich sprach: „Damit, daß der Gefangene erfahre, was das heiße, so ihm von E. H. Rathe zuerkannt ist, so will ich ihn am nächsten Monbtage hinausführen, und will ihn mit dem Schwerte (Strange) vom Leben zum Tode bringen, damit daß meiner Herren Recht gestärket werde und nimmer geschwächet!"

War der Missethäter kein Bürger, so fiel natürlich die des gewaltigsten Eindrucks niemals verfehlende Ceremonie der Mantel=abnahme weg, welche dagegen allemal eintrat, wenn ein Bürger zu entehrender Gefängnißstrafe verurtheilt wurde.

Uebrigens hatte in dieser Hinsicht fast jede alte freie Stadt ihre eigenthümlichen localgefärbten Gerichtsbräuche. Zu Köln wurde das Halsgericht auf dem Platze am Dom gehegt. Wenn

dann das Stäblein gebrochen und der arme Sünder dem Nach=
richter überantwortet war, dann legte dieser ihm seine Hand auf
die rechte Schulter, mit welcher Berührung er „verfehmt“, d. h.
ihm verfallen war. Sodann führte er ihn zu dem sogenannten
blauen Stein, welcher zur Seite der vormaligen Hofpfarrkirche
St. Johann eingemauert war. Hier stieß er dreimal den Ver=
urtheilten mit dem Rücken gegen den gedachten Stein und sprach
dazu eine Formel in kölnischer Volkssprache, welche etwa besagt:

„Wir stoßen dich an den blauen Stein, —

Du kommst deinem Vater und Mutter nicht mehr heim!“
worauf ihn die Stadtknechte auf den Armensünderkarren setzten
und sofort zum Richtplatz mit ihm von dannen zogen. So
erzählt Ernst Weyden in seinem kürzlich erschienenen Buche
„Köln am Rhein vor 50 Jahren“, S. 205.

Die Tage vom Freitag bis Montag dienten dem armen
Sünder, unter dem Beistande zweier Geistlicher, zur Vorbereitung
auf sein nahes Ende, wobei als leibliche Tröstung die sogenannten
Henkersmahlzeiten galten, deren Speisezettel er selbst bestimmen
durfte. — In diesen Tagen hatte der Frohn wenig Ruhe;
neben den vielen Zurüstungen zur Hinrichtung, hatte er auch
sein Gemüth zu waffnen, und genug zu thun, die innere Unruhe,
die ihn in solchen Tagen zu packen pflegte, kräftig zu unter=
drücken. Das waren die schwarzen Stunden der Entmuthigung,
der körperlichen wie geistigen Kraftlosigkeit, gegen welche dann
die Scharfrichter der Vorzeit das obenerwähnte Geheimmittel
einzunehmen pflegten, welches sie stärkte, daß sie Blut sehen und
Blut vergießen konnten.

In alten Zeiten mag bei jeder Hinrichtung die Gegenwart
einiger Rathsherren als Repräsentanten der höchsten Justizgewalt
gebräuchlich gewesen sein. Wir sahen oben, daß jener Mas=
senenthauptung der Stortebeker'schen Piraten, der Sage nach,
gesammter Senat beigewohnt haben soll. Vielleicht veranlaßte
Hochdenselben die damals gemachte unangenehme Erfahrung, sich
fortan von solchen Acten zurückzuziehen, um sich ähnlichen Effron=
terien nicht auszusetzen. Genug, in neueren Zeiten waren ober=

richterliche Perſonen weder bei dem letzten Gange des armen Sün=
ders, noch auf dem Hinrichtungsplatze ſelbſt gegenwärtig.

Bei allen Hinrichtungen in Hamburg mußten die mit dem
Degen bewaffneten Bruchvögte und bürgermeiſterlichen Haus=
diener, (welche letztere als Beamte der vormaligen proconſulariſchen
Dielenjuſtiz ebenfalls einen gerichtlichen Character hatten), den
Scharfrichter vor der Frohnerei erwarten, woſelbſt die traurige
Proceſſion ihren Anfang nahm, denſelben auch ſpäter bis dahin
wieder zurück begleiten. Die vornehmeren Leibgardiſten des Se=
nats, die Reitenden Diener aber, in dieſem Falle hoch zu Roß,
brauchten den Zug erſt an Petri=Kirchhof zu erwarten und ſich
dort anzuſchließen, wie ſie denn auch nur bis dahin den Rückzug
mitmachten. Sie waren zu dieſem Dienſte commandirt, ſeit im
Jahre 1453 ein zur Execution gehender Delinquent, von Brauer=
knechten aus des Frohns Händen gewaltſam befreit worden war.
Es war alſo dieſe Begleitung bewaffneter Gerichtsdiener und
Rathstrabanten nur zum ſpeciellen Schutz der Juſtiz, des Frohns,
ſowie des Delinquenten gegen etwanige Pöbelangriffe angeordnet,
der Frohn aber pflegte ſie ſtets als ſeine ihm gebührende Ehren=
Escorte zu betrachten, und ſich, heimgekehrt, allemal ſehr freund=
lich wegen derſelben zu bedanken, was die ſtolzen Salvagardiſten
immer ungemein verdroß. Vielfach baten ſie um Enthebung von
dieſer ihrem Gefühl widerſtrebenden Dienſtleiſtung, fanden aber
niemals Erhörung. Das den Zug deckende und den Richtplatz
einſchließende Militair=Commando beſtand (um 1780) aus 1
Major, 2 Hauptleuten, 3 Ober= und 5 Unter=Lieutenants, nebſt
dem Adjutanten, ferner aus 30 Unterofficiers, 7 Tambours und
380 Mann Infanterie; außerdem noch aus 25 Dragonern unter
1 Officier und 2 Unterofficieren. Von dem Labetrunk, der dem
armen Sünder auf ſeinem letzten Gange vor dem alten Begui=
nen=Convent in der Steinſtraße zu Theil wurde, iſt oben im
achten Capitel (betreffend die Gerichts= und Polizeidiener) die
Rede geweſen.

Wenn nun dieſe Proceſſion die Thorwachen paſſirte, ſo
trat die Mannſchaft unter's Gewehr; dabei war es nun Her=
kommens, daß ſie in dem Momente, wenn der Frohn mit dem

armen Sünder, umringt von den Haus= und Reitenden Dienern, die Wache passirte, mittelst präciser Präsentirung des Gewehrs salutirte. Als nun im Jahre 1772 der älteste Major, Herr Peter Christian Friedrich von Loh, als Interims = Commandant die Garnison befehligte, da ließ er seine Gedanken über dies nach seiner Ansicht ganz unschickliche Verfahren ergehen. Er dachte hin, er dachte her, er konnte keinen Grund finden für das Statthaben der ehrenvollsten militairischen Begrüßung, die sonst nur den höchsten Spitzen vom Militair und Civil, sowie dem Symbol der Kriegerehre, der Fahne, dargebracht wurde. Auf vertrauliche Erkundigung erfuhr er nun gar wunderliche Vorstellungen, welche sich die zunächst Begrüßten, sowie andere Kenner der Etikette davon gemacht hatten. Einige warmherzige Volksmänner vindicirten ohne Umstände diese Ehrenbezeugung dem armen Sünder, welcher ja entschieden die Hauptperson bei der ganzen Tragödie sei. Sie hatten für ihre Ansicht auch den hiesigen Gebrauch, daß bei allen die Thore passirenden Leichen= zügen, die Wache in's Gewehr treten mußte (freilich ohne zu präsentiren), und meinten, der arme Sünder sei ja bereits so gut wie Leiche. Doch hielt diese Annahme nicht Stich, denn bei Rückkehr der Procession, bei der er dann fehlte, wurde vor der Gruppe des von Reitenden Dienern umringten Frohns eben= falls das Gewehr präsentirt. Dagegen nahm Meister Frohn die Ehre für sich ebenso unbedenklich in Anspruch, wie er ja auch die Escorte der Dienerschaft sich zueignete; er begründete diese Distinction nicht übel damit, daß, weil kein Mitglied des Senats oder des Obergerichts gegenwärtig, er es sei, der die höchste Justiz repräsentire, weshalb er auch Nachrichter heiße. — Die Reitenden Diener endlich waren dazumal einer höflichen Behand= lung von Jedermann gewohnt. Wer ihrer Hochzeitbitter=Dienste begehrte, that das ohnehin in einer von Freundlichkeit überspru= delnden Stimmung. Wer sie als Leichenbitter und =Bestatter gebrauchte, der konnte Denjenigen, welche seinem Angehörigen die letzte Ehre erwies, doch unmöglich anders, als mit rücksichts= voller Feierlichkeit begegnen. Und wer augenblicklich nichts mit ihnen zu thun hatte, der konnte doch täglich in letzteren fatalen

Fall kommen. Drum lag in seiner Artigkeit gegen obige Beamte der unbewußte Wunsch, sich ihnen bestens dahin zu recommandiren, daß sie ihn recht lange ungeschoren lassen möchten. Wie ähnlich umgekehrt junge Frauenzimmer, die gern aber selten Briefe empfangen, die Postboten mit Auszeichnung zu grüßen pflegen, um sie zu fleißigerem Einsprechen mit netten Briefen zu bewegen. Reitende Diener also, durch eine überall genossene höfliche Behandlung verwöhnt, und obendrein als Raths-Nobelgarde einen höheren Officiers-Rang beanspruchend, fanden es ganz natürlich völlig außer Zweifel, daß die Gewehrpräsentirung ihnen gelte. Herr von Loh, der dies Sachverhältniß noch immer „nicht klein kriegen" konnte, vermuthete richtig, daß das Salutiren den vormals etwa im Zuge befindlichen Rathsherren gegolten habe, und schlendriansmäßig beibehalten sei, als sie sich längst davon zurückgezogen hatten. Da er nun auch den (damals noch mitziehenden) Herren Pastoren höchstens eine Begrüßung durch den Schildergast vor der Wache zuerkannte, so verbot er kurz und gut die fernere Gewehrpräsentirung durch die Wachtmannschaft. Als demgemäß bei der nächsten Execution im Januar 1772 diese Ehrenbezeugung unterblieb, stutzten die Reitenden Diener sehr, schrieben es aber einem zufälligeren Vergessen zu. Als aber die Unterlassungssünde sich wiederholte, da klagten sie. Senatus ließ den Punkt, wem eigentlich die Ehre gebühre, unerörtert, achtete aber das alte Herkommen hoch genug, um den Befehl ergehen zu lassen: daß bei solchen Gelegenheiten jedesmal, wie es sonst gewöhnlich gewesen, von den Wachen im Thore das Gewehr präsentirt werde. — Erst volle acht Jahre später durfte der nunmehrige Oberst von Loh, als er wieder einmal als Interims-Commandant fungirte, es wagen, in einem umständlichen Memorial diese Sache nochmals zur Sprache zu bringen. In demselben legte er seine „ohnvorgreiflichen Gedanken über diese sehr exorbitante Maaßregel" dar, zeigte, wie bei dem ganzen Zuge keine einzige, weder rathsherrliche, noch gerichtliche, noch militairische Person sei, der solch' hohe Ehrenbezeugung gebühre, daß es vielmehr gegen alle wahre Soldatenehre sei, dieselbe, so wie bisher geschehen, stattfinden zu lassen. — Das half, dieser Zopf wurde abgeschnitten, und den Wachen die Ordre beigelegt: in solchen Fällen allerdings unter's Gewehr zu treten, die militairischen Honneurs aber fortan gänzlich zu unterlassen.

Mit dem Detail der Torturverrichtungen des Frohns brauchen wir uns nicht zu beschäftigen, weshalb wir die fünf Grade der Folter, welche ein vernünftig Gemarterter ohne bleibenden Gesundheitsschaden bestehen konnte, übergehen dürfen. Hierüber zu wachen, hielt das wohllöbliche Gericht für seine heilige Pflicht. Und glaubte dasselbe auch seine Mitglieder von der Gegenwart bei Hinrichtungen dispensiren zu dürfen, so fehlten doch bei der scharfen Frage im Marterkeller der Frohnerei die beiden Gerichtsherren oder Prätoren niemals, während der Actuarius in criminalibus inquirirte und protocollirte. Ja, auch die übrigen Mitglieder, die aus der Bürgerschaft zum Gericht deputirten Bürger, mit ihren beiden Rechtsgelehrten an der Spitze, verlangten vielfach, bei diesen so äußerst peinlichen Acten gegenwärtig zu sein, was der Rath zwar gestattete, indeß ohne ihnen ein Recht dazu einzuräumen. Noch 1787 wurden hierüber Verhandlungen gepflogen. Wär's nur erlaubt gewesen, gewiß hätten noch manche Andere gern einmal das Torquiren mit angesehen, denn die Schaulust ist groß. Aber dergleichen frevelhafte Neugier wurde nicht gestattet. Selbst das Besehen der Folterwerkzeuge scheint dem wißbegierigen Publicum Vergnügen gemacht zu haben, und der Frohn, der eine erkleckliche Entrée- und Erklärungsgebühr dafür berechnete, befriedigte solche Wünsche gern, bis der Rath es erfuhr und verbot (1787). Acht Tage darauf ersuchte ein hiesiger Advocat um ausnahmsweise Gestattung solcher Besichtigung abseiten distinguirter Personen, — und da der schwedische Herr Envoyé mit von der Parthie sein wollte, so wurde der gewünschte Augenschein (auch eine Art Territion mit erläuternder Verbal-Tortur) diesen vornehmen Liebhabern nicht verweigert.

Bei den geringeren Executionen am „Kaak" (dem Pranger) vor der Frohnerei, führte der Scharfrichtermeister nur die Oberaufsicht, und überließ die Ausführung seinen Leuten, deren Meisterknecht hier seine Kunst zeigte. Das uralte und häufig mit

Stadtverweisung verbundene Tragen des Schandsteins, wozu leichtfertige, zänkische und verläumderische Weibsbilder verurtheilt wurden, gab den Frohnsleuten Gelegenheit, sich auf dem Kuh= horn vernehmen zu lassen, in dessen Geblase sich das Kessel= pauken und all' der Teufelslärm der Gassenjugend mischte. Seit Mitte des 16. Jahrhunderts ist es nicht weiter vorgekommen, während in Halle noch vor hundert Jahren zwar nicht der Schand= stein, doch das „Auspauken" ähnlicher Sünderinnen gebräuchlich war. Am Pranger stehend wurden sie ihres Haarschmuckes von Scharfrichterknechten beraubt, welche sie dann an einem Strick zum Thore hinaus führten. und dabei unablässig mit einem sogenannten Schinderknochen auf eine alte Trommel lospaukten. Wer aber in Halle am Pranger stand, der wurde auch ex officio mit faulen Eiern beworfen, welche der Rath zuvor aufkaufen und zur beliebigen Bedienung des Pöbels darbieten ließ. Solche Raffinerie hat Hamburg nie gesehen.

Nach einer sehr verbreiteten Gewohnheit beansprucht der Meisterknecht eines Scharfrichters, welcher das Ruthenstreichen zu vollziehen hat, das Recht dreier Schläge, die er nach Gut= dünken erlassen oder hinzufügen kann. Dieses Recht nahm auch der hiesige in Anspruch, in Folge dessen er also nach Gunst und Gaben, entweder die drei letzten Streiche schenkte, oder aber sich neutral verhielt und die 9 mal sechs voll gab, oder endlich aus eigner Machtvollkommenheit und freigebigem Justizeifer noch drei hinzufügte, also in Summa 57 ertheilte. Daher war denn die eigenthümliche Schimpfredensart des Pöbels entstanden: „Wenn du erst an'n Kaak steihst, so will ick de Schinnerknecht syn, un bi be bre nich schenken", ein Ausspruch, in welchem sich, wenn er ernst gemeint wäre, ein wahrer Abgrund des feind= seligsten, bis zur Selbstverleugnung verirrten Hasses ausspricht. Am auffallendsten offenbarte sich die Gunst dieses Züchtigers bei einem Vorfall im Jahre 1694, zu einer Zeit, da die obschwe= benden Priester=Streitigkeiten in ihrem das kirchliche Leben be= rührenden Kern, nicht nur die gebildeten und Mittel=Classen, sondern sogar die untersten Schichten des Volks fanatisirten. Der Schneidergeselle Jürgen Adam Schulte (gebürtig aus Meck=

lenburg), ein eifriger Mayerianer, hatte den Paftor Horbius auf
der Kanzel insultirt, ihn in seiner Predigt mit Schimpfreden
unterbrochen u. s. w., wofür er zum Staupbesen am Kaak ver=
urtheilt wurde. Der Frohn, ein guter Horbianer, hatte vor der
Execution seinen Meisterknecht noch ermahnt: „dat bu dem Keerl
be dre nich schenk'st!“ Gedachter Knecht aber war wiederum ein
enragirter Mayerianer, der seines Meisters Wort heimtückisch
verlachte, und seinen Glaubensgenossen am Kaak so über alle
Beschreibung glimpflich züchtigte, daß er ihm nicht nur die drei,
sondern sogar dreimal drei schenkte, und überdies seine Streiche
den Kerl kaum berührten. Derselbe war deshalb seines wohl=
feilen Martyriums ungemein froh, und sang während desselben
fortwährend mit lauter Stimme geistliche liebliche Lieder.

Wir haben oben gesehen, wie diese Willkür des Henker=
knechtes bei Ausmessung der Castigation, die kleinen Schornstein=
fegerjungen der Vorzeit veranlaßt hatte, ihm die zu verabreichen=
den Ruthenstreiche laut vorzuzählen, während das große Publi=
cum dieselben noch lauter nachzählte. Das dadurch entstehende
sinneverwirrende Geräusch diente natürlich dem Züchtiger zum
erwünschten Vorwand, seine Privatgelüste dahinter zu bergen, als
endlich ein obrigkeitliches Einsehen geschah, welches ihm befahl,
streng bei der Stange zu bleiben und sich kein Mehr oder Min=
der zu erlauben. Zu mehrerer Controlle ernannte man drei Ge=
richtsdiener, welche neben dem Kaak stehen, und mit möglichst
erhobener Stimme jeden Streich im Moment seiner Application
laut ausrufen mußten. Das war denn die dritte Manier der
Berechnung. Aber noch 1796 und 1797 kamen wiederholt so
auffallende Rechnungsfehler dabei vor, daß der Senat neue Be=
fehle ertheilen mußte, in welchen sowohl der Frohn, als die
Gerichtsdiener für die Richtigkeit des Strafmaaßes verantwortlich
gemacht wurden, dem Knecht aber, der dem Urtheil nicht stricte
nachleben werde, mit richtigen 9 mal 6 sonder Gnade ge=
droht wurde.

Noch ist des Frohns Verrichtung bei allen Verurtheilungen
zum sogenannten ehrlosen Block zu gedenken, den man auch
eine andere Art Schandstein nennen könnte. Derselbe stand vor

dem ehemaligen Niedergerichtsgebäude (welches vor der Trostbrücke neben dem Rathhause lag und später mit diesem vereinigt worden ist), nahe dem in der Mauer befestigten Halseisen. Auf diesem, früher etwas erhöhten, später mit dem Gassenpflaster in gleicher Höhe liegenden Block (der aber ein Stein war), mußten vor Zeiten (laut Stadtrechts von 1605, P. IV. Art. 58) die gerichtlich dafür erkannten Verüber einer enormissimae injuriae, die boshaften Verleumder, Ehrabschneider und Pasquillanten, stehen, sich selbst dreimal auf das Lästermaul schlagen, und Widerruf nebst Abbitte und Ehrenerklärung leisten. Weigerten sie sich des Widerrufs, so ließ man diesen auf sich beruhen und dafür den Staupbesen am Kaak als ordentliche Strafe eintreten, welche Buße auch den kecken Bürger traf, der am 7. Juli 1653 auf dem ehrlosen Block stand. Er schlug sich nämlich allerdings auf das Maul, aber wie liebkosend, und sprach dazu die gänzlich unerwarteten Worte: „Mund, da du das sagtest, weswegen ich hier stehe, da redetest du wahr!" — Uebrigens hielt man damals diese Strafmethode für ungemein gerecht und weise, weil sie dem verübten, nicht genug zu verabscheuenden Verbrechen sehr genau entsprach und daneben äußerst abschreckend wirkte. So stand am 3. September 1703 Johan Friedrichs, welcher in des Rathsherrn Joh. Helwig Sillem Audienz die gottlosesten Calumnien ausgestoßen und sogar die Hand an den Degen gelegt hatte wider den Herrn Prätor, auf dem ehrlosen Block und mußte widerrufen. — Die in dem kleinen Thürmchen des Niedergerichts hängende Glocke wurde bei solchen Acten als Schandglocke geläutet, wie Feinfühlende meinen, ganz anderen Tones, als wenn sie zu andern Zeiten sehr ehrliche Klänge von sich gab, z. B. beim Ein= und Ausläuten der Jahrmarktstage. Noch zu Anfange dieses Jahrhunderts standen Verläumber aus den untern Volksclassen auf dem ehrlosen Block, wobei indeß die unfreiwillige Selbstzüchtigung weggefallen war. —

Auf demselben Block oder Stein wurden auch die noch früher von Henkershand an den Galgen genagelten Pasquille, Schmäh= und Schandschriften, gegen welche vormals die allgemeine sittliche Entrüstung sich noch viel entschiedener aussprach als jetzt, durch den Frohn öffentlich verbrannt. Das Mandat vom 22. October 1755 verfügt, daß bei solchem Auto=da=fé der Name des Autors, wenn derselbe bekannt, durch den Frohn laut ausgerufen, die Schandglocke darüber geläutet, und die dergestaltige Vollstreckung des ganzen Actes durch die Zeitungen bekannt zu machen sei, was denn auch jedesmal geschah mit dem Zusatz „zur unauslöschlichen Schande des boshaften Urhebers und seiner Gehülfen." Unter den vielen derartig infamirten Schriften sind hervorzuheben, 1763 die frivolen „schönen Spielwerke" des Literaten Dreyer, welche nach der amtlichen Erklärung „die gröbsten Zoten und offenbare Lästerungen wider die Religion" enthielten, und im Jahre 1782 die Einleitung zum hamburgischen Hauptreceß, von dem titulirten schwedischen Regierungs=Rath und französischen Pensionair Ludwig von Heß, einem literarischen Klopffechter erster Classe, welcher sich für diese mit der Stadtverweisung verbundene amtliche Kritik seiner Schrift rächte, indem er eine „Warnung für andere arrogante Magistrate in den Reichsstädten" schrieb und veröffentlichte. Uebrigens ist er nicht zu verwechseln mit seinem etwas jüngeren Verwandten, dem mehrfach citirten höchst ehrenwerthen Dr. Jonas Ludwig von Heß.

Die Schandglocke tönte an jener Stelle noch lange jederzeit, wenn der Name eines ausgetretenen boshaften Falliten an's schwarze Brett der Börse geschrieben wurde, bei welchem Acte sich auch der Frohn, durch Verbrennung der Namensunterschrift des Delinquenten, zu betheiligen hatte.

Wir haben oben mehrere Beispiele unglücklich oder ungeschickt vollzogener Hinrichtungen angeführt, deren sich übrigens noch mehrere aufzählen ließen. In allen diesen Fällen erfolgte regelmäßig ein mehr oder minder heftiger Volksangriff wider den Frohn, welcher nur mühsam durch die bewaffnete Macht geschützt werden konnte. Die an sich gewiß richtige Anschauung: daß ein übel gerichteter Delinquent mehr bekomme, als ihm zuerkannt sei, daß die schlechte Art der Vollziehung eines Urtheils über deren Absicht hinausgehe, — verführte auch in Hamburg die aufgeregten Volksmassen stets zu der Prätension, daß in solchem Falle der ungeschickte Scharfrichter ihrer sofortigen Privatjustiz anheim gegeben werden müsse. Häufig findet sich aber auch eine motivirtere Ansicht angedeutet, deren Raisonnement ungefähr so lautet: der Scharfrichter darf zur Vollziehung des Todesurtheils nicht mehr als einmal sein ordnungsmäßiges Verfahren anwenden, denn so will es das Recht des Verbrechers. That er dies nun ungeschickt und erfolglos, so hat damit doch der arme Sünder sein Recht ausgestanden, und darf nicht noch einmal gerichtet werden. Er muß, wenn er am Leben geblieben, frei gegeben werden, denn seine Schuld ist gebüßt; die Justiz muß sich befriedigt finden, und thut sie's nicht, so mag sie sich für das Ungenügende der Strafe an ihren ungeschickten Exequenten halten und denselben peinigen, bis sie satt ist. Wagt es aber dennoch, nach einmal erfolglos angewandtem Verfahren, der Scharfrichter alsobald mit einem zweiten oder dritten Schwertstreiche seine Aufgabe nachträglich zu lösen, so thut er mehr als er darf, und der arme Sünder empfängt mehr Strafe als das Recht gestattete. Der das Recht frech überschreitende Scharfrichter ist sodann ebenso vogelfrei, wie der in Ausführung einer Mordthat begriffene Bandit.

Nicht von so traurigen Dingen, nein, von den glücklichen Folgen ungeschickten Richtens, vom siegreichen Durchdringen der Ansicht, daß der Verbrecher sein Recht nur einmal auszustehen brauche, davon mögen hier noch zwei Beispiele erwähnt werden, welche in Hamburg, beide im Jahre 1681, vorgekommen sind. Freilich kann die ganze Wahrhaftigkeit dieser etwas sagenhaft klingenden Geschichten nicht verbürgt werden, da weder die handschriftlichen oder gedruckten (übrigens sehr unvollständigen) Malefizbücher, noch die Mehrheit der Chroniken ihren Hergang erzählt, während wegen Lückenhaftigkeit des amtlichen Materials ihre Constatirung nicht beizubringen ist. Der Wortlaut einer sonst sehr glaubwürdigen Chronik, mit deren Inhalt in diesem Punkte eine zweite Chronik völlig übereinstimmt, ist folgender:

„Anno 1681 d. 24. Januar war eine große Kälte, worin Einer gehenket worden. Nachts wurd er abgenommen,

auf daß er folgenden Tags sollte anatomiret werden, und
war ganz steif gefroren. Wie nun dieser todte Kerl in die
warme Stube kommbt, und aufgebauet, da ist er wiederumb
aufgelebet, und also, nach seinem ausgestandenen Recht,
davon gegangen.“

Diese Geschichte kann ohne alle Wissenschaft und Mit=
wirkung der Behörden also verlaufen sein. Wegen der großen
Kälte faßte sich das Executionspersonal mit dem ganzen Publi=
cum gewiß möglichst kurz, und ging geschwind wieder nach Haus,
sobald es den armen Sünder starr geworden sah. Diesen mag
ebenfalls die große Kälte eher erstarrt haben, als ihn der mit
frostigen Händen locker umgelegte Strick hatte erwürgen können.
Wohlthätige Ohnmacht umhüllte ihn, bis freundliche Stuben=
wärme ihn erweckte; dann brachten ihn die überraschten ärzt=
lichen Philantropen vollends wieder auf die Beine, welche sich
für das ihrem anatomischen Messer freilich entgangene Opfer,
durch das jedem Mediciner angenehme Bewußtsein trösteten: ein
Menschenleben gerettet zu haben, hier noch gekrönt durch die Ge=
nugthuung: der Justiz eine Beute entwunden zu haben.

Die zweite Geschichte lautet also:

„Den 16. Augusti ist einer in Hamburg mit dem Schwert
gerichtet, so einem Manne mit einem Bierkruge hat den
Kopf eingeworfen, daß er gestorben ist. Wie nun also der
Scharfrichter ihn geköpfet, hat er ihn nicht recht getroffen,
sondern ihm nur die Platte des Schädels abgehauen. Da
sind schnell des Justificirten seine Freunde hinzugetreten,
und haben ihn zu sich genommen, mit dem Vorwenden,
er habe ja nun sein Recht ausgestanden. — Als er nun
von ihnen in sein Haus zurücke geleitet wird, und in die
Stube kombt, da ist seine Frau darüber in Ohnmacht ge=
sunken, bis man ihr erzählet, warumb ihr Mann noch
lebete. Demnach ist ihm die Platte auf dem Kopfe hin=
wiederumb gänzlich angewachsen, und vom Chirurgo wohl
geheilet worden.“

So schön diese Geschichte ist, so reich an dramatisch effect=
vollen Parthien, z. B. in Betreff des heroischen Auftretens der

Freunde, des siegreichen Wegführens des Halbgeköpften vom Schaffot, seines plötzlichen Wiedereintritts in die Häuslichkeit mit der vor Schreck, vor Freuden — wer weiß es — in Ohnmacht fallenden Gattin, wozu sich noch ein Blick gesellen würde auf das höchst unbefangene spätere Leben dieses halbwegs Enthaupteten mit gänzlich hinwiederumb angewachsener Schädelplatte unter der Wolkenparuque, — dennoch muß dies Alles auf Werth oder Unwerth ruhen bleiben, weil wir keine Phantasie = Schilderung liefern dürfen, und die Geschichte sich die Details dieses ungemein interessanten Gegenstandes leider hat entgehen lassen.

Hoffentlich sind durch diese erfreulichen Mittheilungen die unerquicklichen Eindrücke dieser hie und da etwas „peinlich“ gewordenen Materie schon in etwas gemildert. Um dieselbe nun noch milder versäuseln zu lassen, sei hier, gegen Ende unserer Scharfrichtergeschichten, noch eines äußerst humanen Verfahrens gedacht, um dem Henker noch in der 60sten Minute der 12ten Stunde seine bereits gepackte Beute zu entreißen. Und zwar mittelst — ehrlicher Verheirathung!

Mehr in den Köpfen und guten Herzen des Volks, als im Gesetze oder in constanter Praxis begründet, ist die vielfach vernehmbare Meinung: wenn eine ehrsame Jungfrau sich erbiete, einen Verbrecher zu heirathen, so könne sie ihn damit noch unter'm Galgen vom Tode erretten. Und umgekehrt, gehe eine ledige Maleficantin durch die Heirath mit einem Biedermann sofort straflos aus dem schlimmsten Handel. Es mag in besondern Umständen solch' ein Erbieten, zumal wenn es mit augenblicklicher Vollziehung und schleunigster Auswanderung des jungen Ehepaars verbunden war, wohl manchmal den Grund zu Begnadigungen gegeben haben, gewiß aber nur selten, denn welche ehrliche Jungfrau, so voll Mitleids sie auch den interessanten schönen Räuberhauptmann zum Tode führen sieht, wird sich selbst, ihre Familie, ihre Ehre so leichtsinnig in die Schanze schlagen. Und die Mannesehre, noch weniger von Mitleid bestochen, dürfte in solchen Fällen noch skrupulöser sein.

In Augsburg sollte am 21. Mai 1621 eine junge, schöne Kindesmörderin hingerichtet werden. Tags zuvor erbot sich der

Kammerbiener eines dort wohnenden französischen Edelmanns, sie zu heirathen und mit ihr in sein Vaterland zu ziehen. Der Rath durfte in diesem Falle um so ruhiger seine allen Magistraten angeborene Barmherzigkeit walten lassen, als der Befreier der schönen Sünderin ein Fremder war. Die Trauung des Franzosen mit der zu neuem Leben erwachten Augsburgerin wurde also an dem zu ihrer Hinrichtung bestimmt gewesenen 21. Mai vollzogen, und fort ging's, nach den Ufern der Garonne.

In Hamburg scheint in dieser Hinsicht nur der folgende Versuch vorgekommen zu sein. Charlotte Dorothea Schulte bekam am 9. October 1700 in öffentlicher Audienz ihr Urtheil, welches auf Ruthenstrich am Pranger und Stadtverweisung lautete. Kaum waren die letzten Worte der Sentenz verhallt, als aus den Reihen des Publicums ein fremder Cornet a. D. vor den versammelten Rath trat, und besagte Demoiselle Schulte zur Ehe begehrte, falls ihr Pranger und Staupenschlag erlassen werde; gegen die Trauung in der Frohnerei und sofortige Stadtverweisung ihrer Beider habe er nichts einzuwenden. Der Senat, dem solch ein Casus noch nicht in praxi vorgekommen war, nahm die Sache ad referendum und setzte einstweilen auf acht Tage die Urtheilsvollziehung aus. Dann aber beschied er das Erbieten abschläglich und meinte, wenn ein Cornet solch eine Person überhaupt zur Ehe begehre, so könne er sie auch ebenso füglich nach vollständig verbüßter Strafe irgendwo außerhalb Hamburg heirathen, — und somit fiel denn die Schulten dem Frohn in die züchtigenden und stadtverweisenden Hände.

Werfen wir nun einen Rückblick auf das Wirken des deutschen Scharfrichters der Vorzeit, und stellen wir damit seine gegenwärtige Thätigkeit zusammen, so werden wir letztere beinah auf Null reducirt finden. Man möchte ihm also zurufen: „Geh schlafen, Mann, denn deine Zeit ist um!" Dahin ist der Nimbus seiner Fürchterlichkeit! Die Reminiscenzen seiner vormaligen Frohnbotenherrlichkeit sind verschollen: die Gerichte hegen und pflegen sich selbst und die Justiz ohne sein Zuthun; sein kun-

biges Gliederverſetzen, all ſein vernünftiges Martern iſt abge=
ſchafft; ſeine Kunſtfertigkeit im Zwicken mit glühenden Zangen,
im Ohrabſchneiden, Hand= und Fingerabhacken, jagt Niemandem
mehr ein Gräſen ab. Sein zierliches Zeichnen bleibt verborgenes
Talent, denn das Brandmarken iſt längſt aus der Mode, nicht
einmal reinliches Fegen kann er noch präſentiren, denn an den
mit der Menſchenwürde unvereinbaren Staupbeſen glaubt kein
Strolch mehr. Vom Hitzeabjagen, Tranchiren, vom Spielen mit
dem Rabe iſt ja ohnehin keine Rede. Hie und da in der weiten
Welt darf er noch einmal ſeinen feinen Knoten ſchlagen, und
ſelbſt bei dem Enthaupten, wo es geſetzlich noch vorkommen kann,
läßt die fortgeſchrittene Cultur vieler Staaten nicht mehr ſein
„raſches Abſetzen" zu, ſondern erniedrigt den kunſtreichen Mann
durch Handhabung des Fallbeils zum bloßen Maſchiniſten. Nicht
einmal „Haar van de Straaten" darf Hamburgs Frohn noch
rufen, und ſeine Hundejagden verleidet ihm bitter der Thierſchutz=
verein. Wenn ihm die Abdeckerei nicht geblieben wäre! Und
wer weiß, wie bald auch dieſe von irgend einer patriotiſchen
Actiengeſellſchaft in die auf gemeinnützige Unternehmungen erpich=
ten Hände genommen werden wird, zur Erzielung eines neuen
Guano = Surrogats und artiger Dividenden.

Dafür aber iſt er auch beinah völlig rehabilitirt. Die
reichsgeſetzlich einzig auf das für die Abdeckerei valedirende
Stück ſeiner Perſon beſchränkte Unehrlichkeit verliert täglich von
ihrer einſtigen Bedeutung. Freie Geiſter verkehren haufenweis
mit ihm. Zur Umgehung der kitzlichen Frage: ob er der Ehre
capabel im hamburgiſchen Bürgermilitair zu dienen, braucht er
nur §. 12 des Reglements, daß ausgeſchloſſen ſei, wer ein nach
allgemeinen Volksbegriffen entehrendes Geſchäft treibt, — nicht
auf ſich anzuwenden, ſondern kann ſich dreiſt unter die im
§. 7 vom perſönlichen Dienſte befreiten Staats = und Kirchen=
beamten rechnen. Seine Söhne tragen das kriegeriſche Ehren=
kleid und ſtehen im Heere Arm an Arm bei den ehrlichſten
Staatsbürgerſöhnen. Seine Töchter können ihm Schwieger=
ſöhne aus den Zünften vom reinſten Waſſer, ja aus allen Claſſen
der Geſellſchaft zuführen.

Und so ist denn die Zeit nahe, daß die einzigen übrig=
gebliebenen Repräsentanten der unehrlichen Leute des Mittel=
alters, der Henker und seine Gesellen, sich zum Ab= und Aus=
sterben hinlegen können.   Bald wird die Lehre vom unehrlichen
Scharfrichter eine aus verschollenen Sagen mühsam herauf=
beschworene lächerliche antiquirte Materie sein, welche, zu Ehren
der aufgeklärten Menschheit, eigentlich besser unaufgerührt bliebe,
und verharrte in dem, was sie ist, im Archivmoder!

Anhang.

Der Wehe schreiende Stein Husum's.

Um die in früheren Capiteln erwähnte und durch einzelne Beispiele nachgewiesene Unduldsamkeit der Ehrlichen wider die Unehrlichen, namentlich gegen Gerichtsdiener und Henkersleute, in einem Gesammtbilde noch anschaulicher aufzufassen, werfe man einen Blick auf die Geschichte der kleinen schleswig'schen Hafenstadt Husum, welche allen in die Nordseebäder der Inseln Föhr und Sylt reisenden Inländern als ein Stationsort und unfreiwilliger Stapelplatz für mäßige Mittagsessen und unmäßige Langeweile wohl oder übel bekannt sein wird.

In Husum scheint sich nämlich im 17. Jahrhundert die Ehrlichkeitsmanie bis zu einer schwindelhaften Höhe gegipfelt und ihre Intoleranz am crassesten an den beiden Marksteinen des irdischen Daseins aller Menschen offenbart zu haben, bei der Wiege und bei dem Sarge der Unehrlichen.

Um einem Scharfrichter oder dessen Knecht ein nur halbwegs christliches Begräbniß zu verschaffen, hatte in jedem einzelnen Falle der Magistrat so unerhörte Kraftanstrengungen zu zeigen, daß Demjenigen, welcher als Stadt=Secretair des Raths Factotum war, darüber beinah der lebendige Athem ausgegangen wäre. Dies geplagteste Secretariat bekleidete seit 1644 der Rathsverwandte Herr Augustus Giese, Senatorssohn, Eidam seines gelehrten Bürgermeisters Herrn Titus Axen (eines gewesenen Domherrn zu Hamburg), und Schwäher des Archidiaconi, Ehren M. Crochelii. Herr Giese war ein fleißiger, gewissenhafter Mann, Jurist von Profession, Theologe aus Lieb-

haberei, ein Mann, deſſen Feuereifer ebenſo ſehr auf die Ver=
breitung chriſtlicher Wahrheiten, als auf Werke barmherziger
Armenpflege gerichtet war. Ein Mann, der unter vielen geiſt=
lichen Schriften auch ſeinem Sohne, einem angehenden Theologen,
eine Belehrung über geſchmackvolles Predigen ertheilte, mittelſt
einer kleinen Satyre, betitelt: „Muſter und Monſter einer mit
alten und neuen Kirchenvätern durch und durch geſpickten Pre=
digt, über einen darin grauſam gemarterten und gerumpfreckten
unſchuldigen Text" 2c.

Dieſer edle Mann hatte bereits Jahre lang mit Lammes=
geduld alle ſpießbürgerlichen Verkehrtheiten der Huſumer ertragen,
welche ihn ſeinem Berufsleben, ſeinem Studien= und Fami=
lienkreiſe entzogen, um ihn als Leichenbeſorger der Henkersleute
anzuſtrengen. Allmählig kam aber die chriſtmilde Gelaſſenheit
in's Wanken. Und als nun endlich ein armes Frauenzimmer in
Kindes= und Todesnöthen, von aller Hülfe verlaſſen, ſchier dahin
geſtorben wäre, nur weil ſie des Schinderknechts Eheweib, das
Kind aber wirklich deshalb elend verſtarb, da riſſen alle Stränge
der Gieſe'ſchen Geduld, da hörte er die huſumſchen Steine Wehe
ſchreien, da gerieth der wackere Mann in die gerechteſte ſittliche
Entrüſtung, da ſetzte er ſich zu deren Ausſtrömen hin, und ſchrieb
ſein unſterbliches Werk:

> „Der Wehe ſchreiende Stein über die Gräuel, daß
> man die Diener der Juſtiz nicht zu Grabe tragen, auch
> ihren Frauen in Kindesnöthen Niemand helfen wollen, —
> aufgerichtet zu Huſum 1685, von einem Hauptparticipanten
> der Leiden, ſo der Magiſtrat darüber eine gute Zeitlang
> ausgeſtanden."

Dies Buch erſchien damals anonym in Hamburg 1687, ſpäter
mit des Autors Namen in Schleswig 1699, und iſt in mehr=
facher Hinſicht eine koſtbare Rarität, weshalb aus demſelben die
intereſſanteſten Facta mitzutheilen, gewiß verdienſtlich ſein wird.
„Was Herzeleid", ſagt Herr Gieſe, „was Herzeleid der huſumer
Rath allemal ausgeſtanden, wenn ſolcher Juſtizdiener Einer ver=

storben, und seine Leiche hat sollen gewaschen, angekleidet, be=
schickt und zu Grabe getragen werden, das ist gar nicht auszu=
sprechen, das sei Gott im Himmel geklagt mit schwerem Seufzen!"
Früher waren diese Leiden niemals vorgekommen, erst seit 1630
begann die Zeit der schweren Noth.

Damals nämlich, so erinnert sich Herr Giese aus seinen
Knabenjahren, damals war Meister Albert Möller, Scharfrichter
zu Husum, Todes verfahren. In seinem Dienste ein unsträf=
licher Mann, hatte er sich auch letztwillig als Freund der Ar=
muth bewiesen, um ein gut Gerüchte hinter sich zu lassen. Er
wurde zu Grabe getragen, wie Herkommens, durch die sogenann=
ten Bierträger, sechs übelberufene Subjecte, die man zum Greifen
der Diebe und anderer Bösewichter zu gebrauchen pflegte. Dies
Leichenbegängniß bot aber ein so jämmerliches elendes Spec=
tacul, wie dazumal noch nie gesehen, dieweil die sechs alten,
krüppelhaften, ungleich gewachsenen Kerls, welchen die starke
Leiche zu schwer war, mit ihr stolperten und strauchelten, daß es
eine Schande war. Einer hatte beim Aufheben der Bahre seinen
Hut auf den Sarg gelegt, und konnte ihn nun nicht wieder
herablangen, dahero er baarhäuptig weiter schwankte, sein alter
schofler Deckel aber als lächerlicher Zierath liegen blieb auf des
Henkers Sarg, zum Hohn und Spott des ruchlosen Pöbels.
Und wie bitterlich hierüber Wittwe und Kinder des Seligen ge=
weinet haben, das hätte die Bierträger rühren müssen, wenn sie
nicht Klötze gewesen wären, die, bei Lichte besehen, den ganzen
Skandal absichtlich herbeigeführt hatten, um künftig mit solchen
Lasten verschont zu bleiben.

Der Sohn und Nachfolger, Meister Philipp Möller, ein
ebenso tadelloser Dienstmann der Justiz, trachtete schon bei Leb=
zeiten nach besserer Bestattungsweise, als seinem armen Vater
zu Theil geworden war. Um recht sicher zu gehen, sprach er
ehrliche Leute aus der Bürgerschaft freundlich darum an, ob sie
ihm bei seinem Tode den letzten christlichen Dienst erweisen
wollten, und durch sein Wohlverhalten brachte er es auch dahin,
daß ihm eine genügende Zahl Bürger auf Treu' und Glauben

verſprach, ſeine Leiche dermaleinſt zu tragen. So entſchlief er getroſt, aber ſeiner Wittwe wurde bald genug klar, was ſolch Verſprechen auf ſich gehabt. Als ſie zur Leiche lud, da ging's wie im Evangelio, Einer hatte eben ein Weib genommen, der Andere einen Ochſen gekauft, kurz Jeder ſagte: ich bitte Dich, entſchuldige mich. Raſch entſchloſſen erwirkte ſie binnen zweimal 24 Stunden ein landesfürſtliches Edict von Gottorp, welches einem Jeden, der ſich dieſem Leichentragen entziehen würde, nach= dem der Magiſtrat zuerſt die Bahre angefaßt, ſowie Jeden, der einen Träger deshalb ſchmähen würde, mit ſcharfer Strafe be= drohte. Dennoch, wie verlief die Sache ſo ärgervoll! Titus Axenius ſah's ahnungsvoll vorher, aber ſein wackerer Eidam, der niemals Arges von ſeinen Mitmenſchen dachte, wollt's nicht glauben, und meinte, das müßte ja eine beſondere Ueberraſchung ſein, wenn's nun wo fehlen ſollte. Freilich Rath und Clerus thaten das Ihrige, der Rath erſchien in corpore in der Froh= nerei, Bürgermeiſter, Senatores und Secretarius, Alle ſtellten ſich an die Bahre, huben und trugen den ſeligen Henker über drei Schritte weit, worauf ſie niederſetzten, damit nun die bür= gerlichen Träger das Werk weiter förderten. Ei ja doch! Einige traten wirklich herzu, aber ſiehe da, nur ihrer Dreie. „Süh ſo, Gieſe", ſprach Titus Axenius, „da fehlt Clas Hanſen, da fehlt Hans Claſſen, da fehlt Nils Nilſen! Süh ſo, Gieſe, da heſt du dine Oeverraſchung!" Es fehlten wirklich ihrer Dreie, ſo ſich heimlich abſentiret hatten, während der Rath gerade mit der Bahre ſich abgeſchleppt und ſie aus den Augen verloren hatte. Die übrigen Drei wollten und konnten nicht vom Fleck!

Was war zu thun? Rathsherren und Paſtores gingen vorerſt auf die Gaſſe, um daſelbſt einen oder den andern Vor= übergehenden mühevoll zum Mitanfaſſen zu perſuadiren. Wie viele gute Worte mußten dieſe eblen Herren ſpendiren, bis ſie die drei fehlenden Nothhelfer glücklich breit geſchlagen hatten, und welch ein hochverdienſtlich Werk bei Gott und löblichem Magiſtrat meinten dieſe armſeligen Menſchen zu verrichten! In= deſſen, ſo geſchah's denn doch, „daß dasmal der Leich noch ſo ziemlich anständig zu Grabe kam." — Aber gegen das gedachte fürstliche Edict brachten die hochmüthigen vier großen Zünfte zu Husum, die Schneider, die Schuster 2c. es richtig zu Wege, daß ihre Genossen von dieser Art Leichentragen gänzlich eximirt blieben, wodurch die ganze Anordnung ein Loch bekam, denn zu den vier großen Zünften hielten sich viele einzelne Handwerker, deren Gewerke keine eigene Corporation bildeten.

Nun, das war abgemacht und schien vergessen, da verstarb ein guter ehrlicher Mann in Husum, ein Rademacher, und sollte begraben werden. Schule und Gefolge waren bereits da, aber vergebens erwartete man die Träger, diese blieben ohne Umstände gänzlich weg, und von den Anwesenden wollte Niemand hülf= reich hinzutreten, — so daß zuletzt, nachdem man zum puren Zeitvertreib drei Gesänge gesungen, mehrmals gebetet und ge= läutet hatte, schließlich die ganze Gesellschaft unverrichteter Sache wieder nach Hause gehen, und die Leiche unbegraben zurücklassen mußte! Und was hatte der Rademacher verschuldet? Ach, ein unsühnbares Verbrechen; er hatte einst als Nachbar sich vermögen laffen, dem verstorbenen Scharfrichter das Todtenhemde anzu= ziehen! Und das war in all' den Jahren noch nicht abgekühlt, noch immer nicht vergeben und vergessen! Der Rath nahm aber diese Sache sehr ernst. Als er einen der ausgebliebenen Träger sofort bestrafen wollte, exculpirte sich der Mann damit: „es sei gerade heute sein' Paaschtag", d. h. er habe Morgens das heil. Abendmahl genossen. „Ei, du Pharisäer", sagt Herr Giese, „das also war die christliche Liebesfrucht deiner Passahfeier!" Ebenso dachte auch M. Crochelius, welcher Magistratum ganz unumwunden von der Kanzel zum Abstrafen der ausgebliebenen Träger encouragirte, sagend: da ein Dieb an seinem letzten Paaschtage sogar an den Galgen gehenket werde, so könne man einen solchen Barbaren, der sein Bischen Christenthum um soviel mehr am Paaschtage hätte practisiren müssen, ganz getrost in's Loch stecken. „Und", fügt Herr Giese hinzu, „meine ge= flügelte Rechte hätte gar gern das Ihrige dem ver— Kerl hin= zugethan."

So ging's nicht länger, das sah nunmehr der Rath ein. Er verordnete also, unter landesherrlicher Confirmation, daß die deshalb bis auf 8 Mann und 1 Wachtmeister zu vermehrenden Nachtwächter pro futuro den Scharfrichter und seine Leute, wie auch die Büttel, Häscher und Schergen, zu Grabe tragen sollten. Die Nachtwächter aber galten bis dahin zu Husum, woselbst sie zum Diebesgreifen nicht gebraucht wurden, für höchst ehrliche Leute, denen kein Dienstmakel anklebte, da ihr gelegentliches Auflesen Betrunkener von der Gasse gar nicht in Betracht kam. — Die ehrlichen Nachtwächterleichen, so schloß der Magistrat, sollen dann von Handwerkern und andern Bürgern getragen werden, und so meinte er Alles weise geordnet zu haben. Der Mensch denkt, Gott lenkt!

Die Nachtwächter hatten bereits einige Male willig und sehr ehrbar ihrer neuen Pflicht genügt, als eines Tages ein Nachtwächterkind starb; das sollte denn nun, nach der Verordnung, von den Handwerkern getragen werden, aber, Herr du meines Lebens! wie ging da das Lärmen los! Denn die Zunftgenossen, welche die Reihe traf, weigerten sich, die Kindesleiche zu tragen, weil der Vater mit den andern Nachtwächtern mehrmals unehrliche Henkersleichen getragen hätte! Der Rath coramirte die Handwerker einzeln, stellte ihnen in der Güte, wie mit obrigkeitlichem Ernst vor: Vernunft und Unsinn, Christenthum und Barbarei, Himmel und Hölle; der Rath predigte, bat, flehte, beschwor, schalt, gewitterte, — Nichts half den Starrköpfen gegenüber, als das Einsperren des Rädelsführers, eines Schuhmachermeisters, der im Bürgergehorsam so lange saß, bis dieser in ihm saß, d. h. bis er folgsamen Sinnes wurde. Indessen stand die Leiche des Nachtwächterkindes drei Wochen lang unbeerdigt; andere fromme Hände wollten sich zwar darüber erbarmen, aber der Magistrat sagte: Nein, der Handwerker Trotz muß gebrochen werden, sie sollen endlich doch tragen. Und sie trugen. „Ach,“ sagt Herr Giese, „es waren schreckliche drei Wochen, Bürgermeister und Rath ärgerten sich halb todt, wünschten, auf solche Weise nicht länger zu leben, geschweige im Amte zu bleiben.“

Da diese Herren in solcher Rathskrisis nun ihre Entlassung in Gottorp forderten, wenn nicht sofort Wandel geschafft werde, so schritt die Regierung ein, und trieb die aufrührerischen Hand=werker zu Paaren.

Dennoch, dennoch kamen immer wieder Excesse vor. Einem fremden Fußknechte, wie man die Amtsdiener, Büttel oder Pedelle auch zu nennen pflegte, verstarb in Husum jähen Todes seine kleine Tochter, die er auf einer Diensttour mitgenommen hatte. Ja, da war Niemand, der das Kind tragen wollte, und, weil's kein Husumer Stadtkind, zu tragen gezwungen werden konnte. Der gebeugte Vater wollte sich eben dazu bequemen, sein Kind selbst und ganz allein zu Grabe zu tragen, als Herr Giese ihm einen seiner Drescher zur Hülfsleistung beigab, der vom Lande war und christliche Barmherzigkeit kannte. Regelmäßig, wenn dergleichen Dinge vorkamen, hatte der Magistrat, der so gern mit seinen Bürgern in Frieden lebte, ein paar Widerspenstige zu strafen. Dann war's ein Leinweber, der sich zu vornehm dünkte für's Tragen der Leiche eines Nachtwächters, und allemal auf Reisen ging, wenn die Reihe ihn traf. — Dann war's ein Weißbäcker, der bei solcher Gelegenheit seines erforderlichen Feier=kleides ermangelte, und aus Trotz im schmutzigsten Arbeitskittel bei der Bahre erschien. Natürlich wurden Beide regelmäßig mit Arrest bestraft, aber was verfing's?

Ein paar Jahre darnach verstarb ein blutarmer Mann, frei=lich nur ein Schinderknecht, aber wie Herr Giese versichert, ein weißer Rabe, ein christlicher frommer Mann, der gewohnt war zu segnen, wo man ihm fluchte. Was Gutes er auch gethan, kein Mensch hat's ihm je gedankt, denn wer hätt' einem solchen Knecht ein Wort gönnen mögen? So verstarb er denn ganz einsam und verlassen, und lag dann tagelang uneingekleidet, bis endlich einige gutherzige Frauen vom Lande sich dazu animirten, daß sie ihrer zwölfe das gute Werk gemeinsam verrichteten, wor=auf die Nachtwächter es zu Ende brachten.

Es war im Jahre 1665, grade als dies Unwesen in Hu=

sum am üppigsten blühte, da kam ein Frauensmensch in die
Frohnerei und genas daselbst mit Beihülfe der Frau des Scharf=
richters, eines Kindleins. Selbes mußte doch binnen drei Tagen
christlich getauft werden, aber weit und breit wollte kein Mensch
Pathenstelle bei ihm vertreten. Denn in der That war dieser arme
Wurm merkwürdig unehrlich, nämlich vierfach. Erstens, als un=
ehelich geboren; zweitens von einer in Frohnshänden befindlichen
Mutter; drittens, in der Frohnerei, und viertens sofort bei der
Geburt in Empfang genommen von der unehrlichen Frohnsfrau.
Der Casus war deshalb so verzweifelt delicat, daß die Geistlich=
keit jede Beeinflussung ihrer Beichtkinder zu Gunsten des unge=
tauften Kindes entschieden ablehnte. Also wiederum der Rath
war's, der sich darein legen mußte, d. h. Herr Giese. Da wurde
denn wieder manch vergebliches Wort verschwendet, und vieles
Persuadiren blieb umsonst. Endlich trat eine bereits erwachsene
Tochter derselben Mutter auf, und ließ sich bereit finden bei dem
Halbschwesterchen Gevatter zu stehen. Und aber nach einer ge=
raumen Weile kriegte der Rath auch einen Bürgersmann, der
alle Ursache hatte ihm gefällig zu sein, bei den Haaren dazu,
daß er zweiter Gevatter wurde. Der Rath schoß das erforder=
liche Pathengeschenk zusammen, und somit war wieder ein gutes
Werk mehr gethan in Husum. Das hatte Herr Giese wiederum
äußerst mühsam zu Stande gebracht, drum freute sich der liebe
gute Mann ausnehmend über das endliche Gelingen. Als er
nun eben so recht in Gott vergnügt und still zufrieden zu Hause
sitzt und sein Nachmittags = Pfeifchen raucht und denkt: Gottlob,
daß dies so friedlich abgelaufen, was passirt? Da kommt dieses
Gevatters Tochter angelaufen, mit Heulen und Greinen, rauft
sich das Haar vom Kopfe vor Herrn Giese's sehenden Augen,
und schreit ihn an: weshalb man ihren alten ehrlichen Vater
so geschändet habe, daß er bei dem Wechselbalge in der Frohne=
rei habe Gevatter stehen müssen? Mit Ehren sei er grau gewor=
den, und solle nun unehrlich in die Grube fahren, denn kein
Anderer als die Nachtwächter würden ihn schließlich begraben
wollen, — und was des eiteln Zetergeschreis mehr gewesen ist, wo=

mit das einfältige Weibsbild Herrn Giese's Haus angefüllet. Herr Giese hatte noch seine Engelsgebuld bei der Hand; freund= seligst stellte er der Verblendeten alles Vernünftig=Beruhigende vor, was nur ersinnlich und menschenmöglich; er zeigte ihr, was wahre Ehre sei, und worin sie bestünde, und wie nichtig die falsche sich erweise. Aber das Alles war tauben Ohren gepre= digt, das böse Frauenzimmer unterbrach ihn wohl zehnmal mit ihrem Gebell, und brach endlich in offenbares Schimpfen und Schandiren wider den Rath und insbesondere wider Herrn Giese aus. — Da aber plötzlich änderte Der den Ton, da kehrte er einmal das Rauhe nach außen, da las er ihr einen Text, so derb, da kanzelte er sie ab, so donnerwettermäßig, daß sie ver= blüfft das Verstummen kriegte. Da schloß er seine Strafpredigt — ach es muß heraus, was Herr Giese in seinem gerechten Zorn leider etwas anstößlich geäußert hat, — da schloß er also seine Rede: sie solle flugs hingehen, wo sie hergekommen; sie solle sich geschwinde auf ihren Hintern setzen und hurtig das Spinnrad zwischen ihre Beinschienen nehmen, — sonst werde er sie dahin bringen lassen, wohin sie gehöre, nämlich in's Hundeloch!

Auf diese grausame Alteration folgte zum Glück eine Pause voll süßen Friedens. Der Rath hatte Zeit sich zu erholen und neue Kräfte zu sammeln zu dem Ereigniß, welches ihm noch be= vorstand, ohne daß er's wußte. „Waren doch," sagt Herr Giese, „all' die thörichten, ungereimten, ja unchristlichen Dinge, so vor= her gegangen, ein wahres Kinderspiel gegen die Gräuel, so sich im Jahre 1684 mit dem andern Sexu begeben!" — Die Sache war diese.

Ein Mann, welcher „unter Denen so der Justiz und der Gemeinde in ihrer Weise dienen, der Geringsten einer" (d. h. ein Schinderknecht), hatte eine ihm angetraute Frau, was zufällig, so lange Husum stand, noch niemals vorgekommen war. Daß die Gesammtheit des weiblichen Geschlechts der Stadt diese Frau, welche diesen Mann geheirathet, für verächtlich unter'm Nacht= wächter, was sag' ich, selbst unter ihrem Ehemann, ja für das allerverworfenste Geschöpf auf Gottes Erdboden hielt, das wußte freilich Jedermann der ganzen Stadt, nur einzig dem Senat war's verborgen geblieben, vielleicht weil seine Damen Ursache hatten es ihm sorglich zu verhehlen. Da ereignete sich nun eines Tages das bisher in Husum Unerhörte, daß es der Frau des „Rackerknechts" erging nach Frauenweise, nämlich daß sie ein Kindlein erwartete. In Senatu war von dieser Erwartung wohl gelegentlich die Rede, doch ging man stets darüber zur Tages= ordnung; denn ahnungslos, wie die Herren waren, glaubten sie versichert zu sein, daß ein in solchen Dingen erfahrenes Weibs= bild sich nicht entlegen würde, mit der bei der Katastrophe un= umgänglichen Hülfsleistung der Benöthigten beizuspringen; und zwar um so gewisser, da das weibliche Geschlecht von Natur weicher und mitleidiger als das männliche, sich sonderlich stark für alle die Geburtsaffairen angehenden Fälle interessiret. Aber weit gefehlt! Wie bitter fanden sich die weisen Herren getäuscht, als der kritische Moment nahete! Keine Seele wollte sich dazu her= geben, selbst das geringste Tagelöhnerweib glaubte sich zu verun= ehren, wenn es in die Hütte der Armen ginge zu solcher Assistenz. Man kriegte die vom Rath bestallte und salarirte Bademutter vor, welche jeder armen Frau in Kindesnöthen gratis beizustehen hat, aber auch diese weigerte sich entschieden, und verrieth, daß ihr von allen Frauen ihrer Kundschaft streng verboten sei, sich darein zu meliren; denn nimmermehr würden sie ihre Hülfe je wieder fordern, wenn sie sich beikommen ließe, dem bewußten Weibe dennoch zu helfen und sich dadurch zu schänden! Es ver= mehrte den bittern Aerger des Raths ungemein, als er erfuhr, daß unter den conspirirenden Frauen der Stadt auch seine eige= nen besseren Hälften sich befanden. Was es zu Hause gesetzt hat, das verschweigt Herr Giese, aber was man in Curia beschloß, theilt er mit. Die Bademutter wurde ihres Salairs auf ein Jahr beraubt, und den Frauen der Stadt wurde erklärt: wofern sich nicht binnen 24 Stunden eine Frau fände, die der bewußten beispränge, so werde E. E. Rath überall keine Bademütter weiter dulden, sondern dafür sorgen, daß künftighin Mannspersonen des

Barbiereramts den Frauen die benöthigte Hülfe leisten sollten. Damit war Trumpf ausgespielt. Diese Drohung klang zu fürchter= lich, ein altes armes Weib fand sich zufällig bereit, zu helfen. Ihr gelang es dann, die Arme, welche mittlerweile in mehrtägigen Leiden um Gottes und Christi willen nach Hülfe geschrieen, und nun mehr todt als lebendig war, von einem bei diesem grau= samen Handel elend hingeopferten todten Kinde endlich zu erlösen! Aber die alte Samariterin, die diese Nothhülfe so gut oder übel sie es vermochte geleistet, ist bald darnach gestorben, und hat als Lohn ihrer Gutthat keinen einzigen Liebesdienst von andern Frauen empfangen, die ihre Leiche tagelang stehen ließen, bis endlich wieder der Rath seine Nachtwächter dazu commandiren mußte.

Das sind die Gräuel, über welche in Husum die Steine seufzeten, „Gräuel unter getauften Christen, daß der Himmel dar= über erschwarzen möchte."

Autor schreiet Wehe über Wehe! Er wiederholt es: was er die 38 Jahre lang, da er im Rathe gesessen, und mit ihm alle seine Collegen, von dieser Ehrlichkeitswuth der Husumer gelitten, das glaube kein Mensch, wenn er's auch beschreiben könnte! Immerdar saß er quasi auf einem Vulkan! Wenn nur ver= lautete, daß dieser oder jener Häscher, Büttel oder Scharfrichter= knecht krank sei, dann ist die Angst angegangen; zwischen Furcht und Hoffnung schwebend, mehrte sich der Schrecken, je übler die täglich eingezogenen Nachrichten über des Patienten Befinden lauteten, weniger seines Todes, als seines Begräbnisses wegen. Wenn es dann hieß (sagt Herr Giese), der arme Kerl sei kränker, werde schwerlich aufkommen, liege in agone mortis, — dann ist ihm das Herz immer enger in die Presse gegangen; er wußte ja, was es auf sich hatte, solch einen Justizdiener unter die Erde zu bringen. Wenn dann endlich die Post kam: er ist todt! dann sagte Herr Giese mit kalter Verzweiflung: „Unglück, nu gah' dinen Gang!" Und dann ging der ganze Teufelsspektakel los. Niemand wollte tragen. Jeder exculpirte sich; des Ueberlaufs und der Querelen aller Art war kein Ende, des Intriguiren,

Kabbaliren, Verleumden, Verketzern blühte an allen Ecken. In solchen Tagen mußten alle andern Officia des Raths cessiren, die Gerichtsaudienzen fielen von selbst weg, denn der Rath mußte wichtigere Dinge vornehmen, er mußte bitten, bereden, befehlen, Strafen dictiren, exequiren, alles einzig in Bestattungsangelegen=heiten eines Büttelknechts, er mußte überall nachsehen, controlliren, aufpassen, daß Keiner desertire, — und finaliter die Leichen=bahre selbst mit eigenen wohlweisen Händen anfassen, aufheben und drei Schritte weit tragen, zur Ehrlichmachung des Conducts, sonst hätte kein Teufel angefaßt zum Tragen!

Von vorerwähntem frommen Schinderknecht (dem weißen Raben), erzählt Herr Giese eine edle kühne That. Als Anno 1634 bei der erschrecklichen Wasserfluth so viele Menschen umge=kommen, da treibt unweit des Strandes ein Mann vorüber, ritt=lings auf einem Gefäß sitzend, in Todesangst mit heis'rer Stimme um Hülfe schreiend. Am Ufer standen viele ehrliche Leute, die fischten Strandsegen auf; sie sahen die Noth des Nächsten wohl, da aber Gefahr beim Retten war, so ließen sie den Halberstarr=ten weiter treiben, ihretwegen in des Todes offenen Rachen hin=ein. Eines Steinwurfs weiter stand der Abdeckerknecht, der machte keine Beute, sondern verrichtete seinen Dienst in Bezug auf das versoffene Vieh. Als der den Verunglückten winseln hört, und gewahrt, wie seine ehrlichen Mitmenschen ihm nicht beistanden, da hat er sich in's Wasser gestürzet, hat unter eigner Lebens=gefahr gekämpft mit den Sturmfluthen, und hat ihnen den er=starrten Mann glücklich abgerungen, den er dann bei der Mor=sumer Fähre an's Land gebracht. Und was war sein Dank? Ja, sagt Herr Giese weiter, er war ein braver Ehrenmann, trotz seiner schlechten Handtirung, und eben so brav wie der Stock=meister und Frohn in der Freistadt Philippi in Macedonien, (Apost. Gesch. 16) der gegen Paulus und Silas so demüthig sich bezeigte, ihnen die Striemen abwusch und ihre Wunden verband, weshalb auch der heilige Apostel, der doch ein ganz andrer und verzweifelt viel besserer Mann war als ein Husumer Spießbürger, es nicht verschmähet hat, an seinem Tische mit ihm zu essen und zu trinken, was kein Husumer gethan hätte! Ach, ein Husumer würde vielleicht lieber mit dem Teufel zu Abend speisen, als mit einem Apostel St. Paulus, nachdem derselbe mit dem Frohn zu Philippi zu Mittag gegessen hätte! —

Daß endlich mittelst landesherrlicher Regierungs = Intervention diesen schier heidnischen Zuständen in Husum gründlich und für immer abgeholfen worden, das ist der tröstliche Schluß dieses lehrreichen raren Buches.

Zweiter Abschnitt.

Von unehrlichen Dingen.

Wenn man nicht nur die unmittelbare körperliche Berüh=
rung eines Aussätzigen oder Pestkranken, sondern auch die seiner
Kleidung, seines Geräthes, kurz alles dessen sorgsam vermeidet,
was mit ihm und seinem Krankheitsstoff im Zusammenhange
steht: so ist das eine natürliche, vernünftige Vorsichtsmaaßregel.
Weniger vernünftig, aber ganz analog, war nun die hypochondri=
sche Scheu der Ehrlichen vor den Berührungen alles Dessen, was
irgendwie mit den Berufsverrichtungen der anrüchigsten aller
Menschen, der Henkersleute, zusammenhing. Daraus erwuchs
eine Classe lebloser Dinge, deren Character bis zur Ansteckung
unehrlich geachtet wurde, so daß man sie floh wie die Pest, um
in keinen körperlichen Contact mit ihnen zu gerathen. Dahin
gehört, abgesehen von den Frohnerei= und andern Gefängnissen,
vom Galgenfelde und Abdeckereiplatz, vorzüglich der Rabenstein
oder das Hochgericht, der Galgen selbst, die Executionsgeräthe,
Leiter, Strick und Rad, das Richtschwert, das Abdeckermesser 2c.

Ein Glück war's, daß die Theorie der Ansteckbarkeit der
von unehrlichen Leuten gehandhabten Dinge beim Henker und
Consorten stehen blieb; denn wenn sie sich auch auf die von
unehrlichen Handwerkern verfertigten Erzeugnisse ausgedehnt hätte,
so wär's fürwahr einem rechtschaffenen Deutschen blutsauer ge=
worden, sich unangefochten durchzuschlagen in makelloser bürger=
licher Existenz, da schon das Mehl zum täglichen Brote, wie das
Linnen zum Hembe, den nicht unbescholtenen Händen des Mül=
lers, wie denen des Leinenwebers entstammt. Die verständige
Beschränkung des Begriffs der unehrlichen Dinge auf des Hen=
kers Acker und Pflug, bezeugt übrigens abermals den ungemein

hohen Grad des ihm aufgebürdeten Makels, in welchem ein selt=
sames Gemisch altgermanischer und altrömischer Rechtsanschauungen,
verbunden mit unverbauten Empfindungen des physischen Ekels
und des moralischen Abscheu's, seinen Ausdruck gefunden hat.

Es beschränkte sich die Unehrlichkeit der Dinge auch lediglich
auf die vom Henker bei seinen obiösen Verrichtungen gebrauchten
Geräthe. Sonst wär's auch eine Inconsequenz gewesen, wenn
z. B. der ehrbare Krämer Geld von ihm nehmen durfte, welches
jener — wer weiß wie lange — in seiner verdächtigen Tasche
getragen, — welches er — Gott weiß wie oft — in seinen
verrufenen „Frohnshänden" umgedreht hatte. Man nahm das
Geld auch gewiß nicht direct aus der warmen Hand des Hen=
kers, welcher es vielmehr auf den Labentisch, oder unter freiem
Himmel auf einen Stein legte. Ungesehen blies der Ehrbare
auch wohl darüber hin, und ließ es jedenfalls erst etwas ver=
kühlen und abdünsten, bevor er's einsäckelte, wenn er nicht etwa
auch dazu sich anderer, ehrlicher, Hände (die er dazu persua=
dirte) bediente. In der Stadt der wehschreienden Steine wird's
gewesen sein, wo ein Meister wegen unbarmherziger Stäupung
seines Lehrlings vor Gericht stand: er hatte diesem befohlen, das
vom Frohn hingezahlte Geld einzustreichen, abzuwischen und in
die Caffa zu legen. Der Lehrling aber, ein Bursch von ächtem
Schrot und Korn, und accurat ebenso scrupulös in puncto seiner
Ehre, wie der Meister, hatte sich dessen geweigert, worauf denn
die Nöthigung mittelst schlagender Gründe erfolgt war. Der
Richter fragte den Mann, ob er denn noch so abergläubig sei,
daß er's selber nicht hätte anfassen mögen, Geld sei doch Geld!
und der ehrbare Philister antwortete: „man läßt's freilich nicht
liegen und verderben, aber man läßt's doch lieber erst durch einen
Ehrlichen anfassen, wenn man einen dazu kriegen kann."

Bei vorfallenden Reparaturen unehrlicher Gefängnißlocale
mußte die Obrigkeit dieselben erst für ehrlich erklären, bevor die
Handwerker an's Werk schritten. Noch im Jahre 1772 mußte
man in Wien diesen Exorcismus vornehmen. Das dortige Cri=
minalgefängniß sollte umgebaut werden. Ein Magistratsherr
zeigte nun zuvörderst allen dabei betheiligten Handwerkern, daß

das Gebäu von allen Verbrechern völlig gesäubert sei, publicirte sodann ein strenges Verbot wider alle sothanen Baues wegen den Handwerkern zu machenden Vorwürfe, und erklärte in dreimal ausgerufener feierlicher Formel, unter dreimaliger Berührung des Gemäuers mit seinem Amtsstabe, das Gebäude für ehrlich.

Die Verrufenheit des Rabensteins wie des Galgenfeldes ist bekannt. Beide Localitäten spielen in allen vorzüglichen Räuber=, Geister= und Schauer=Romanen ihre dankbare Rolle. Wenn auch das harmlose Betreten dieses Terrains an sich nichts Verunehrendes hatte, so machten solide Bürger doch lieber einen Umweg, als daß sie geradeaus über's Galgenfeld gegangen wären, zumal in später Abendstunde, wo Einem an solcher Schädelstätte leicht ein Frösteln überlaufen kann, was freilich auch auf Rechnung der Furcht vor den Eindrücken aus der Geisterwelt zu schreiben ist. Wie denn auch ein Stolpern, Ausgleiten und Fallen auf diesem gefürchteten Fleck der „wunderschönen Gotteserde" für eine bedenkliche, gefährliche, ja recht verderblich böse Vorbedeutung galt.

Die absolute Scheu vor der Nähe des (salva venia) Schindangers mit seinen halboffenen Gruben, erklärt sich schon genügend aus sich selbst. Dort ist alles Erschreckliche mit einem Extrem von Unehrlichkeit vereinigt: pestilenzialische Ausbünstungen der ekelhaften Ueberreste vormaliger Quadrupeden, dazwischen zweibeinige Geschöpfe, die in Hyänen=Wildheit mit Cadavern und Entsetzen Scherz treiben und den Auswurf der Menschheit darstellen; dazu grimmige, wüthige Hundebestien im Vordergrunde, — freilich da gilt's rasche Flucht. Wer jemals gefühlvollen Herzens, auf einsamen Spaziergängen verirrt, zufällig solch' einen Abort gestreift hat, der weiß, was es mit dieser Nachtschattenseite der Natur auf sich hat.

Mächtig war die Unehrlichkeit des Abdeckermessers. Es wurde seinem Träger zur wirksamen Waffe gegen die Beeinträchtiger seines Privilegii in Betreff der Bestattung alles verlebten Viehes. Wenn nämlich beim Tode eines Kettenhundes Phylax oder eines „Hinz, des Murners Schwiegervater", der

sparsame Hausherr oder die empfindsame Gattin dem treuen
Thiere eine Ruhestätte im eignen Garten zugewiesen hatte, so
erachtete der Abdecker diese Handlung thierfreundlicher Pietät für
eine Verletzung seiner Gerechtsame, für eine böhnhafige Pfuscherei
in sein privilegirtes Gewerbe. Daß seine desfallsige Klage beim
Gerichte wenig verfangen würde, wußte der kluge Mann. Er
half sich sicherer und kürzer selbst. Er trat vor's Haus seines
Rechtsverletzers, stieß sein großes, allbekanntes Abdeckermesser tief
in die Thürpfosten, und ging ruhig seines Weges. Dann ver=
stand alle Welt die stumme Sprache des Messers, die da lau=
tete: der hier Wohnende hat dem Abdecker in's Handwerk ge=
griffen. Dasselbe Verfahren beobachtete der Abdecker, wenn
Jemand einen Hund oder eine Katze selbst getödtet hatte. Und
wenn auch jeder Nachbar in ähnlichen Fällen in dieselbe Lage
kommen konnte, so säumten doch die Spottvögel und Läster=
zungen nicht, den Skandal durch die Stadt zu trompeten und
den Geschmähten zu hänseln. Für die wohlfeile Selbstbestat=
tung seines verblichenen Mopses oder Hauskaters hatte er nun
Hohn und Schmach in Fülle, und um so größeren Aerger, da
er, so lange das unehrliche Messer in seiner Hausthüre steckte,
den Makel nicht zu tilgen vermochte. Das böse Messer nämlich
konnte und durfte weder er, noch sonst ein ehrbarer Mensch
herausreißen, denn solche Procedur hätte jeden Anfassenden im
Ernste unehrlich gemacht. Er mußte also wohl oder übel den
Wasenmeister beschicken lassen, daß er ihn gegen gute Gebühr
von dem Schandmal seines ehrbaren Hauses erlöse, was dieser
denn auch willig und höflich vollführte, und damit seinen Zweck
erreicht hatte. Solche gar practische Art der Selbsthülfe war
allgemein verbreitet (obschon in den höher civilisirten großen
Städten weniger, als in den kleineren), und lange Zeit erfolglos
kämpften landesherrliche Verbote dagegen. Denn der Betroffene,
welcher die Lacher allemal gegen sich wußte, zog es gemeiniglich
vor, sich in der Stille des Morgens mit dem Messermann zu
vergleichen, anstatt durch eine Denunciation den fatalen Handel
an die große Glocke zu hängen. Endlich wird wohl das kaiser=
liche Edict vom 16. August 1731, wegen Abstellung vieler

Mißbräuche, Wandel geschafft haben, welches Gesetz im ersten
Passus des dreizehnten Artikels alle diejenigen Personen, welche
„Hunde oder Katzen tobt werfen, erschlagen, ertränken, oder sonst
ein Aas anrühren" (NB. selbst beerdigen!), in Schutz nimmt
und sie also rein wäscht, daß ihnen keinerlei „Unredlichkeit"
daraus zur Last fallen soll, auch die Abdecker sich fürder nicht
unterstehen dürfen, solche Personen „mittelst Steckung des Messers zu beschimpfen und sie dadurch zu nöthigen, sich mit einem
Stücke Geld gegen sie abzufinden." — Und dieses erste Capitel der Gewerbefreiheit sollte billig von allen wahren Freunden
der Hausthiere höher geachtet werden; denn es ist kläglich, wie
rücksichtslos man oft mit den emeritirten derselben umgeht. Der
Hirsch des Waldes, jegliches hohe oder niedere Stück Wild, selbst
der bange Hase, wie der selbverwüstende grimme Eber, stirbt
von Jägershand getroffen, eines ehrlichen Todes, gewissermaaßen
als Cavalier; sogar dumme Ochsen, alberne Kälber und unsau-
bere Schweine verenden zwar weniger vornehm, doch unter ehrlichen Händen. Aber die besten Freunde der Menschen, die
guten anhänglichen Hausthiere, das edle Roß, den treuen Hund,
überläßt man so häufig dem schimpflichen Tode durch Henkershand! Den unbeschreiblich traurigen Blick des alten kranken
Pferdes, wenn besagter Mann es zum letzten Gange hinter sich
herzieht, ertrage, wer's vermag! Aber loben muß man's jedenfalls, wenn der wackere Reiter seinem Roß, der Jäger seinem
Hunde, den letzten Liebesdienst selbst erweiset durch einen ehrlichen Schuß mitten in's vielgetreue Herz. Zwiefach Preis daher
dem wackern Bauersmann eines pommerschen Edelguts, der vor
etwa 30 Jahren seinem alten treuen Hofhunde nicht nur solchen
Liebesdienst erwies, sondern ihn auch auf dem Kirchhofe des
Dorfs eigenhändig bestattete. Zwar befahl der Pfarrer, empört
über solches Sacrilegium, den Cadaver sofort wieder auszugraben
und wegzuthun. Aber der feine Bauerkopf fand ein Erweichungs-
mittel. Er ging zum Pfarrer, erzählte ihm, wie gut, wie treu,
und wie klug der selige Hund gewesen, so klug, daß er vor seinem
Ende an seines Herrn Geldschrank gegangen, dann auf den Kirchhof und dann auf's Pfarrhaus geblickt habe, andeutend, daß

die Stolgebühr für's christliche Begräbniß nicht möchte vergessen
werden, — „und nun ruht er da, und hier ist die doppelte
Gebühr", so schloß der Bauer, indem er ein Geldröllchen auf
den Tisch legte, — und der Pastor erwiederte gerührt: „Wohlan,
so wollen wir den klugen Hund in Frieden ruhen lassen!" So
hat der Gutsherr selbst erzählt.

Eine merkliche Stufe höher steht das Richtschwert, weil
es nicht wie das Messer vom Henkersknecht, dem Abdecker, sondern von dessen Herrn und Meister, vom Scharfrichter selbst, ge-
handhabt wird. Des Richtschwerts entehrender Einfluß kann nur
selten in's Leben getreten sein, denn es war und blieb im ver-
borgenen Schrein der Frohnerei, und kam mit keinem ehrbaren
Menschen in Contact. Es trat eigentlich nur gelegentlich einer
Execution in's große Publicum, wo es dann nach kurzem Blitzen
ebenso schnell wieder verschwand, als es erschien. Der, dem es
gegolten hatte, war nach der flüchtigen Berührung auch über alle
Unehrlichkeit dieser Welt erhaben. Je weniger es nun Anlaß
geben konnte zu einer Bemakelung ehrbarer Leute, desto gewaltiger war der Nimbus des Grauenhaften, der es umgab. Die
mit dem Begriff „Richtschwert" verknüpften Ideenassociationen
wurden von der hierin gern schwelgenden Phantasie des Volks
vielseitig ausgebeutet, und sagenhafte Gerüchte von den zauber-
haften Eigenschaften desselben gingen vielfach im Schwange. So
hieß es, daß in Neumondsnächten die Richtschwerter im Schreine
der Frohnerei von selbst gegen einander klirrten, anzeigend, daß
nächstens eine Enthauptung bevorstehe. Der bremische Scharfrichter, Meister Abelarius, besaß ein Richtschwert, das gab in
solchem Fall allemal einen klingenden Ton von sich, fein, durch-
bringend und nachhaltig, den wußte er zu deuten und betete ein
Vaterunser. Im Sommer 1539, da klang es in solcher Weise
80 Mal nach einander, fast wie Glockenläuten, und nach einer
Weile noch einmal, so schrill, daß dem Abelarius zu Muthe war,
als bohre sich das Eisen in sein Herz. Und nicht lange darauf
mußte er 80 Seeräuber enthaupten. Aber der letzte Klang hatte
ihm selber gegolten und seiner Hinrichtung als Zauberer. —
Es hieß auch, daß kundige Insassen alter Scharfrichtereien ein

dumpfes Schwertergerassel allemal vernehmen könnten, wenn gleichzeitig ein todeswürdiges Verbrechen begangen werde. Auch sagte man, daß dies Schwert vorher wisse, wessen Hals es dermaleinst durchschneiden müsse, und daß es z. B. wehmüthig ertöne, wenn ein unschuldiges Kind vor ihm stehe, das später zum Verbrecher erwachsen, ihm verfallen werde. Dann meinte der Scharfrichter, durch ein gelindes Ritzen mit demselben Schwerte rings um des Kindes Hals, dessen grauses Geschick abzuwenden. Und wer weiß, wenn Schön=Annerl's Großmutter dem Scharfrichter diese Procedur mit der kleinen Enkelin gestattet hätte, dann wäre vielleicht das erwachsene Schön=Annerl nicht mit demselben Schwerte, das vor ihm geklirret, gerichtet worden, wir aber wären dann um Clemens Brentano's unvergleichliche Geschichte gekommen. — Ebenso wird erzählt, daß ein leichtes Ritzen der Haut mit dem Richtschwerte, sicher stelle gegen alle anderweitigen Hieb=, Stoß=, Stich= und Schnittwunden. Und manche Thoren mögen in der Stille der Nacht zum Scharfrichter gekommen sein, um sich von ihm gegen baare Erkenntlichkeit „fest machen" zu lassen.

Ein Scharfrichterschwert ist kein Ritterschwert, kein Reiter=pallasch, keine soldatische Waffe. Es ist ein mäßig langes, breites, schweres Klingeneisen, mit beiden Händen zu schwingen, und steckt gewöhnlich in schwarzlederner Scheide. Da es sehr scharf geschliffen sein muß, so nutzt es sich im Laufe der Jahre leicht ab, worauf, um Schaden und Mißbrauch zu verhüten, die Obrigkeit es in Empfang nimmt. Daher kommt es, daß in den Rathhausarchiven vieler alter Städte gewöhnlich auch eine kleine Sammlung solcher Justizwerkzeuge aufbewahrt wird. Zuweilen hat man Zettel daran geklebt, auf welchen kurze Nachweisungen über die mit denselben vollstreckten Todesurtheile zu lesen sind. Da in unserm aufgeklärten Zeitalter an vielen Orten entweder die Todesstrafe ganz abgeschafft, oder das in der Volksmeinung noch immer geachtete Richtschwert durch das mechanische Fallbeil ersetzt ist, so dürfte ersteres bald überall außer Gebrauch kommen und zur curiosen Antiquität werden, weshalb das nürnberger Nationalmuseum vermuthlich schon jetzt ein möglichst completes

Affortiment auch dieser Reliquien des barbarischen Mittelalters anzulegen sich befleißigen wird.

Faft aller Orten trug die Klinge des Schwertes eine im Geifte und Sinne des Scharfrichters sprechende Inschrift, einen frommen Wunsch für des armen Sünders Begnadigung bei Gott, — auch wohl eine Warnung vor Missethaten, unter Erinnerung an deren Sühne durch das Richtschwert.

Schwerlich fand der Mann jedesmal, wenn er es zum Gebrauch aus der Scheide zog, die erforderliche Zeit und Muße, diese Inschriften zu lefen und zu überdenken; doch kannte er fie und ihre Bedeutung; und wohl mag selbft der flüchtige Anblick diefer Worte den tiefen Ernft seiner Seelenstimmung in solchem Momente erhöht haben.

In einem schönen alterthümlichen Schreine des Rathhaufes der ehrwürdigen schwäbischen Stadt Memmingen in Bayern werden, unter anderen Reliquien ihrer vormaligen reichsftädtischen Hoheit, auch drei Richtschwerter aufbewahrt, deren Inschriften alfo lauten:

1. Avers:

   „Wenn ich das Schwert thu aufheben,
   So wünsch' ich dem armen Sünder das ewige Leben."

Revers:

   „Mensch, hüt' dich, thu kein Böses nicht,
   Wan du wilt fliehen das Gericht." 1712.

2. Avers:

   „Wan nun dem arm' Sünder wird abgesprochen sein Leben,
   So wird Er unter meine Hand gegeben."

Revers:

   „Hüte dich, thue kein Boffes nicht,
   So kommftu nicht ins Gericht." 1734.

3. Auf dem dritten, scheinbar neueren, ohne Jahrzahl, steht auf beiden Seiten:

   „Soli Deo gloria."

Zu Hamburg, wofelbft im Laufe der Jahrhunderte gewaltig viel Enthauptens stattfand, wo die Seeräuber Schockweise decollirt wurden, wo mithin auch der Verbrauch der Richtschwerter

nicht gering war, afservirte das Stadtarchiv eine artige Collec=
tion derfelben. — Hätte der Verfaffer diefer Abhandlung, welcher
fie vor 20 Jahren zu mehreren Malen betrachtet hat, doch daran
gedacht, ihre Infchriften und beigemerkten Thaten zu verzeichnen!
Leider befchäftigte er fich damals noch nicht mit unehrlichen
Leuten und Dingen, und als er es that, da war's zu fpät, da
war im Mai 1842 der große Brand gekommen, und hatte, nach
eiliger Flüchtung der wichtigften Schätze des Archivs, — mit
unendlich vielen intereffanten Denk= und langweiligen Nichts=
würdigkeiten, auch die Reliquien der Bodenkammern zerftört, dar=
unter die Richtfchwerter der Vorzeit.

Das letzte der hamburgifchen Richtfchwerter aber exiftirt
noch. Es ift in den 1830ger Jahren von der Wittwe des Man=
nes abgeliefert worden, der es von 1799—1822 meifterlich ge=
führt und die Namen feiner Patienten auf die Scheide gefchrieben
hatte, — feitdem hat hierorts keine Hinrichtung durch das Schwert
ftattgefunden.

Liebhaber folcher Raritäten können es in unferem Mufeum
hamburgifcher Alterthümer (Abtheilung II. Nr. 45) in Augen=
fchein nehmen. Es trägt auf der einen Seite der Klinge die
Infchrift:

"Wenn ich thu dies Schwert aufheben,
Wünfch' ich dem Sünder das ew'ge Leben."

auf der andern aber die Jahreszahl feiner Verfertigung: 1705,
und das fromme Stoßfeufzer=Gebet des Scharfrichters: "Gott,
ftärke mich in diefer Stunde!"

Im Rathhaus=Archiv zu Aachen fand man im Jahre 1801
ein Richtfchwert, aus deffen Infchriften nicht der Eigner, fon=
dern das Schwert fpricht; fie lauten:

"die Herren judiciren,
ich thue exequiren."

und auf der Kehrfeite:

"wenn ich mich thu erheben,
wünfch ich dem Sünder ew'ges Leben! —

In der Volksmeinung ist die Todesstrafe durch's Schwert entschieden weniger entehrend, als die durch Galgen und Rad. Und in der That gebührt sowohl in moralischer als ästhetischer Hinsicht dem Schwerte der Vorzug vor dem Galgen. Dem küh=nen, sein Leben in die Schanze schlagenden Räuber, selbst dem Mörder aus Leidenschaft, zollt man mehr Sympathie, als dem schleichenden, feigen Diebe. Der Tod durch's Schwert ist dem Zuschauer zwar ein schreckhaft ernster, gewaltig ergreifender An=blick; aber er ist verhältnißmäßig anständig, und keinesfalls so tief entwürdigend, als der Tod am Galgen, bei dessen Anschauen sich jedes nicht völlig Stein gewordene Herz umkehren muß vor Entrüstung, vor Ekel und Abscheu. Fürwahr, wäre keine andere Hinrichtungsart denkbar und möglich, besser schaffte man die Todes=strafe ganz ab, als daß man diese schauderhafte Manier beibehielte. Das Empörende derselben scheint freilich von demjenigen Volke, welches sich berühmt, das freieste und edelste zu sein, so wenig empfunden zu werden, daß vielmehr das Hängen die einzige und unbegreiflich häufig angewandte Art der Todesstrafe in England ist. In Deutschland aber hat man es längst gefühlt und den Galgen — soviel bekannt — überall abgeschafft, seit welcher Zeit freilich das Sprichwort „Galgen zerstört, Diebstahl gemehrt" sich als wahr genug erwiesen hat. Aber das Hängen bleibt darum doch widerwärtig, und räthselhaft ist's, weshalb so manche Un=glückliche (auch nicht britischer Nation) beim freiwilligen Verzicht auf dies Erdendasein, gerade diese fatale Manier wählen, um davon zu kommen.

Galgen gab's in den deutschen Urzeiten nicht, das Hängen war ein seltenes Ereigniß. Erschien den Israeliten Mosis das Aufknüpfen nach dem Tode für eine arge Beschimpfung, so galt den Germanen das Aufhängen eines Lebendigen für die aller=schmählichste, entehrendste Strafe, welche deshalb Anfangs nur den infamsten Verbrechern, die sie kannten, den Verräthern, den Ueber= und Davonläufern, zuerkannt wurde. Und dennoch, in wie höchst discreter Weise wurde sie vollzogen! Keine Priester=hände knüpften den Uebelthäter, dessen Verbrechen die Götter beleidigt hatte, an eine denselben gewidmete heilige Eiche, und

ließen ihn in dem beruhigenden Bewußtsein eines Versöhnungs=
opfers getröstet sterben. Als mit wachsender Civilisation durch
römische Einflüsse auch der Diebstahl in Germanien bekannter
wurde, zählte man dieses „scelus omnium scelerum sceleratis-
simum“, mit Verrätherei, Fahnenflucht und Ueberläuferei, zu den
durch die schimpflichsten Strafen zu sühnenden Verbrechen, zu
deren Verbüßung man sich nach wie vor der alten heiligen Bäume
bediente. Und zwar, wie wir oben sahen, ohne scharfrichterliche
Hülfe, welche damals noch unbekannt war, mittelst ehrlicher Hände.
Lange bevor der Landfrieden Kaiser Friedrich's I. v. J. 1158
für den Diebstahl den Strang bestimmte, kommt dessen Anwen=
dung in diesem Falle vor, unter den Ottonen, nach Ditmar v.
Merseburg's Bericht, und im ripuarischen Gesetze. Die Fehme, welche
ihren aus Weidenruthen geflochtenen Strang allerdings über Gebühr
verallgemeinerte, kannte nur Bäume, vorzüglich in des Freistuhls
nächster Umgebung, als Executionsstätten und der Fehmbote
nutzte ihre Eicheln, auch wenn sie auf fremdem Boden wuchsen.
In Holstein wurde, nach Godings = Spruch von 1392, die Un=
that eines Schaafdiebes „an dem nägesten grönen Boom“ gerächt,
und wer weiß, wie lange noch die 1426 und 1487 erwähnte
„Bammel=Eeke“ bei Ploen, durch die darin baumelnden Strolche
die Vorüberreisenden erschreckt hat. Die Eiche blieb nach wie
vor der beliebte Hängebaum, namhaft gemacht bei vielen Ge=
richtsstätten als „Hang = Eiche“, — sogar, bei der Stadt Soest,
spöttischer Weise „Bürger = Eiche“ benannt. Bei Saalfeld soll
vor 100 Jahren eine alte Eiche gestanden haben, worin damals
noch die zum Hängen benutzte eiserne Kette im verrosteten und
bemoos'ten Zustande zu sehen war, — und im bremischen Hol=
lerlande kannte man ebenfalls vor 100 Jahren die alte Eiche
noch, daran viele Diebe ihre schwarze Seele ausgehaucht hatten.
Ganz übereinstimmend mit den Rechtsanschauungen seiner Zeit
läßt deshalb der Dichter über die Verbrechen des Bannerherrn
Reineke Voß das Urtheil sprechen: „dat he hinghe bi siner
Kehlen an enen Boom als ein Deef“, und kein Henker von
Profession, nein, Isegrimm der Wolf und Braun der Bär, seine
Pairs,

„düsse, be em bunden und vengen,
„düsse dachten em ob uptohengen."

Mit dem Scharfrichter von Profession und dessen handwerksmäßigem Executionsapparat kam dann auch der starre dürre Galgen in Gebrauch, dessen Name nicht unwahrscheinlich aus dem nordischen Worte Gagl (d. h. Ast) abzuleiten ist, und somit schwach an den grünen Hangebaum der Vorzeit erinnert. Die mit der Ausübung des Blutbanns und der höchsten Justiz vom Kaiser begnadigten Reichstände und =Städte säumten nicht, alsbald zu sichtbarer Documentirung solches Vorrechts ihre Galgen aufzurichten (wie früher die Rulandsstatuen), und so gab's ihrer bald übergenug, und die Schöppen erkannten fleißig: „daß der Dieb mit dem Strange also zu richten, daß die Luft ob und unter ihme zusammen schlage."

Durch eine gewisse ästhetische Antipathie gegen dies unschöne Werkzeug des Todes zeichnete sich die obengedachte freie Reichsstadt Memmingen sehr vortheilhaft aus, welche überhaupt als lebhafte Handelsstadt, wie als Wohnort einer intelligenten Einwohnerschaft, den vornehmsten Reichsstädten beizugesellen ist. Als ihr Magistrat i. J. 1402 vom Kaiser Ruprecht mit dem Blutbann beliehen war, dessen Ausübung laut Privilegii Kaiser Albrechts v. J. 1438 der Bürgermeister dem jeweiligen Stadt-Ammann zu übertragen hatte, da scheint sich wenig Neigung zum Bau des unvermeidlichen Galgen gezeigt zu haben. Als man sich desselben nicht länger erwehren zu können glaubte, etwa aus Furcht vor verkleinerlichen Nachreden angrenzender Reichsgrafen, da scheint die Wahl des Platzes viel Kopfbrechen gemacht zu haben. Bekanntlich ist Memmingen außerhalb seiner festen Mauern und Thürme von einem stattlichen grünen Hopfenwalde und den anmuthigsten Blumengärten umkränzt, woselbst die ständige Nachbarschaft des tristen Galgens den Patriciern wie Bürgern alle Luft verleidet und den herrlichen Blick auf die Alpenkette im Süden gewiß sehr getrübt hätte; und da nun überhaupt allen Memmingern ihr eigen Stadtgebiet viel zu gut und ehrlich däuchte, um durch Tragung solch' einer Strafmaschinerie verunziert zu werden, so verwiesen sie dieselbe an eine entfernte Grenz-

stätte an der Kemptener Straße, woselbst halb versteckt und wie
verloren der Galgen auf einer Erdscholle erbaut wurde, welche
bei Lichte besehen, nicht städtisches Territorium war, sondern zur
buchau'schen Landvogtei Aulendorf gehörte. Anfangs mögen
immerhin einige Malificanten hier gerichtet gewesen sein, denn
das Instrument hatte Geld gekostet, mußte also auch verwerthet
werden. Allmählich aber schlug die alte Abneigung gegen das
Hängen wieder durch, man enthauptete lieber auf dem Markt=
platze und achtete es nicht, daß man viele Richtschwerter abnutzte
(siehe oben), während der Galgen einsam stund und gänzlich ver=
fiel, so daß er um 1760, da seit länger als 100 Jahren Niemand
an ihm gehangen, nicht mehr für das zu erkennen war, was er
vorstellen sollte. Es würde auch damit zweifellos das Hängen
in Memmingen für immer factisch abgeschafft gewesen sein, wenn
nicht Uebelwollende, von der katholischen Parthei in Schwaben,
diesen Umstand zur Aussprengung gehässiger Insinuationen be=
nutzt hätten. Sie spargirten fleißig: mit dem Memminger Recht
der höchsten Justiz sei's nur eitel Wind, da sie nicht einmal einen
Galgen auf eigenem Stadtgebiet besäßen, weshalb sie klüglich
ihren alten Hängebaum verfallen lassen. Solch' müssiges Ge=
schmätz wurmte billig die Väter der Stadt, und da der Obervogt
zu Aulendorf sich nicht scheuete, in gedachte beleidigende Afterrede
mit einzustimmen, so antworteten sie demselben hierauf, wie sich's
gebührte. Und um nun Gott, aller Welt und den Katholischen
zu zeigen, was es mit ihrem Blutbann auf sich habe, ließen sie
1762 ihren Galgen auf derselben Stelle neu erbauen, wobei alle
Professionisten der Stadt sich betheiligten und in großer Prozes=
sion mit klingendem Spiel und fliegenden Fahnen hinauszogen.
Ja, um ihr Recht noch entschiedener zu betonen und zu manife=
stiren, daß sie sehr wohl hängen lassen dürften, wenn sie nur
wollten, griffen die Herren in Memmingen zu und ließen Anno
1766 einen Mann daselbst aufknüpfen, der sonst wohl mit dem
Schwerte begnadigt worden wäre. Bei dieser Demonstration pro
patria ist's aber geblieben, und bis zur Vereinigung der alten
guten Reichsstadt mit Bayern i. J. 1802 wurde dort weiter kein
Armersünder mit dieser Todesart beschwert.

Bei gegenwärtiger Seltenheit eines solchen Justizgebäudes fällt es der heranwachsenden Generation gewiß nicht leicht, sich von ihm ein richtiges Bild zu entwerfen. Das war vormals anders, als noch jede Stadt, jedes Amtsgericht einen Ruhm darin suchte, am schönsten Punkte der Gegend mit einem wohlconditionirten Galgen voller Früchte zu prunken und damit den Beweis prompter Justizpflege zu führen, allen Gutgesinnten zum Troste, den Bösen aber zum haarsträubenden Entsetzen. Auf keiner älteren Städteabbildung fehlt das unerläßliche Halsgericht, gewöhnlich, zu angenehmerer Uebergräsung des Beschauers, mit schreckhaften Körperfragmenten behangen. Das vortreffliche Kupferwerk der Familie Merian, die Topographie und Beschreibung der Kreise des deutschen Reiches ꝛc. (um 1650 u. f. f.), ein „malerisches und romantisches Deutschland" in Folio, ist auch in dieser Hinsicht sehr lehrreich. In den alten Malefizbüchern und in den Lebens= und Todesgeschichten großer Sünder findet man ebenfalls accurate Galgenbilder als passendste Illustration, und lernt die verschiedenen Arten und Formen kennen. So gab's denn vormals simple (einschläfrige) Kniegalgen, größere mit zwei bis drei gemauerten oder hölzernen Pfeilern, an deren Querbalken zwei bis sechs Personen zugleich Platz fanden. Der eigentliche große Normalgalgen, welcher für volkreiche Städte unentbehrlich war, faßte seine sieben Personen (woher der in gewählter Umgangssprache noch jetzt gebräuchliche Ausdruck „ein Galgen voll" für 7 Herren und Damen). Zwei arme Sünder trug nämlich jeder der drei Querbalken der triangelförmig stehenden drei Pfeiler, während in der Mitte an einem höher angebrachten Gebälke, der siebente oder Ehrenplatz war für den „Erzdieb," welcher, als ein solcher „zum höchsten Galgen" condemnirt war. Man sieht, auch hier gab's Etikette und Rangordnung.

Nach einer traditionellen Henker=Gewohnheit mußte der Galgen so stehen, daß das Gesicht des Aufzuknüpfenden nach Norden blickte. Denn im hohen Norden war die „grimme Hörne", die traurige grimme Ecke, nämlich Niflheim, die Hölle der alten Germanen und Nordländer, woselbst den durch Sünde dahin Verdammten nicht nur Schmach und Schande, sondern auch ewige

Kälte, und (was noch schlimmer) ewiger Durst plagt. Mit die=
ser freundlichen Aussicht suchte man also dem Diebe sein Sterbe=
stünblein zu verschönern.

Bei solchem Sachverhalt konnte es denn aus allen darin
liegenden inneren wie äußeren Gründen nicht anders sein, als
daß dem Galgen eine besonders große Unehrlichkeit beiwohnte,
welche sich selbstredend auf seinen ganzen Apparat von Stricken,
Leitern 2c., sowie auf sein Territorium, das berüchtigte Galgen=
feld erstreckte, woselbst die dazu verurtheilten, respective begnabig=
ten Körper der Hingerichteten, neben den boshaften Selbstmördern
aus fürsätzlicher That, von Henkersknechten eingescharrt wurden.

Begreiflich ist's, daß Hochgericht und Rabenstein dem volks=
thümlichen Aberglauben, dessen Gipfel vormals das Zauber= und
Hexenwesen war, eine schöne Werkstätte grauseliger Dinge dar=
boten. Unterm Galgen tief in der Erde erwuchs aus den letzten
Thränen unschuldig Gehängter jene köstliche Wurzel, welche als
Alräunchen, heiß gewünscht und hochverehrt, der Gegenstand häu=
figer Nachgrabungen in mitternächtiger Stunde war. Alräunchen
waren selten, wie ihr Entstehungsgrund. Der Daumen oder irgend
ein anderer Finger eines richtigen Diebes, demselben im Galgen ab=
geschnitten, galt gleichfalls als äußerst zauberkräftig für alle Verle=
genheiten seiner lebenden Genossen. Diebesfinger waren für alles
Galgengelichter leicht zu erlangen und halfen das Stehlen ver=
vielfältigen. Schon am nächsten Morgen nach der Execution pflegte
einem Aufgeknüpften ein Daumen zu fehlen, und so ging's weiter.

Kein ehrlicher Mensch mag mit dem Galgen zu thun haben.
Da aber derselbe, wie jedes Menschenwerk, der Vergänglich=
keit unterworfen war, mithin zuweilen reparirt oder neu gebaut
werden mußte, so gab dieser Umstand zu allerlei ärgerlichen Con=
flicten Anlaß, indem die ehrlichen Zünfte der Zimmerleute, Mau=
rer, Schmiede u. s. w. es ablehnten, mit einem so verwerflichen
Stück Arbeit sich zu befassen. Einen neuen Galgen aus natur=
wüchsigem Holz zu verfertigen, das hätte der Zimmermann sich wohl
noch gefallen lassen, aber die Gerichtstätte zu betreten, den alten
Galgen einzureißen und den neuen dort zu errichten, — dagegen
sträubte sich das Ehrgefühl der wackern Professionisten bedeutend.

Eine Gerichtsherrschaft hatte deshalb allemal in solchem Falle erschrecklich viel Unlust und Widerwillen zu bekämpfen, mußte kraft obrigkeitlicher Autorität vorerst die unehrlichen Dinge für ehrlich declariren, den Werkleuten Schutz gegen alle Angriffe und Verrufserklärungen abseiten ihrer Genossen versprechen, und es sich neben hohem Arbeitslohn auch ein gutes Stück Geld kosten lassen, um den ganzen Werk durch pomphafte Aufzüge ꝛc. den Nimbus einer amtlichen Feierlichkeit, mithin einen soliden Anstrich großer Ehrlichkeit zu verleihen. Demnächst suchte man, nach dem Spruch „divide et impera", durch Theilung der Arbeit das odium zu verallgemeinern und dadurch für den Einzelnen zu verringern. Zur Aufrichtung des Galgens in Berncastel hatte der Amtmann das Holz, alle übrigen Erfordernisse aber und die Arbeit selbst die Einwohnerschaft der umliegenden Ortschaften zu liefern, so, daß jede Gemeinde ein Stück lieferte, diese den Strick, jene den Knebel zum Stranguliren, andere Kamm, Scheere und Besen u. s. w. In andern Gegenden war es rechtliche Gewohnheit geworden, daß zum Bauen und Bessern eines Galgens nicht Jedermann, sondern nur alle dazu erforderlichen Handwerker des ganzen Districts zusammen arbeiteten, der Art, daß jeder Meister mit seinen Gesellen ein Stück verfertigen mußte. Bei den Erneuerungsarbeiten des Augsburger Galgens i. J. 1530 beschäftigte man alle dazumal in der Stadt anwesenden Zimmer= und Maurerleute, „damit keiner dem andern etwas vorzuwerfen habe." Auch solchen Gewerbsleuten, deren Profession gar nichts mit Galgenbauten zu thun hatte, legte man eine Betheiligungspflicht auf, z. B. den Müllern ziemlich allgemein die Lieferung der Galgenleiter, und den unschuldigen frommen Leinewebern die Leistung von Handlangerdiensten bei Aufrichtung des Galgens, laut Zeugnisses einer Stelle in Jobst Sackmann's, des Pastors zu Limmer bei Hannover, berühmten Predigten.

Die Carolina, nämlich die Hals= oder peinliche Gerichtsordnung Kaiser Karl's V., Art. 215 — 217 suchte diese Rechtsgewohnheiten, wegen ihrer alles Maaß überschreitenden Kosten, einzuschränken, indem sie verfügte, daß aus der Gesammtzahl der im Gerichtsdistrict Ansässigen, die benöthigten Handwerker aus=

zuloosen seien, welche dann nicht mehr als den gewöhnlichen Tage=
lohn für ihre Arbeit empfangen sollten; wobei jedoch dieselbe
für vollkommen ehrlich erklärt, und den Arbeitern voller Schutz
gegen jede Schmähung und Verachtung puncto ihrer Bethei=
ligung am Galgenbau zugesichert wurde. Es scheint aber,
daß diese Bestimmungen nicht überall zur Ausführung gekommen
sind. Wenigstens dauerten an manchen Orten noch bis tief in's
vorige Jahrhundert die alten Gewohnheiten, die vielfachen Diffe=
renzen, die feierlichen Aufzüge, die großen Unkosten, nach wie vor
fort, wovon hier einige Beispiele folgen mögen.

Das erste verbürgt ein i. J. 1728 zu Augsburg gedrucktes
lehrreiches Buch in Quart, betitelt, „Res furciferorum, d. i. Die=
beshändel" von Vereno Frank von Steigerswald, aus dessen
zweitem Theile es geschöpft ist.

Zu Weickersheim nämlich, einem hohenlohischen Residenz=
Städtlein an der Tauber, zeigte es sich im Jahre 1722 bei einer
bevorstehenden Execution, daß das alte Hochgericht „ganz ver=
faulet sei und auf dem Einfall ruhe." In so gefährlicher Ruhe
konnte man es nicht lassen, folglich wurde der Bau eines neuen
beschlossen. Nachdem die öffentliche Stimme unter Voraussetzung
des Beibehalts der alten Gewohnheiten, consentirt hatte, wurden
die Vorbereitungen rasch getroffen, wobei zu merken, daß im
Hohenlohischen damals noch Ueberreste der uralten fränkischen
Centgerichtsverfassung existirten. Zum 27. April wurden nun
sämmtliche im Amtsbezirk Weickersheim und in dem der Cent
incorporirten Flecken Kollenbach subsistirenden Steinhauer, Mau=
rer, Zimmerleute, Schmiede, Schlosser und Wagenmacher, Meister
wie Gesellen, citirt, — löbliche Bürgerschaft des Städtchens aber
mittelst Trommelschlag früh vier Uhr convocirt, worauf vom Markt=
platz aus in festgesetzter Weise die Procession zum Hochgerichte
folgendermaßen sich ordnete: ein Fourierschütz, die Stadtmusikan=
ten, Amtmann und Stadtschreiber zu Roß, zwei Fourierschützen,
die Feldscheerer, der Stadtlieutenant, die Hälfte der Bürgerschaft
mit ihren Wehren, unter zweien fliegenden Stadtfahnen; der
Centgraf, die Bau=Handwerker (nämlich 16 Steinhauer, 40
Maurer, 11 Zimmerleute, 41 Schlosser, Schmiede und Wagener,)

— Meister, Gesellen und Jungen, zusammen 111 Personen mit ihren Geräthschaften und Handwerkszeichen; sodann ein Officier und die andere Hälfte der bewaffneten Bürgerschaft.

An Ort und Stelle, da, wo der Galgen auf dem Einfall ruhte, formirten die bewehrten Bürger einen Kreis, die Handwerker traten in die Mitte, und der Amtmann alloquirte sie feierlich. In seinem Vortrag erklärte der wackere Mann (Christoph David Müller hieß er): der hochgeborene Graf und Herr, Karl Ludwig (totus titulus) wolle zur Vollziehung der heilsamen lieben Justiz dies durch Alterthum in Abgang gerathene Hochgericht wieder aufführen lassen, durch Hülfe der sämmtlich dazu geladenen ehrbaren Handwerker, Meister und Gesellen. Damit nun diese desto weniger Anstand nehmen möchten, solchem nützlichen Werke sich zu widmen, lasse Jhro hochgräfliche Excellenz kraft tragender hochobrigkeitlicher Gewalt, diesen Ort und dieses alte Hochgericht für ehrlich erklären, und erkläre er, Amtmann, kraft erhaltenen Befehls, hiermit solches für ehrlich; (dreimal wiederholt, Tusch der Musik) nicht minder versichere er die ehrsamen Meister und Gesellen des hochobrigkeitlichen Schutzes, der Art, daß Allen, welche bis zur Vollendung Hand anlegen, darob keinerlei Gefährte entstehen, noch ein nachtheiliger Ehrenvorwurf, jetzt oder künftig auf sie gebracht werden solle. Der Amtmann fährt dann fort: „wir hochgräfliche Deputirte, und mit uns die in ihrer ehrbaren Wehr gegenwärtige, aus allerlei ehrlichen Handwerkern und Professionisten bestehende löbliche Bürgerschaft der hochgräflichen Residenzstadt Weickersheim, wir legen auch zuerst Hand an mittelst Anrührung des Hochgerichtes, und Jhr, Jhr ehrsamen Meister und Gesellen werdet hierauf nicht säumen, durch Eurer Hände Arbeit das Werk fleißig zu vollführen." Hierauf zogen unter Trommeln und Pfeifen im ernsthaften Gänsemarsch, der Amtmann, Stadtschreiber, Centgraf, Officiere und sämmtliche Bürger um das alte ehrlich erklärte Hochgericht herum, und Mann für Mann rührte dasselbe mit seiner biedern Rechten an. Nun commandirte der Centgraf die Handwerker zum Angriff auf den alten unterwärts gemauerten Galgen, und versprach demjenigen, welcher den ersten Stein abwürfe, ein Maaß Wein extra. Unter lautem Kampfgeschrei liefen die Ehrsamen nun Sturm, und der Maurer Johann Jakob Dippelmüller war's, der mit dem ersten Stein den Ehrenwein erfiegte. Somit war dem Hochgericht die fernere Ruhe unmöglich gemacht, der Einfall erfolgte prompt, und nun ging's an die regelmäßige fleißige Arbeit, wobei die Stadt= mufikanten durch artiges Spiel die Werkleute vergnügte, bis sechs Uhr Abends, worauf man in Procession wieder heimzog. Am zweiten und dritten Arbeitstag zogen die Handwerker nur in Be= gleitung zweier Corporalschaften der Bürger aus und ein, und brachten das Werk glücklich zu Ende. Materialia et requisita hatten die Bauern gegen Wein und Brot herbeigeführt, das Holz zu den Querbalken schenkte die Herrschaft. Die 111 Hand= werker erhielten täglich Jeder „sattsam Brot und Gemüs, dabei ½ Pfund Fleisch und 2½ Maaß Wein. Amtmann, Stadt= schreiber, Centgraf, etliche Rathmänner, Stadtlieutenant und Fähn= rich ergötzten sich zur Feier des ersten Tages an einer „mäßigen Mahlzeit."

Am 15. Mai fand dann die Execution des armen Sün= ders statt, um dessen willen der alte Galgen so festlich erneuert worden war. Dazu war die ganze Centgrafschaft auf den Bei= nen, nämlich die Centschöppen, die Centgewöhnlichen, und die Centverwandten aus zwölf Dorfschaften, deren Namen mit = bronn oder = heim endigen; sie waren theils mündlich citirt, theils aus= gerufen, theils mit Glocken geladen, Alles genau nach Herkommen und Pflicht, und erschienen auf dem Markte, als grade die Bür= gerschaft, von der Trommel berufen, herbeieilte. Die peinliche Ceremonie des Stabbrechens vor dem Rathhause übergehend, wen= den wir uns zu der nicht weniger herzbrechenden Scene, da Hans Michel Hartmann, genannt Thurm=Michel, ein im Stehlen er= grauter Erzdieb, Abschied nahm von den mit dem nackten Da= sein begnadigten Genossen: seinen Schwiegersöhnen, Simon Gick und Georg Albert und seinen Töchtern Appollonia, Barbara und Rosina; erstere drei waren „zum wohlempfindlichen Stau= penschlag um den Galgen herum, nebst Brandmarkung", — letztere, zwei junge Dirnen von 17 und 19 Jahren, nur „zur Stellung auf den Lasterstein mit Ruthen in der Hand", — alle fünf aber zum ewigen Exil aus hohenloheschen Landen und dem Gebiet des ganzen fränkischen Kreises, verurtheilt. Es heißt in der Druckschrift lakonisch: „der arme Sünder durfte sich letzen mit seinen Kindern, bis Centgraf den Harnisch angeleget." Dann ging's fort. Unter den 16 Nummern des Zugprogramms sind zu erwähnen: 6. Amtmann und Stadtschreiber zu Roß; 7. die reisigen Schultheißen zu Roß; 8. zwo Geharnischte zu Fuß mit Hellebarten; 9. der Centgraf Johann Ludwig Renck, völlig geharnischt, zu Roß; 10. zwo Geharnischte zu Fuß; 11. die Centschöppen paarweis, in Mänteln und mit Degen; 12. Praeceptores und Schüler, singend; 13. der arme Sünder zwischen drei Geistlichen; 14. des armen Sünders Familie, vom Scharfrichter geführet u. s. w. Inzwischen hatten die Müller die ihnen obliegende Galgenleiter herbeigeschleppt, und die Execution ging vor sich, von der wir die Augen wegwenden wollen.

Mittags war im Rathhause eine Mahlzeit für die Honoratioren, im Wirthshause für die reisigen Schultheißen à 30 Kreuzer, in einer Kneipe für die Unterofficiere, Tamboure und Harnischträger. Jeder Bürger und jeder Centmann hatte ein Maaß Wein frei. —

Der Galgen zu Halle war in früheren Zeiten nur von Holz, ohne steinerne Fundamente. Im Jahre 1534 sandte der Rath einige Herren seines Mittels mit dem Stadt-Syndicus an den magdeburgischen Cardinal-Erzbischof Albrecht ab, mit der Bitte, den neu erforderlichen Galgen nicht von Holz, sondern Ihm (dem Cardinal) zu Ehren, von Stein machen zu dürfen. Se. Gnaden lehnten jedoch diese Ehrenbezeugung ab. Ebenso vergeblich suchte der Rath bei seinen Nachfolgern 1602 und 1643, statt des schnellvergänglichen Holzmaterials die solidere steinerne Construction nach, welche erst der Kurfürst von Brandenburg, als nunmehriger Landesvater, im Jahr 1698 erlaubte. Bei allen hallischen Galgenbauten hatten sich übrigens sämmtliche Baugewerke zu betheiligen. Zuweilen prätendirten diese, daß solches Werk durch die beiden regierenden Bürgermeister, mittelst Abhauung dreier Spähne, begonnen werden müsse, was dieselben persönlich zu thun standhaft verweigert,

jedoch durch den Rathsbaumeister verrichten zu lassen, gern ein=
gewilligt haben. Bei solchen Acten haben denn die „Hausleute
oder Thürmer" mit Trommeln und Pfeifen aufwarten und fleißig
musicirend die Arbeiter bei regem Fleiße und guter Laune er=
halten müssen, nachdem man Morgens mit klingendem Spiel
und fliegenden Fahnen feierlichst ausgezogen war.

Wir kommen nun zu einigen Hochgericht= und Galgenbau=
Historien, welche im hamburgischen Grund und Boden wurzeln.
Aus den ältesten Zeiten ist uns nichts Hierhergehöriges über=
liefert, nur erfahren wir aus den Stadtrechnungen, daß im
Jahre 1464 ein patibulum auf dem Grasbrok (in palude) für
Räuber errichtet wurde, bei welcher Gelegenheit für Bier und
andere Unkosten 5 Thaler und 15 Schillinge ausgegeben worden
sind. Von andern Feierlichkeiten schweigt die Cameralnotiz. —
Unter patibulum wird hier nicht die beim Ruthenstrich gebräuch=
liche Henkergabel, auch nicht ein gewöhnlicher Galgen, sondern
das Pfahlwerk zu verstehen sein, auf welchem die Köpfe der
damals enthaupteten 40 Piraten befestigt wurden.

Auch über die Gründung und Einweihung des „Köppel=
berges" vor dem Steinthore (in der heutigen Vorstadt St. Georg,
unfern des Krankenhauses und lübeker Thores, am nordöstlichen
Ende der Brennerstraße) kann nichts Näheres beigebracht werden.
Er wurde im October 1609 fertig gemacht und bald darauf
mittelst Justification des Uebelthäters Gerd Kock, seinem Zwecke
gemäß zuerst verwendet. Ebenso lakonisch lauten die Notizen
über den späteren Neubau des Galgens: „den 19. November
1656 ist die höchste Justiz mit Trummeln und Pfeifen hinaus=
gebracht."

Als nun im Jahre 1680 der Fall eintrat, daß „die Justiz"
einer Reparatur bedurfte, da verweigerten die zünftigen Zimmer=
leute und Maurer ihre Mitwirkung. Sie nannten das ihnen
zugemuthete Werk ein unehrlich Stück Arbeit, und meinten
Schmach und Verachtung abseiten der übrigen Zünfte zu befah=
ren, wogegen keine kaiserliche Friedensversicherung sie schützen
könne. Der Rath suchte und fand einen Ausweg, indem er die
Arbeiter des Fortifications=Departements, unter welchen unzünftige

Professionisten jener Gewerke, dazu commandiren ließ. Anfangs waren auch diese, vom bösen Beispiel angesteckt, schwierig; sie murrten laut und zauderten, das Werk anzugreifen. Rasch entschlossen traten nun der Rathsherr Lt. Peter Röver und der Fortificationsbürger Giese Burmester hervor; sie erklärten den Arbeitern, daß sie Einfaltspinsel seien, da das Werk ein Gerechtigkeit förderndes, deshalb Gott sehr wohlgefälliges, mithin ein ihrer Arbeiterehre völlig unverfängliches sei; dessen zur Bekräftigung die beiden wackern Herren dann ungesäumt zu den Hammern und Spitzhauen griffen, und eigenhändig begannen, die alten Steine aus der gemauerten Grundlage der Galgenpfeiler herauszuschlagen. Nun wirkte das gute Beispiel, die Arbeiter folgten und brachen unter Halloh und Jubelgeschrei das alte Mauerwerk ab. Peter Röver war natürlich als Rathsherr überall keiner Bemakelung zugängig; aber auch der Bürger Giese Burmester (der uns aus dem Schulte'schen Briefwechsel bekannt ist) hatte durch seine Befassung mit dem Galgen so wenig von seiner kaufmännischen Güte und bürgerlichen Ehrlichkeit eingebüßt, daß er im Jahre 1697 zu Rathe erwählt wurde. Freilich war darob die wieder einmal etwas malcontente Bürgerschaft so ungehalten, daß sie ihn zur Abdankung nöthigte, aber unter ihren Gründen war kein einziger mit jener Galgengeschichte verwandt. Ueberdies wurde er im Jahre 1709 wieder eingesetzt und konnte 1710 mit Ehren bedeckt aus dem Dasein scheiden.

Am 2. September 1717 ereignete es sich, daß bei einem heftigen Sturmwind dies Hochgericht zusammenstürzte mit einem noch darin hängenden Missethäter, dem weiland Juden Aaron Meyer. Als ein großer Dieb im Jahre 1714 verurtheilt, hatte er während der von hiesigen Geistlichen mit ihm unternommenen Bekehrungsversuche, ein so lästerliches Verfluchen des Christenthums und des Heilandes losgelassen, daß man fürchtete, er werde damit noch auf seinem letzten Wege, wie unter dem Galgen, Aergerniß erregen und einen Volkstumult wider sich heraufbeschwören. Man meinte es deshalb auch mit ihm nicht böse, als man ihn scharf bedräuete, man werde ihn nicht hängen, sondern rädern, sofern er sein gottlos Lästern fortsetze. Den Scharfrichter aber instruirte man insgeheim, ihn in solchem Falle rasch zu hängen und dann den Körper auf's Rad zu setzen. Die Vermahnung aber fruchtete, er lästerte nicht laut, sondern verschieb stumm, und deshalb kam sein Körper nicht auf's Rad, sondern blieb im Galgen. Dahin folgten ihm 1715 drei minder große Diebe, deren Leichen dann abgenommen und mit Einscharrung begnabigt wurden. 1716 war eins der damals seltenen Jahre, das keine Execution in Hamburg sah. 1717 also wehte der Galgen mit Aaron Meyer's Ueberresten um.

Als nun ein neuer Galgen zu errichten war, da gab's freilich keine offene Widersetzlichkeit mehr, aber es beburfte doch kluger Verhandlungen in Menge, um zum Ziel zu kommen. Man ließ vorerst den neuen Galgen nicht von zünftigen Zimmerleuten, sondern im städtischen Bauhofe zurecht zimmern. Dazu hatte man freisinnige und aufgeklärte Charactere ausgesucht, die sich nachgerade in einer großen Stadt finden ließen. Ueberdies wurde dem ganzen Werk von Anfang an eine gewisse Weihe dadurch gegeben, daß der älteste Bürgermeister Herr Dr. Gerhard Schröder im vollen Amtshabite den ersten Axthieb feierlichen Schwunges eigenhändig selbst that, nachdem er in passender Anrede an die Werkleute des Bau-Departements, denselben die höchst moralische Seite dieser so verdienstlichen als ehrlichen Arbeit überzeugend auseinander gesetzt hatte. Falls irgend ein bürgermeisterliches Auge diese Zeilen lieset, so dürfte der dahinter geweckte Gedanke einem „Te Deum laudamus" verwandt sein, darüber, daß derlei Functionen heut zu Tage keinem Bürgermeister mehr anzusinnen seien. Amtsornat anzulegen, wie lästig; Aexte zu schwingen, wie mühsam; in's Galgenholz zu hauen, wie unpassend; Werkleute zu alloquiren, wie lächerlich! — Aber im Jahre 1718 legten erst nach solcher (damals gewiß sehr gerechtfertigten) Ceremonie die Leute mit Vergnügen Hand an's Werk, und rasch war das rohe Galgengebälke fertig. Da die Tischler schwierig waren, so ließ man es vom Bauhofstischler glatt hobeln, und da auch das Maleramt seine Beihülfe versagte, so besorgte ein Böhnhase aus der Vorstadt die anständige Ueberpinselung zu Aller Zufriedenheit.

Als nun im Bauhofe Alles fix und fertig war, wurde der 11. August 1718 zum feierlichen Transport der Werkstücke an Ort und Stelle behufs ihrer Zusammensetzung und Aufrichtung anberaumt. Und an diesem Acte des Werkes betheiligten sich nun auch, unter der Bedingung eines processionsmäßigen Aus- und Einmarsches, die strengen Corporationen der Zimmerleute, Grob- und Kleinschmiede und Bleidecker, Meister, Gesellen und Jungen insgesammt. Diese erschienen am heitern Sommermorgen früh 4 Uhr im Bauhofe am Deichthore. Um Fünf traten die ehrbaren Baubürger in schwarzen Feierkleidern und Bürgermänteln mit Degen, $\frac{1}{2}$ Stunde später die Bauhofsherren, nämlich die Senatoren Nicolaus Wilckens und Joachim Colborff im vollen Rathscostüm, in den Kreis. Jener, als der älteste, trat vor die in Front aufmarschirten Zünfte, räusperte sich, und redete sie an wie folgt:

„Vorachtbare und Ehren-Wohlgeachtete, theils kunsterfahrene, theils kunstbeflissene Männer!

„Wir preisen billig des großen Gottes Güte, daß er uns diesen Tag erleben lassen, und wünschen, daß ein Jeder denselben, mit vielen folgenden, nach Herzenswunsch glücklich hinterlegen möge. Wir wissen, wozu der heutige Tag gewidmet ist, nämlich, um auf E. H. Raths Anordnung das Hochgerichte uffzurichten. Was hiebei eines Jeden Pflicht ist, brauche ich nicht vorstellig zu machen. Wir aber wollen Gott herzlich danken, daß er unserm Hamburg, wie andern vornehmen Städten, die Gnade verliehen, die heil. Justiz selbständig ausüben zu dürfen, zu deren vornehmsten Stücken ein Hochgericht gehört, so wir jetzt wieder aufrichten wollen, daran ruchlose, boshafte, Gott vergessene Leute ihre Strafe zu erwarten haben, zum Exempel, Abscheu und Warnung aller Derer, welchen eine Aenderung ihres sündlichen Wandels annoch möglich ist. An solcher Aufrichtung der Justiz mit zu helfen, seid Ihr berufen und erschienen. E. H. Rath dankt Euch und ist erbötig, Euch kräftigsten Schutz und

Sicherheit zu verschaffen wider Diejenigen, so Euch deshalb
etwa zu nahe treten und schmähen möchten, und hat mir aufgetragen, Euch Solches in Seinem Namen zu versichern. Und
nun, indem ich Euch zu Eurer ernsthaften Verrichtung Gottes
Gnade und Segen anwünsche, sage ich Euch: gehet an's Werk!“

Hierauf trat der erste Aeltermann des Zimmeramtes, Meister
Andreas Otto Behn (ein silberhaariger Greis, auch vorsitzender
Bürger-Capitain, † 1719) vor die Fronte, redete Se. Wohl-
weisheit geziemend an, bedankte sich Namens aller Meister und
Gesellen, daß die Herren hochgeneigt sich zu so früher Stunde
hierher bemüht hätten, um persönlich allen Denen, die an Aufrichtung des Hochgerichtes arbeiten würden, E. H. Raths Schutz
und Sicherung wider verkleinerliche Afterredner und Ehrabschneider zuzusichern, — und schloß mit der Gegenversicherung, daß
Meister und Gesellen am schuldigen Fleiße nichts fehlen lassen
würden, um E. H. Raths und der Herren hoher Affection immer
fähiger zu werden.

Hierauf setzte sich der Zug in Bewegung. Auf ein De-
tachement Soldaten folgten die zehn Wagen, welche die Gebälke
des Hochgerichtes, sowie die zur Aufrichtung erforderlichen Geräthe transportirten. Sobann die gedachten freisinnigen Zünfte,
einer jeden voran, nach Trommler und Pfeifer, die Meister in
schwarzen Kleidern und Bürgermänteln, mit goldbetreßten Hüten,
Degen und Stock, sehr ehrbar anzusehen. Die Zimmergesellen,
180 an der Zahl, trugen ihre Aexte auf der Schulter, die
Schneide nach oben. Es führte sie des Aeltermanns Sohn,
Andr. Otto Behn jun. Der Schmiedegesellen waren etwa 125,
der Bleidecker 16. Alle Wachen, welche diese feierliche Procession passirte, traten unter's Gewehr und präsentirten, laut ex-
presser Ordre des Senats.

Draußen auf der Gerichtsstätte versammelten die Amtsalten
ihre Gesellen, und vermahnten sie, das wichtige Tagewerk ernst,
tüchtig und fleißig zu fördern, sonder Haber oder Schalkheit,
auch am Feierabend friedlich und nüchtern zu bleiben. Das Werk
wurde dann vor Sonnenuntergang vollendet, worauf der Zug
zur Stadt hereinmarschirte. In ihren Herbergen wurden die

Gesellen sodann auf öffentliche Kosten mit Butterbrod, grünem Käse, Hering und Bier herrlich tractirt.

Dieses erneuerte Hochgericht blieb dann einige Monate un=benutzt und wurde erst am 30. Januar 1719 mittelst Auf=knüpfung zweier israelitscher Maleficanten eingeweiht.

Im Jahre 1744 sollte der sogenannte Kaak (der unten gemauerte, oben mit Holzgerüsten versehene Pranger) am Berge, gründlich erneuert, und zu gleicher Zeit für die Soldateska ein eigenes Hochgerichte in der Bastion Nr. 4 in St. Georg errichtet werden. Bei dieser Gelegenheit zeigte es sich, daß in der öffentlichen Meinung bereits ein Umschwung statt=gefunden. Während man früher die Handwerker zu solchen Ar=beiten hatte überreden und ihnen Sicherheit gegen Ehrenabbrüche verheißen müssen, drängten sich jetzt ihrer viel mehrere als man brauchte, dazu. Die große feierliche Procession von 1718 und die senatorischen Reden hatten gewirkt. Anfangs wollte der Senat die Sache ohne alle Solennitäten in's Werk richten lassen, erfuhr aber bald, daß die Zünfte darauf bestünden. Sodann wünschte er nur die zur Ausführung erforderliche Anzahl von Meistern und Gesellen und nicht mehr, zu verwenden, — aber auch dies ging nicht, die Zünfte verlangten „kraft Herkommens", in voller Anzahl die Procession mitzumachen. Mit Mühe setzte er es dagegen durch, daß nicht zwei Festtage daraus wurden, son=dern daß beide Arbeiten an demselben Tage geschahen. Am 5. August 1744 fand der Actus statt, die Procession wurde von den Zimmerleuten, Maurern, Grob= und Klein=Schmieden, Steinhauern, Malern und Bleideckern, unter Ober=Anführung des Zimmer=Aeltermanns Andr. Otto Behn jun. (desselben, der 1719 die Gesellen führte, 1722 Meister und 1739 auch Bürger=Capitain geworden war). Jedes Amt hatte wieder 1 Trommler und 1 Pfeifer von der Garnison an seiner Spitze. Ueberdies waren 300 Mann Soldaten auf den Beinen. Abends war das übliche Tractement in den Herbergen. Die Procession und was damit zusammenhing, kostete der Stadt über 2000 Mark. Dabei ist noch zu erwähnen, daß ein besonderer Senatsbeschluß dem Frohn und seinen Leuten ernsthaft gebot, sich an dem Tage nir=

genbwo auf der Gaſſe, am allerwenigſten an den Stätten, da Hochgericht und Kaak aufgerichtet würden, blicken zu laſſen, ſondern ſtill zu Hauſe zu bleiben.

Jenes im Jahr 1718 hergeſtellte Civil=Hochgerichte, vulgo der Köppelberg, befand ſich Anno 1751 in einem, durch wüh= lende Schweine gänzlich ruinirten Zuſtande, ſo daß den benach= barten Eignern derſelben befohlen werden mußte, „daß ſie ihre Schweine in der Schnauze beringen möchten.“ Am 18. Auguſt 1752 erlitt auch der Galgen bei einem heftigen Gewitter ſtarke Beſchädigungen, und mußte erneuert werden. Bei der am 21. Juni 1753 ſtattfindenden Aufrichtung fanden ganz ähnliche Feier= lichkeiten ſtatt. Im Bauhofe hatten 24 Mann mit 2 Sergeanten die Ehrenwache. Zwei Compagnien mit allen Officieren und 25 Dragonern paradirten auf der Richtſtätte. Eine Eskorte gelei= leitete die Proceſſion, welche ſich folgendermaaßen formirt hatte: 1. die Zimmerleute, 2. die Schmiede, unter Anführung eines anſehnlichen Geſellen in Geſtalt und Tracht des Feuergottes Vulcan, 3. die Wagen mit den Balken und Geräthen, 4. die Bleidecker, 5. die Maler. Trommler und Pfeifer bei jeder Ab= theilung. Alle waren ſehr ſauber gekleidet, mit neuen Schurz= fellen und blankem Handwerksgeräth. Die von den Zünften gewünſchte Vortragung ihrer Fahnen war ihnen glücklich ausgeredet.

Uebrigens wohnten die beiden dem Baudepartement vor= ſtehenden Rathsherren der Feierlichkeit in Perſon bei, und zwar laut Senatsbeſchluſſes im vollen Raths=Habite, und viele Tau= ſend Zuſchauer hielten treulich bis zuletzt aus. Auch diesmal empfingen Frohn und Frohnsleute den gemeſſenſten Befehl, ſich zu Hauſe zu halten und nirgendwo öffentlich ſich blicken zu laſſen.

Die Herren konnten dann berichten: es ſei, Gott ſei Dank, Alles glücklich abgelaufen, bis auf eine kleine Differenz unter den Schmiedegeſellen, wegen des Pfeifers und Trommlers.

Im folgenden Jahre 1754 konnte nun das neue abjuſtirte Hochgericht mit einer Kindesmörderin in fliegenden Haaren feier= lich eingeweiht werden, und der Frohn forderte für das erſte

Beschreiten der neuen Stätte das herkömmliche Extrageschenk von 50 Reichsthalern.

Um die hamburgischen Galgengeschichten zu Ende zu bringen, möge noch folgender Kampf der alten und neuen Zeit mitgetheilt werden. Nachdem im Januar 1782 einer der Hauptpfeiler des Galgens umgeweht war (man sieht, wie unsolide die jüngere Zeit sich bemerklich machte), that ein neuer Noth. Der Frohn, ein „Master Vorwärts", beantragte nun: einen kleinen Galgen von zwei Hauptpfählen, mit einem Querbalken darüber, wie jetzt mehrfach üblich, von ihm errichten zu lassen, und dabei alle Handwerker-Solennitäten wegzulassen, was Beides ungemein viel Kosten erspare. Sein Entwurf berücksichtigte die herandäm=mernde Aufklärung, welcher der beständige Anblick des unästheti=schen Galgens höchlich zuwider ist; deshalb machte er sich an=heischig, das neue Kunstwerk nach jeder Execution rasch abzu=brechen und bis zum nächsten Gebrauch in seinem Keller auf=zubewahren. Diesen allerdings lockenden, aber dennoch mehrere Jahre hindurch wohl erwogenen Plan adoptirte man endlich 1787, übertrug aber die Ausführung nicht dem Erfinder, sondern dem Bauhofe, dessen lichtscheue Arbeiter indessen Bedenken dabei fanden, weshalb man sich an unzünftige Handwerker zu wenden genöthigt sah. Weil man nun auch den Platz des Galgens verändern wollte, so mußte das Collegium der Oberalten befragt werden. Wohldasselbe, allezeit conservativ gesinnt, consentirte aber nicht, sondern wünschte einen in alter Weise gebauten, fest=stehenden und in permanenter Abschreckung verbleibenden Galgen, auf der geschichtlich gewordenen alten Stelle. Nun bekamen auch die Dunkelmänner im Senate die Oberhand, worauf Hoch=derselbe den Oberalten beitrat (1788). Man projectirte auf dem alten Platz einen von tiefen Gräben, Pallisaden und einer Dornhecke umgebenen Hügel, dessen Gipfel der vom Bauhof in gewohnter Architektur zu construirende Galgen, 25 Fuß hoch und 16 Fuß breit, krönen sollte. Aus Gründen staatskluger Menage suchte man die kostbaren Handwerker-Aufzüge zu umgehen, und offerirte jeder der betheiligten sechs Corporationen eine Ergötzlich=keit von 100 Mark, als Abfindung für das wegzulassende Ver=

gnügen. Die Meister sagten, sie wären's gern zufrieden, aber ihre unruhigen Gesellen wollten einhellig nicht und forderten was Rechtens wäre bei Galgenaufrichtungen. Also wurde beschlossen, auch hier zu accediren. Man machte den Galgen fertig, und bestimmte den 18. Juni 1789 zum Aufrichtungstag; die Amts= patrone convocirten ihre Zunftgenossen (wobei der Senat beschloß, den Meistern das früher gestattete Degentragen und die golde= nen Hutschnüre auch diesmal nicht zu untersagen, sondern mit Stillschweigen zu übergehen); vier Zelte waren bereits aufgeschla= gen und mit Bänken versehen, kurz Alles harrte dem festlichen Tage entgegen, — da war die Rechnung ohne den Wirth ge= macht, denn als am 10. Juni die Kosten (4000 Mark) in der Kämmerei eingeworben wurden, that dieselbe entschiedenen Ein= spruch. Hier war wiederum die Aufklärung, mit Sparsamkeit verbunden, überwiegend vertreten. Camerarii meinten das Geld nützlicher verwenden zu können, glaubten, daß ein kleiner trans= portabler Galgen, falls überhaupt ein solcher annoch nöthig sei, dieselben Dienste leiste, und wünschten schließlich, das ganze Gal= genfeld besser zu verwerthen, nämlich als nützliche Kohlgärten zu verpachten. Unsere gottseligen Vorfahren hätte freilich der Ge= danke, daß ihre Enkel Gemüse vom Galgenfelde zu speisen wünsch= ten, recta via aus ihrer ehrlichen Haut gejagt; indessen war doch 1789 die vernünftige Nützlichkeits=Theorie schon so ver= breitet in Hamburg, daß die Knochenhauer ihr Schlachtvieh auf dem Galgenfelde weiden ließen, und ehrliche Leute das mit den Kräutern des Galgenfeldes gemästete Fleisch dieser Thiere keines= wegs verschmähten. — Darum drang dieselbe Theorie nun auch allmählig bei Ehrbaren Oberalten durch, welche jetzt endlich con= sentirten, daß nach dem allerersten Project ein transportabler Galgen, 16 Fuß hoch mit 3 simpeln Streben für lumpige 250 Mark vom Frohn verfertigt, ohne Sang und Klang im Anwen= dungsfalle aufgerichtet, und in nächster Nacht wieder weggenom= men werden solle!

Da nun inzwischen Peter Albers, der unverbesserliche Dieb, dem Strange entgegen gereist war, so wurde dem Frohn be= fohlen, sein Werk zu fördern, und in der Nacht vor der nahen

Execution (13. December 1790) seinen Galgen aufzustellen. Er versprach's, bat aber flehentlich um Offenhaltung eines Thor=pförtchens, damit er mit seinen Leuten, die ja sonst kein Mensch für eine Stunde in sein Haus aufnehme, mindestens im alten Abdeckerhause ein Obdach finden möge. Fast rührend klingt diese stille Wehklage des Frohns über seine ausgestoßene Welt=stellung in den Jubel der Fortschrittscultur puncto des trans=portabeln Galgens und der erlangten Menage. Dieser fiel übri=gens sehr gut aus, und kostete nur 100 Mark mehr, als ver=anschlagt. Er war Hamburgs letzter Galgen, der nur noch zwei Mal, 1797 und 1805, benutzt worden ist. Dann hing man keine Diebe mehr.

Zum Beschluß des Capitels von den unehrlichen Dingen noch eine Betrachtung über das sogenannte Eselsbegräbniß.

Der Prophet Jeremias sagt Cap. 22, V. 18 — 21 von einem großen gekrönten Missethäter:

„man wird ihn nicht beklagen: ach Bruder! ach Herr! ach Edler! — — Er soll wie ein Esel begraben werden, zer=fleischt und hinausgeworfen vor die Thore Jerusalems!"

Dieser Spruch scheint nicht nur maaßgebend gewesen zu sein für die Bestattungsweise alles verlebten Viehes der Christenheit, sondern derselbe Spruch hat auch im Jahre 900 dem Concilium Remense zur Grundlage jenes Beschlusses gedient, welcher alle Ketzer und Excommunicirten, bei ihrem Abscheiden aus dieser Welt, zu gleicher Bestattungsweise, zum Eselsbegräbniß (sepultura asinina) verurtheilt. Spätere Gesetze und Rechtsgewohnheiten haben diesen Unglücklichen noch verschiedene andere Verbrecher, sowie alle in carcere verstorbenen überführten Inquisiten bei=gesellt; ja, zur Strafverschärfung vollzog man dies Verfahren gewissermaßen schon bei Lebzeiten einiger sehr ruchloser zum Tode condemnirter Verbrecher, indem man sie auf eine Kuhhaut legte und unter Beihülfe des Abdeckers „durch die unvernünf=tigen Thiere" zur Richtstatt schleifen ließ. Nach ihrer Hinrich=tung verscharrte man die Ueberreste der Justificirten ohnehin am

Galgenfelde, sofern man sie nicht auf Galgen, Rad und Pfahl vermodern ließ. Seltene Ausnahmen hiervon kommen zuweilen vor, wenn reiche Verbrecher sich die Indulgenz mit schwerem Gelde erkauften und dann in geweihter Erde ruhen durften. Bewundern muß man deshalb die zarte Fürsorge der Stadt Ulm, welche es Anno 1382 beim Bischof von Constanz erwirkte, daß nicht nur der Stadtpfarrer den Delinquenten die Beichte abnehmen, sondern daß auch den Bußfertigen unter ihnen, unangesehen ob reich, ob arm, das Begräbniß in geweihter Erde gratis gestattet werden durfte. Das geschah freilich noch vor der Zeit der sinnreichen- Vervielfältigung und Verschärfung der Todesstraf-Arten.

Dem Excommunicirten war der bei Ausführung seines Verbrechens erschlagene Missethäter, sowie der ohne Beichte und Absolution verscheidende Selbstmörder um so richtiger gleichgestellt, als man demselben sonst in keiner Weise mit einer Strafe mehr beikommen konnte. Hatte Letzterer sich in einem Hause entleibt, so durfte der Leichnam nicht über die geheiligte Schwelle getragen werden: man warf ihn durch's Fenster auf die Gasse, oder zog ihn unter der Schwelle, welche man untergrub, in's Freie, von wo aus der Henker oder Abdecker ihn vor die Thore schleifte, auf's freie Feld, nach ältestem Gebrauch zum nächsten Kreuzwege, wo er ihn einscharrte. Und auch dies in eigenthümlicher Weise, nämlich mit dem Kopfe in der Himmelsgegend, da eines christlich Gestorbenen Füße zu liegen pflegten. Hatte er sich erhängt, so blieb an seinem Halse der Strick, und man ließ dessen verlängertes Ende drei Fuß lang über dem Grase auf der Erde liegen. Und so gab es noch manche Vorschriften für die Modalitäten des Eselsbegräbnisses der Selbstmörder, je nach Verschiedenheit der Todesart, alle aber geschahen durch die unehrlichen Hände des „Böbels oder Rackers."

Auch nach der Reformation wurde das Princip beibehalten, wenn man auch die Manier vereinfachte. Zu den bei Ausführung ihrer Missethat umgekommenen Verbrechern rechnete man später auch, in Folge der strengen Duellverbote, den im Zweikampfe Erschlagenen, welchem man ebenfalls das unehrliche

Begräbniß, als einzig mögliche Strafe, zuerkannte. Ob ein solches in diesem Falle in Hamburg jemals nach dem Wortlaut des Gesetzes ausgeführt ist, steht dahin, aber der Abschreckung wegen wurde die Versagung des ehrlichen christlichen Begräbnisses, gesteigert bis zur Androhung einer positiv schimpflichen Einscharrung, noch in unsern Duellmandaten des 18ten Jahrhunderts wiederholt. Auswärts aber war man im gleichen Falle strenger. In Halle hatten sich am 1. December 1710 zwei 17jährige Studenten duellirt. Der Theologe Valentin Zielfeld war im Kampfe geblieben, worauf seine Leiche, in Folge königlichen Befehls vom Wortlaut des Gesetzes nicht abzuweichen, zwischen Galgen und Rad eingescharrt wurde. Oftmals wird es jedoch den Fürbitten der Familie gelungen sein, solche Schmach abzuwenden und ein stilles Begräbniß für den im Zweikampfe Gebliebenen zu erlangen.

Dagegen blieb bis in die neuere Zeit für alle vorsätzlichen Selbstmörder das Eselsbegräbniß in Anwendung; ihre Körper wurden vom Abdecker auf seiner Karre oder Schleife zum Thore hinaus, und nach späterer vielfacher Praxis auf's Galgenfeld gebracht, und dort verscharrt. Es kostete den Familien vornehmer Selbstmörder stets ungemein viele Mühe und Geldopfer, den von der Carolina Art. 135 verlangten Beweis zu führen: daß kein boshafter frevelicher Fürsatz, sondern „Krankheit des Leibes, Melancholey, Gebrechlichkeit irrer Sinne oder andere Blödigkeiten" das Motiv der That gewesen, um des Unglücklichen Leiche den Händen der Henkersknechte zu entwinden, und ihr ein, wenn auch nicht gerade sehr ehrliches, so doch in tiefster Stille ein einigermaaßen christliches Begräbniß an der Kirchhofsmauer zu verschaffen, wo freilich auch der unehrliche Scharfrichter seine christliche Ruhestätte fand. Und häufig genug wurde dieser Punkt zum bittern Zankapfel zwischen den weltlichen und geistlichen Behörden, indem erstere sich allemal viel leichter von der Harmlosigkeit eines Selbstmordes überzeugen ließen, zumal wenn eine bedeutende Spende an die Armen den letzten Zweifel weglöschte, während der Geistlichkeit solche Nachgiebigkeit, dem Gesetz gegenüber und im Interesse der Kirchenzucht, durchaus unerlaubt erschien.

An vielen ländlichen Orten, namentlich da, wo kein Galgen-

feld in der Nähe war, verblieb als Verscharrungsstätte der alt=
herkömmliche Kreuzweg, „dar sick de Feldmarken scheiden“, dieser
unheimliche, im Zauber= und Geisterwesen vielberufene Ort des
Irrens und Fehlens, in seinen Würden. Heine dichtet:

> „Am Kreuzweg wird begraben,
> Wer selber sich brachte um,
> Da wächst eine blaue Blume,
> Die Armesünderblum'.“

Diese poetische Bereicherung der Botanik dahin gestellt sein las=
send, sei hier nur bemerkt, daß in hamburgischer Gegend die
Kreuzwegsbestattung nicht gebräuchlich gewesen zu sein scheint.

Zur hamburgischen Praxis der letzten beiden Jahrhunderte
übergehend, mag zuvörderst Einiges über die Verscharrung der
Ueberreste gerichteter Personen gemeldet werden. Wie viel ist
immer über diesen Punkt gestritten, gebeten, gefleht worden!
Wenn längst verzichtet wurde auf eine Begnadigung zum Leben,
so wurde doch noch die Gnade für die Dinge nach dem Tode
angerufen! Es war der inständige Wunsch aller noch nicht
völlig verhärteten Verbrecher (und häufig ein Zeichen ihres wieder
erwachten menschlichen Gefühls), daß ihr gerichteter Körper nicht
möge unbestattet auf Galgen und Rad liegen bleiben, sondern,
wenn auch nur in der Abdeckergrube, verscharrt werden. Um
Geringeres kann eigentlich kein Mensch bitten. Meistens will=
fahrte der Rath solchem Bitten, zumal wenn es nicht von den
Verwandten des Verbrechers, sondern von ihm selbst ausging
oder durch sein gutes Verhalten in den letzten drei Tagen befür=
wortet war. Im Jahr 1759 berichtete Pastor Rüter, der eine
Delinquentin zum Tode vorzubereiten hatte, wie dieselbe sich so
überaus wohl präparire, daß er lebhaft wünsche, ihr in dieser
Hinsicht den Trost geben zu können, daß ihr Körper nicht lange
auf dem Rade solle liegen bleiben, sondern bald abgenommen
und verscharret werden. Der Rath autorisirte den Geistlichen
zu dieser Zusage, und um desto getroster ist sie ihrem Tode ent=
gegen gegangen. Eben so ließ 1760 eine andere Inquisitin
flehentlich bitten, „daß ihr todter Kopf nicht möge auf den Pfahl
gestecket werden, was ihr doch gar zu empfindlich“, — und barm=

herzig genug nahm E. H. Rath in diesem Falle Abstand von der strengen Gesetzesvorschrift. Bei solcher Neigung zur Milde muß Derselbe in einem etwas späteren Falle besonders starke Gründe zur Beibehaltung der auf Abschreckung berechneten Procedur gehabt haben. Es handelte sich darum, ob der Körper eines Maleficanten in Ketten am Galgen hängen zu lassen sein werde oder nicht. Der Rath entschied sich dafür, verfügte jedoch aus stadtväterlichem, rücksichtsvollem Herzen: daß von diesem Umstande dem Inquisiten, zu seiner Schonung, keine Wissenschaft zu ertheilen sei.

Diese Milde des hamburger Rathes, die wie der bekannte rothe Faden durch alle Jahrhunderte seines obrigkeitlichen Amtes geht, zeigte sich überhaupt in criminalibus am deutlichsten, und schon zu einer Zeit, wo andere Obrigkeiten jedes Abweichen von strenger Rechtsvorschrift als eine fehlerhafte Schwäche nicht verantworten zu können glaubten. Früher als an andern Orten wurden hier die zur Strafe des Rades Verurtheilten zuvor erdrosselt. Früher als anderswo gab der hamburger Rath dem Scharfrichter die Ordre: „daß er, ehe der Scheiterhaufen angezündet werde, den armen Sünder zuvor erwürge." Schon vor 150 Jahren verwarf der hamburger Rath das in Zuchthäusern gebräuchliche Züchtigungswerkzeug, genannt das mecklenburgische Instrument; und als vor 100 Jahren ein kluger Mann den Vorschlag that, die Fenster der Gefängnisse mit Brettern dergestalt zu verkleiden, daß wohl Licht von Oben hereinfiele, die Incarcerirten aber weder sitzend noch stehend hinausschauen könnten, — da ließ er den armen Gefangenen diese einzige kleine Unterhaltung und Zerstreuung, verfügend: daß die Fenster gerade so zu belassen, wie sie jetzo sind.

Auch die in carcere natürlich verstorbenen Verbrecher empfanden solche Milde günstiglich in Bezug auf ihre Bestattung. Noch 1737 ließ der Rath einen in der Frohnerei am Schlagfluß endenden Mörder, Röhrs, zwar beim Hochgericht einscharren, jedoch in aller Stille und ohne Aufsehen. Und schon 1755 wurde in einem gleichen Falle der Körper des Verblichenen in einem abgesonderten umplankten Theil des Armenkirchhofs vor'm

Steinthor „eingegraben" (NB. nicht be graben, aber auch nicht
einge scharrt; man begreift den Segen einer guten Diftinctions=
methode). Später wurden solche Leichen oftmals der Anatomie
geopfert, in welcher man einen passenden Weg fand, das Ange=
nehme mit dem Nützlichen zu verbinden. So stritten sich einst um den
wünschenswerthen Körper einer Inquisitin drei Partheien: 1. deren
Mutter, behufs stillchristlicher Beerdigung in der Kirche, was
ganz anmaaßlich erfunden wurde; 2. der Physicus Dr. Bolten,
welcher seine Hebammen praktisch zu unterweisen wünschte, was
nicht unberechtigt, aber doch etwas unschicklich erschien; endlich
3. die Aelterleute des Amts der Barbierer und Wundärzte,
welche ihren Gesellen eine anatomische Belehrung zu ertheilen
trachteten, was man sehr passend und nützlich erachtete, und sie
mit der Beute davon gehen ließ.

Vor 200 Jahren galt der kleine St. Annen = Kirchhof, von
welchem jetzt nur noch ein Streifen übrig ist, als die letzte Ruhe=
stätte solcher Unglücklicher, welchen das stille Begräbniß in mit=
ternächtiger Stunde gegönnt werden durfte, z. B. für den Stadt=
bibliothekar Dr. Blume, dessen Hypochonderie allerdings als
„Gebrechlichkeit irrer Sinne" passiren konnte. Als (1661) der
Dr. med. Lucas Lambeck (des berühmten Professor Petri Lam-
becii Bruder) sich „aus Desperation wegen Liebessachen" mit
dem Federmesser die Pulsadern geöffnet, dann aber vor seinem
Tode noch sehr reumüthig gebeichtet und das heil. Abendmahl
empfangen hatte, da konnte das geistliche Ministerium nicht um=
hin, dem mit Gott versöhnt Gestorbenen die stille Beerdigung
zu gestatten, zu merklicher Gemüthserhebung des beliebten alten
Vaters Peter Lambeck, Rechnenmeisters der St. Jacobi=Kirchen=
schule, welcher ein Jahr darauf den für sein protestantisches Herz
gewiß noch viel empfindlicheren Schmerz erleben mußte, daß sein
älterer Sohn, genannter Petrus, der zänkischen Eheliebsten ent=
fliehend, heimlich nach Wien ging, und dort kaiserlicher Biblio=
thekar und — katholisch wurde. — Ein großer Kampf dagegen
entbrannte im December 1762 um die Leiche eines schönen
jungen Mannes, Leonhart Marseelsen oder Marsellis, niederlän=
discher Herkunft, aber als Generalpostmeister für Norwegen in

dänischen Diensten stehend. Auch hier war unglückliche Liebe die Ursache, weshalb er sich eines Morgens am Elbdeich mit seinem Degen das allzuheiße Herz durchstach. Er war ein Vetter der Herrin von Wandsbeck, Wittwe Berens, welche seine Leiche reclamirte, und nach mehrtägigen Debatten, gegen Protest des Ministeriums, wirklich erhielt. — Noch heftigere Differenzen veranlaßte im Jahre 1695 des jungen Lt. Meins Beerdigung. Abermals „aus Desperation wegen Liebessachen" hatte derselbe sich erschossen, und war sonder Beichte und Absolution hinübergegangen. Der reiche Vater, dessen Hartherzigkeit man dies Unglück zuschrieb, offerirte der Stadtcasse 4000 Thaler, um von seiner Familie den herandräuenden Schimpf einer sepultura asinina abzuwenden, wogegen das Ministerium protestirte. Ob das Gewicht jener Summe, und seine ferneren Erbietungen zu einer frommen Stiftung, den Ausschlag gab, — ob eine vom Physicus an der Leiche aufgespürte Krankheit des Leibes, oder eine sonst indicirte Melancholey sammt andern Blödigkeiten, der menschlichen Sympathie mit der unglückseligen Braut und der ganzen romanhaften Geschichte, der milderen Ansicht zu Hülfe kam: genug, auch ihn empfing der St. Annen=Kirchhof.

Denkwürdig ist auch der folgende Fall. Im Jahre 1662 war ein junger Lebemann an abgelegener Stelle des Walles erstochen gefunden worden. Nach einem, vermuthlich von seiner Familie ausgesprengten Gerüchte nahm man an, daß er im Rencontre mit einigen durchreisenden Fremden seiner Bekanntschaft, von diesen getödtet sei; und da alle sonstigen Anzeichen eines stattgehabten cartellmäßigen Duelles fehlten, so präsumirte man einen schrecklichen Mord. Man ließ also das Gassenrecht über den Todten halten, beschrie ihn nach Vorschrift, und citirte die Mörder aus allen vier Winden herbei, natürlich vergebens. Den gebeugten Eltern zu Liebe wurde das von ihnen veranstaltete Leichenbegängniß von einem großen Gefolge vieler Rathsherren, Doctoren, Licentiaten u. s. w. begleitet, welche dabei liebreich ein Auge zudrückten puncto des keineswegs makellosen Lebenswandels des Verblichenen. Von der Geistlichkeit war jedoch Niemand erschienen, weil Jener „ein epikurisch Leben

geführet und sich überall eher, als im Beichtstuhl habe finden
lassen, wie er denn seit vielen Jahren gar nicht zum Tische des
Herrn gegangen sei." Einige Tage nach der prunkvollen Bei=
setzung in der Domkirche wurde jedoch ruchtbar, daß der Er=
stochene keineswegs von fremder, vielmehr von eigner frevelnder
Hand gefallen sei, und nachdem dieser Sachverhalt völlig erwiesen
war, verurtheilte das Gericht ihn als einen fürsätzlichen, boshaf=
ten Selbstmörder zum schimpflichen Eselsbegräbniß. Der Körper
wurde demnach aus seinem ehrlichen christlichen Grabe im Dom
wieder hervorgeholt, dem Abdecker überliefert, und von diesem
auf dem Galgenfelde verscharrt.

Gefangene Verbrecher, welche ihren Missethaten durch Selbst=
mord die Krone aufsetzten, wurden auch in dieser Weise ver=
scharrt. Noch 1749 befahl der Rath, daß der Frohn die in
seiner Custodie sich selbst entleibt habenden Gefangenen auf ge=
wöhnliche Weise nach der Gerichtsstätte hinausschleifen und dort
einscharren lasse. Der letzte Fall dieser Art mag im October
1818 vorgekommen sein, als die Leiche eines Schlachters, welcher
seine Ehefrau ermordet und sich dann selbst getödtet hatte, auf
der Schinderkarre zum Galgenfelde gefahren und dort einge=
scharrt wurde.

In Betreff der einfachen Selbstmörder, bei welchen der
schlechte Lebenswandel des Entleibten notorisch und gewisser=
maaßen die Ursache ihrer That war, herrschte die alte strenge
Praxis in der Stadt meistentheils noch länger als auf dem
Landgebiete, was freilich in den Persönlichkeiten einiger Land=
herren seinen Grund gehabt haben mag. Anno 1744 bestimmte
der Rath: „daß das Corpus des dem Gesöffe ergebenen und sich
selbst erhängten Hautboisten Leichenstein, mit Thoröffnung durch
den Frohnsknecht hinauszufahren und an der Gerichtsstätte ein=
zuscharren." Noch 1778 wurde dieselbe Procedur befolgt, „An=
deren zum abschreckenden Exempul", in Betreff einer ganz gott=
losen Weibsperson, welche sich schließlich umgebracht hatte. Um
1793 aber stand schon die mildere Praxis, selbst bezüglich der
ruchlosen Selbstmörder, fest genug, um dem Körper eines stadt=
kundigen „versoffenen Freolers" nicht auf dem Galgenfelde,

sondern auf dem Armensünder=Kirchhofe, nicht einscharren, sondern „begraben“ zu lassen, und zwar nicht durch den Frohn, sondern durch die ehrliche Stadtleichenfrau, welche in Hamburg den selt=samen Titel „Gardewin'sche“ führt und gewöhnlich Frau Morgenstern heißt.

Seit einigen Jahren hatte man nämlich angefangen, vom Galgenfelde ganz abzusehen. Man hatte an einsamer Stelle vor dem Dammthore zwei verschiedene Begräbnißplätze für Selbst=mörder eingerichtet, deren einer für ganz honett galt, während der andere sich einiger Unehrlichkeit nicht erwehren konnte. Jener war groß und stark benutzt, dieser klein und selten im Gebrauch, was genugsam zeigt, wie human man schon beim Antritt des 19. Jahrhunderts dachte.

In Betreff ländlicher Vorkommnisse dieser Art sind fol=gende Geschichten mitzutheilen.

Im Sommer 1750 hatte in der wohldorfer Mühle ein alter kranker Mühlknappe Obdach gefunden, welchen der Müller Krecker als einen guten, aber wegen schwerer Gebrechen stets brodlosen Menschen kannte, der sich mühsam von Mühle zu Mühle durch's Land betteln mußte. Da der arme Mann nun sehr über seine „Wehtage“ klagte, so gab er ihm noch spät Abends ein Warmbier, fand ihn aber früh Morgens auf dem Hopfensack der Diele mit weitklaffender Halswunde im Verscheiden. Auf des darüber zukommenden Waldvogts Frage, ob ihn etwa der Teufel geplagt, daß er sich selbst zu nahe gethan, schien er noch mit Ja antworten zu wollen, als just seine Seele entwich. Sein ordentlich zusammengeklapptes Taschenmesser war noch blutig und bewies vollends die That. Der aus der Stadt requirirte Rathschirurg secirte den Körper und judicirte: daß den Verlebten die allerempfindlichsten Blasenschmerzen wohl hätten zur despe=raten That treiben können; und darauf verfügte der Waldherr: ein stilles, aber christlich=ehrliches Begräbniß.

Einige Jahre später ereignete sich zu Volksdorf ein tragischer Fall. Des dortigen Vogts Sohn war ein sehr wilder Bursch, dem dreifachen W leidenschaftlich ergeben, wobei er regelmäßig halbjährlich auf einige Wochen schwermüthig wurde. Dann saß er über acht Tage lang tief im Walde versteckt ohne sattsame Nahrung, und rasete wie ein wildes Thier, wenn man ihm nahe kam, weßhalb ihn der Vater in solchen Zeiten ungestört gewähren ließ. Man konnte an ihm begreifen lernen, wie der alte Glaube an Besessenheit hatte entstehen können. So war er nun 25 Jahre alt geworden, als er plötzlich am Weihnachtsabend aus dem väterlichen Hause und Hofe verschwunden ist. Der Vater blickt noch spät vor'm Schlafengehen hinaus in die heilige Nacht; da gewahrt er in dem großen Tannenbaum beim Hause ein seltsam Lichtlein, das leise hin und her schwankt, wenn der Wind in den Aesten seufzt. Er sieht also nach, und findet Entsetzliches: hoch oben im Baum hängt als starre Leiche sein Sohn, die brennende Laterne vor sich auf der Brust befestigt. Ob solcher grausamer Weihnachtsbescherung ist der alte Mann alsbald schwer erkrankt und gestorben. Die grauenhafte Schwermuth des verwilderten Jünglings rettete seinen Körper vor dem schimpflichen Begräbniß, er wurde in der Stille von den ehrlichen Knechten des Gehöftes auf dem Kirchhofe hart an der Mauer beerdigt, und man lobte die Milde des Waldherrn sehr.

Im Jahre 1783 lautete ein landpolizeilicher Bericht über eine in der obern Alster gefundene Leiche also: „das todte Corpus war im Leben Hinrich N. N., bekannter Säufer und Herumtreiber, auch arger Wrevler, zu vielen Malen bestrafet wegen aller Schändlichkeit, führte ein zigeunerisch Leben, auch gotteslästerlich in Worten und Werken. In seiner Tasche ließ sich nichts finden denn ein messingner Knopf und ein schandbar Lied, gedruckt in diesem Jahr. Was ihn zu Wasser an getrieben, weiß man nicht. Man hat aber Ursach zu glauben, daß ihn kein guter Geist regieret hat." Und auf diesen Bericht erkannte der Landherr kein Eselsbegräbniß, sondern eine stille Beerdigung an der Kirchhofsmauer. —

Noch ist eines Falles vom Jahre 1748 zu erwähnen, in welchem das beabsichtigte, jedoch unterbliebene Eselsbegräbniß als Folge der freiwilligen Excommunication eines alten Atheisten erscheint.

Ein wohlhabender Mann, angesessen nahe bei Hamburg in

der Landschaft der Marsch, hatte sich seit vielen Jahren nicht
nur vom Gottesdienste, von Predigt, Beichte und Abendmahl,
kurz von aller und jeder Kirchen-Gemeinschaft entfernt gehalten,
sondern auch offen sich ausgesprochen als Religions-Verächter
und Gottesleugner. Viele Versuche verschiedener Geistlicher, ihn
wenn auch nicht zum positiven Glauben, so doch mindestens zu
einer gewissen Verbindung mit der Kirche zurückzuführen und
seinen unseligen Atheismus zu bekämpfen, waren gescheitert; sie
hatten nur die noch unumwundenere Erklärung seines völligen
Abfalls, seines Standpunktes außerhalb der christlichen Kirche,
zur Folge gehabt. — Im December 1748 erkrankte nun dieser
Mann, gleichzeitig mit seiner etwas milder gesinnten Frau. Da
Beide am Tode lagen, begehrte die Frau das heil. Abendmahl
und drang, vereint mit dem Geistlichen, in ihren Mann, an
der Communion theilzunehmen. Alles Bitten und Flehen war
vergebens. Die Frau starb bald nach Empfang des Sacraments,
der Mann, nachdem er dasselbe nochmals zurück gewiesen, Tags
darauf, am 14. December. —

Als die Verwandten dieses kinderlosen Ehepaars die Be=
stattung anordneten und das Familienbegräbniß des Mannes,
in der Kirche seines Wohnortes, in Bereitschaft setzen ließen, da
verweigerte der Pfarrer, nicht der verstorbenen Frau, wohl aber
der Leiche des Mannes, solche Ruhestätte am heiligen Orte.
Indem er die Bedeutung eines Grabes innerhalb der Kirche
ganz richtig auffaßte, erklärte er: da der Verstorbene sich von
aller Kirchen=, ja von aller Christen-Gemeinschaft absichtlich und
wohlüberlegt losgesagt habe, so könne sein Leib unmöglich, —
so wenig wie der eines Juden, Türken oder Heiden — in christ=
kirchlicher Gemeinschaft der Auferstehung harren. In dieser An=
schauung pflichteten dem Pfarrer die Juraten bei, desgleichen
der Landherr, an welchen die Sache nun zur Entscheidung ge=
langte. Auf die Frage: wohin denn aber mit der Leiche?
scheint man Anfangs den Ausweg eines neutralen, ungeweihten
Gebiets übersehen zu haben. Denn der Landherr, dem vielleicht
die alten Vorschriften in Betreff des Begräbnisses der im Kir=

chenbann Gestorbenen, der Excommunicirten, Ketzer und Atheisten
vorschwebten, verfügte: Eingrabung auf dem Anger, da man
todte Thiere verscharrt, d. h. ein unehrliches Begräbniß durch
den Frohn! Das war denn doch den Verwandten und Freun=
den allzustreng. Ihre dringende Vorstellung und duldsamerer
Collegen Fürwort brachte eine Vermittlung zu Stande, wonach
der entfernteste Winkel des Kirchhofes, eine Stätte, darin und
in deren Nähe noch Niemand beerdigt war, zur Aufnahme dieser
Leiche bewilligt wurde. Während nun die christlich verstorbene
Frau in üblicher Weise unter Glockengeläute in dem Erbbegräb=
niß der gottseligen Vorfahren beigesetzt wurde, senkte man in
der nächsten Morgenstille den Körper des alten Atheisten ohne
Sang und Klang in diese Gruft, welche man durch eine Dor=
nenhecke abtrennte von dem übrigen Theil des Friedhofes.

Soviel von den unehrlichen oder Esels=Begräbnissen, welche
gegenwärtig wohl überall nur noch in Betreff der Thiere statt=
finden.

Kleine Kinder, welche ihre kurzen Beine selten ruhig von
der Schulbank herabhängen lassen können, vielmehr in angebo=
rener Beweglichkeit mit denselben gar sehr hin und her zu bau=
meln den unwiderstehlichen Trieb fühlen, pflegt der Lehrer zu
berufen: sie thäten damit den Esel zu Grabe läuten. Sicherlich
versteht den Ursprung und Sinn dieser Redensart kein Kind,
und kaum Einem von hundert Lehrern ist bewußt, ob er damit
eine Warnung vor jedweder Betheiligung an den Formalitäten
eines unehrlichen Leichenconducts ausgesprochen haben wolle,
oder was sonst. Falls aber ein Kind schon einmal das unbe=
schreiblich traurige Schauspiel erlebte, wenn ein altes gutes
Thier vom Abdecker fortgeschleift wird, so empfindet es wahr=
scheinlich bei solcher Anrede des Lehrers ein sehr weiches Ge=
fühl, welches in Worte übersetzt etwa lauten würde: „und wenn

sie auch den armen todten Esel auf keinem Himmelwagen zu Grabe fahren, und auch kein Choral dabei klingt und kein Glöcklein läutet, so will ich doch gern, so gut ich's kann, ihm die letzte Ehre erweisen." Und dann blickt zweifelsohne das Kind den Lehrer etwas trotzig an und baumelt mit beiden Beinen haftig weiter.

Dritter Abschnitt.

Vom Ehrlichsprechen.

———

Nachdem wir genugsam von unehrlichen Leuten und Din=
gen gehandelt, kommen wir zu einem erfreulicheren Schluß:
zur Tilgung des Makels, zum Ehrlichmachen der Unehrlichkeit,
zur Herstellung der Ehre.

Zwei alte Sprüchwörter bezeichnen völlig die dem deutschen
Ehrbegriff zu Grunde liegende Auffassung dieser Dinge. Es
heißt erstens:

>"Gut verloren, — nichts verloren,
>
>Muth verloren, — viel verloren,
>
>Ehre verloren, — Alles verloren!"

Deshalb heißt es ferner:

>"lieber zehn ehrlich machen, als einen zum Schelm."

Oder, wie es beim Gesellenwerden der Handwerker üblicherweise
in der feierlichen Anrede heißt:

>"Hilf lieber zehn ehrlich machen, als einen unehrlich."

Dieser Grundsatz mochte zunächst wohl nur für die an sich
makellosen Personen gelten, welche zufällig durch Berührung un=
ehrlicher Menschen und Dinge, in gleiche Verdammniß gefallen
waren; ihre Standesgenossen durften das anstößige Factum ver=
tuschen, oder, war es dennoch ausgekommen, durch eine Art
Judicium parium ihre Rehabilitation aussprechen. Es lag
ferner darin eine Warnung vor allen übereilten Verrufserklä=
rungen einzelner Personen oder ganzer Corporationen, und giebt
jedenfalls die christlich=barmherzige Lehre: lieber das Unehrlich=
werden bei 10 Mitmenschen zu verhüten, als beizutragen, daß
Einer durch Verrufserklärung in's Verderben gestoßen werde.
Daneben dürfen wir hoffen, daß auch die allmächtige Zeit, die
ja so viel wichtigere Dinge in den vergessenen Hintergrund zu

stellen weiß, häufig genug einen schuldlos in Makel Gefallenen
rehabilitirt haben wird. War er nur sonst ein rechtschaffener
Mann, so mögen seine Genossen ihn eine Weile gemieden, dann
aber der Schade sich verblutet, und fürder kein Hahn dar=
nach gekräht haben. Indessen war selbstverständlich diese
rehabilitirende Macht und der Palliativ=Einfluß ehrlicher Privat=
personen nicht groß und nur im Einzelnen wirksam. Es war
daher äußerst erwünscht, daß der schöne Grundsatz: „lieber zehn
ehrlich machen als Einen zum Schelm", auch vom Kaiser und
Reichstag anerkannt und vielfach befolgt wurde. Es wirkte na=
türlich ganz anders, wenn durch kaiserliches Patent und Reichs=
gesetz ganze Zünfte und Genossenschaften, für jetzt und in alle
Ewigkeit aus niedriger Unehre in den bürgerlichen Ehrenstand
erhoben wurden; und dies geschah, wie wir oben gesehen haben,
zu verschiedenen Zeiten sowohl in Betreff einzelner Gewerbe wie
ganzer Gruppen derselben, als auch in Betreff der verrufenen
Justiz= und Polizeidienste. Jedes neue Gesetz, welches gewerb=
liche Unehrlichkeiten aufhob, verfehlte niemals, auch zugleich die
früheren Rehabilitationen einzuschärfen, und deren Nachachtung
den Regierungen der einzelnen Reichsländer zu befehlen, welche
dann auch mit zweckentsprechenden Edicten nicht säumten. Wie
mögen die hannoverschen Amts=, Stadt= und Gerichtsdiener,
Pfänder, Holzknechte, Flurschützen, Todtengräber, Bettelvögte und
dergl. zur Justiz= und Polizei=Uebung unentbehrliche Bedienstete
und ihre Familien sich gefreut haben, als das landesherrliche
Edict vom 6. April 1734 erschien, welches sie von der auf
ihnen gelasteten Quasi=Infamie erlösete, welches sie einführte in
alle ehrlichen Gilden und Gesellschaften, welches ihnen die Kirchen=
stühle ehrlicher Mitbürger öffnete, ihnen die Miethung ehrlicher
Wohnungen verschaffte, welches ihren dereinst verblichenen Kör=
pern das volle christliche Begräbniß durch ehrliche Träger ver=
hieß, — welches dagegen die Contravenienten und jene obsti=
naten Mißächter ihrer hergestellten Ehre, mit den schärfsten
Bußen, ja mit der Strafe des Karrenschiebens bedräuete! —
Besondrer Nachhülfe bedurfte das Reichsgesetz von 1731 auch in
der Stadt Dortmund, wo Gilden und Zünfte nach wie vor die

Gerichtsdiener und ihre Kinder verachteten. Der Rath daselbst
erließ also eine Verordnung (4. Juli 1764), in welcher er ein=
schärfte, daß diese Personen allerdings für ehrlich zu halten und
in Gilden und Zünfte aufzunehmen, — überdies auch verfügte,
daß sie nach ihrem Ableben allezeit von den nächsten Nachbarn
zu Grabe zu tragen seien. Ja, um der lebenden Gerichtsdiener
Ehrlichkeit recht glänzend zu demonstriren, beliebte wohlderselbe
Rath, daß die verstorbenen künftig auf Stadtkosten kirchlich
beläutet und bepredigt werden sollten. So weit ging, so viel be=
kannt, keine andere Obrigkeit in ihrem Eifer für's Ehrlichmachen.

Wir haben oben gesehen, wie die Reichsgesetzgeber sich so=
gar der unehrlichsten Classe, der Scharfrichter, Henker und Schin=
der, thunlichst annahmen, und, wenn auch nicht sie selbst, doch
mindestens deren Nachkommen, sofern sie die väterliche Profession
verließen, ehrlich sprachen.

Der, in dessen Person sich der höchste Grad der Unehrlich=
keit vereinigte, der Henker selbst, welcher gewissermaaßen von
Rechts wegen und kraft angeborener Natur unehrlich war, konnte
begreiflich nur durch Denjenigen ehrlich gemacht werden, in dessen
Person sich der höchste Grad der Ehrlichkeit mit der höchsten
Stufe irdischer Machtvollkommenheit vereinigte, nämlich durch
den Kaiser, von dem ursprünglich alle Standeserhöhungen aus=
gingen. Eine höchst anmuthige Sage, die in ihren wesentlichen
Bestandtheilen auf Wahrheit beruhen muß, diene als erstes
Beispiel.

Als einst vor unendlich vielen Jahren, — so heißt es —
bei Kaiser Friedrichs Empfangsfeierlichkeiten zu Frankfurt a. M.,
Bankett und Ehrentanz im Römer stattfand, da erschien im
Saal auch ein unbekannter reich gekleideter Jüngling von so
hoher Gestalt, so edlem Anstande, und so wunderbarer Schön=
heit, daß männiglich einen Fürstensohn zu sehen vermeinte.
Kein Wunder also, daß die junge Kaiserin ihm einen Tanz zu
gönnen Gefallen trug, welch' ehrenvollem Geschäfte er sich mit
vollendeter Sittigkeit und Anmuth unterzog. Nach beendeter
Lustbarkeit trat der Kaiser herzu und fragte den Fremdling nach
Namen und Herkunft. So bescheiden wie gelassen antwortete

dieser: „Kaiserlicher Majestät gehorsamst zu dienen, ich bin der Scharfrichter von Bergen, dem Städtlein in Frankfurts Nachbarschaft." Todtenstille ringsumher, — Entsetzen über Entsetzen! Sprachloses Erstarren vor Schreck und Zorn über die unerhört verbrecherische Vermessenheit! Ein Wink mit des Kaisers zusammengezogenen Augenbrauen, und sie wäre draußen gebüßt mit dem Leben. Aber der Kaiser winkte nicht. Des schönen Mannes Kühnheit, mit der er auch jetzt seinen Friedrichsblick so fest wie ergebungsvoll ertrug, fesselte ihm Aug' und Hand, bis nach langer Pause der fast wie wehmüthiges Seufzen klingende Ausruf: „also der Schelm von Bergen!" seinem kaiserlichen Mund entfuhr. Abermalige Pause; dann aber sprach der Gemeinte sittig weiter: „wohl bin ich ein Schelm und auch nicht weit her, wohl verdiene ich zu sterben, und fürwahr, ich sterbe gern, denn ich, der schlechtesten Knechte Einer, habe der höchsten Ehre genossen und tanzen dürfen mit der deutschen Kaiserin, der alleredelsten, allerschönsten Frau auf Erden! Aber mein Tod macht's nicht ungeschehen, mein Blut wäscht's nicht ab, wenn's der durchlauchtigsten Kaiserin ein Fleck däucht, daß der Scharfrichter von Bergen sie berührte. Und traun, mich will's bedünken, die geheiligte Majestät der Kaiserin sei zu erhaben, als daß meine Niedrigkeit ihrer reinen Hoheit Abbruch gethan haben könnte, vielmehr muß der Kaiserin Berührung mich ehrlich gemacht haben! Darum wär's wohl richtiger, Herr Kaiser, Ihr bessert den Schaden gründlich, indem Ihr mich nun ehrlich sprecht und zum Ritter schlagt!" Des schönen kühnen Mannes freisame Worte hörte Jeder mit Staunen, der großherzige Kaiser aber mit tiefsinnigem Ernste an; und wieder nach einer Pause banger Erwartung sprach er, sein Schwert ziehend: „so knie nieder, du Schelm!" Fast vermeinten die Umstehenden, der Kaiser gedenke dem Vermessenen die Ehre anzuthun, daß er ihn eigenhändig köpfe, — aber mit Nichten! Längst hatten die stummen gnadeflehenden Blicke seiner Gemahlin den Kaiser vollends zur Willfahrung der kühnen Bitte gestimmt. Und nachdem er ihm mit dem Schwerte den Ritterschlag ertheilt, (man sagt mit einer für solche Procedur kaum nöthigen Kräftigkeit, worin vielleicht der letzte Rest seines Zornes austobte) sprach er zu ihm: „nun stehe auf, Ritter Schelm von Bergen, denn also sollt du fortan heißen und dein ritterlich Geschlecht nach dir!" — — Und von diesem liebenswürdigen Glücks= kinde leitet das freiherrliche Geschlecht der Schelme von Bergen seinen Ursprung her.

Weniger sagenhaft und romantisch, aber nachweislicher sind die manchen Fälle, da die Scharfrichter größerer Städte, nach thatenreichem Leben zu einigem Wohlstande gelangt, ihr Gewerbe aufgaben, und dazu vom Kaiser eine Aufhebung ihrer Unehrlich= keit mittelst Erhebung in den bürgerlichen Ehrenstand, erbaten und erhielten.

Da war z. B. der obengedachte Meister Franz Schmidt, der Scharfrichter zu Nürnberg. Als derselbe in 44 Jahren 361 arme Sünder vom Leben zum Tode gebracht, 345 andere Ma= leficanten am Leibe gestraft, und vielleicht ein volles 1000 „ver= nünftig gemartert" hatte, — da gedachte er im Jahre 1617 sich zur wohlverdienten Ruhe zu setzen, als Emeritus. Er hat dann „seinen Dienst uffgeben," und ist auf Fürsprache seiner Rathsherren vom Kaiser ehrlich gesprochen worden. — Daß er diese Standeserhöhung — beinah möchte man sagen, diese Menschwerdung, — auch wegen seiner nicht gewöhnlichen Bil= dungsstufe und wegen seines guten Characters verdiente, haben wir oben bei Anführung seines Tagebuches gesehen.

Ob Meister Valten, der hamburgische Scharfrichter, eigent= lich Valentin Matz aus Duderstadt, welcher im Jahre 1639 nach einer durch seine Weichmüthigkeit mißlungenen Hinrichtung sein Amt aufgab, sich in der Vorstadt ein Haus kaufte und ärztliche Praxis trieb, — kraft kaiserlichen Gnadenbriefes ehrlich geworden ist, das läßt sich nicht nachweisen. Wenn aber der vom Chronisten erzählte Umstand des Hauskaufes wahr, und selbiges Haus ihm auch eigenthümlich zugeschrieben gewesen ist, so darf man schließen, daß er zuvor das hierzu erforderliche Bürgerrecht gewonnen habe, was wiederum seine mindestens vom Senat anerkannte Ehrlichkeit voraussetzt. Der Chronist fügt bei, daß Meister Valten darnach großes Ansehen genossen habe, absonderlich beim Volke. Und jedenfalls genoß seine Frau bei ihrem Tode im Jahre 1654 die Vorzüge eines ehrlichen Begräbnisses.

Ein ferneres Exempel bietet Georg Hoffmann, der Scharfrichter zu Frankfurt a. M. Dieser Künstler erlangte etwa um 1650 vermuthlich in Folge und Kraft wohl- oder übelgewonnenen Vermögens bei Niederlegung seines Amtes, vom Kaiser einen Gnadenbrief. In diesem Diplom wurde er sammt Weib und Kind ehrlich gemacht und „honori restituiret," es wurde dadurch alle Infamie und Schmach, in welche er seiner Standes- und Amtes-Verrichtung halber gefallen, aufgehoben, und dergestalt getilgt, daß er sammt Weib und Kindern überall in des heiligen Römischen Reichs- wie kaiserlichen Erblanden zu allen Handwerken, Zünften, Aemtern, Würden und Ehren zugelassen werden konnte. Durch diesen Act also in den Besitz des bürgerlichen Daseins gelangt und capabel geworden zu den höchsten Ehrenstellen, trachtete der bescheidene Mann doch nach keiner höheren Würde, als der eines Schutzbürgers. Er begehrte nämlich fortan von seinen Mitteln als Beisasse in der Stadt Frankfurt fortzuexistiren. Dortiger Magistrat scheint nun trotz des kaiserlichen Gnadenbriefes, nicht gern d'ran gemocht zu haben; er wünschte sich Raths zu erholen und meldete also sothanen seltenen Casum den Collegen zu Hamburg (12. Juli 1651) mit der Anfrage: ob hierorts dergleichen schon vorgekommen, und ob man hieselbst solch' einen Mann zum Bürgerthum zulassen würde? Was unser Rath geantwortet, ist nicht bekannt geworden, er kann aber nur geantwortet haben, daß, wenn sonst nichts wider Jenen vorliege, überall kein Grund gedenkbar sei, einen vom Kaiser ehrlich gesprochenen und in den Bürgerstand erhobenen vormaligen Scharfrichter abzuweisen, — wobei er vielleicht auch Meister Valtens Beispiel angezogen haben kann. Durch dergleichen Gnadenbriefe werden manche Henkerfamilien ehrlich geworden sein, und die zu immer größerer Unabhängigkeit gelangten Reichsfürsten werden dem Reichsoberhaupte auch diese Acte der Machtvollkommenheit nachgeahmt und im Bereich ihrer Territorien ausgeübt haben. Wie übrigens später die Reichsgesetzgebung für

die Kinder der Abdecker 2c. „sofern sie die verwerfliche Verrich=
tung ihrer Väter nicht trieben," gesorgt hat, das ist schon oben
erwähnt.

Für alle unehrlichen Leute waren die großen Städte er=
wünschte Freistätten. Hier konnten sie ungekannt bescheidene
Existenzen in unzünftigen Weltstellungen gründen, und wenn sie
Talent und Glück genug hatten, etwas Namhaftes vor sich zu
bringen, so waren ihre Söhne unbedenkliche Ehrenmänner.
Mancher stieg in kosmopolitischen Handelsstädten zum reichen
Kaufherrn empor, und wer hätte dann gezweifelt an seiner Ehr=
lichkeit? Wen Mercur nicht mochte, dem winkte vielleicht Mi=
nerva, und man nennt Gelehrten=Familien, deren Stammbäume
in den mystischen Grundvesten mittelalterlicher Frohnereien wur=
zeln, wie denn erweislich mancher Scharfrichterssohn, in folge=
richtiger Erweiterung der väterlichen Heilkunde, als Medicinae
Practicus gestorben ist. Und wen Minerva sich verbat, dem
winkte Mars.

Ein gutes Mittel nämlich für diejenigen unehrlichen Leute,
welche in andrer Weise ehrlich zu werden verhindert waren, be=
stand darin, daß sie auf dem freilich nicht gefahrlosen Umwege
durch's Heerlager, vorerst in den Reihen des Kriegerstandes Auf=
nahme zu erhalten suchen mußten, um später, wenn sie nicht
tobtgeschossen waren und sich brav gehalten, in ihrem Abschiede
als „ehrliche Soldaten" ein Document ihrer Makellosigkeit zu
empfangen, womit denn alle übeln Antecedentien ausgetilgt wa=
ren. Solche Aufnahme war aber in früheren Zeiten, nämlich
zu Georg von Frundsbergs Blüthetagen des frommen deutschen
Landsknechtswesens, gar nicht so leicht, als man etwa denken mag.

Denn im Kriegerstande hatten sich die alten deutschen Ehr=
begriffe, verstärkt durch die Einflüsse der in ihm waltenden ritter=
lichen Elemente, ungemein lebendig erhalten und scharf ausge=
prägt. Man darf sich unter einem Fähnlein Frundsbergscher
Landsknechte um's Himmelswillen keine Bande zusammengelaufe=
ner Strolche denken! Ein Regiment war eine vielfach gegliederte
Corporation ehrbarer Männer, die das Kriegshandwerk so ernst
und ehrenfest betrieben, wie kaum eine städtische Zunft ihre Pro=

feſſion betreibt. Und keine Zunft konnte ſo peinlich bei der
Aufnahme neuer Genoſſen verfahren, als die Compagnie darauf
hielt, daß keine räudigen Schaafe in ihre Reihen traten. Und,
da der Kriegerſtand älter iſt, als das erſt mit den Städtegrün=
dungen entſtandene Zunftweſen, ſo läßt ſich annehmen, daß die
Zünfte ihre Ehrbegriffe und die damit zuſammenhängenden Ein=
richtungen, dem Soldatenweſen abgelernt haben.

Wiſſentlich fand ſicher kein Dieb, kein von der Juſtiz
Beſtrafter, kein Sohn unehrlicher Eltern Aufnahme, Alle muß=
ten makellos mit reiner Ehre daſtehen; Hauptmann, Fähnbrich,
Weibel und ein paar erleſene graue Kriegsknechte prüften bei
der Werbetrommel die Antecedentien des Candidaten, der in
Ermanglung glaubhafter Documente ſich durch Zeugniß und
Bürgſchaft ehrlicher Landsknechte legitimiren mußte. Durchge=
ſchlüpfte räudige Schaafe wurden aus den Reihen der Krieger
geſtoßen und zum Troß verwieſen, zu den Buben und Dirnen,
unter Aufſicht des Profos. Der mehrfach erwähnte Philander
von Sittewald, eigentlich Moſcheroſch, giebt in der Vorrede ſei=
ner Viſion „Soldatenleben“ ein um ſo gültigeres Zeugniß für
die Ehrenhaftigkeit des alten Kriegerſtandes, als er denſelben in
ſeiner ſpäteren Entartung (während des 30jährigen Krieges) zu
geißeln unternimmt, was viele ſeiner Nachſchreiber überſehen, die
die letztere Schilderung auch auf den Soldaten des Mittelalters
beziehen. - Allerdings mag auch damals, zumal in Zeiten da
der Krieg ſtark aufräumte, oftmals ein Unehrlicher die erſehnte
Freiſtätte bei der Fahne gefunden haben, aber im Ganzen blieb
doch bis zum 30jährigen Kriege das Soldatenhandwerk ein vor=
zugsweiſe ehrliches, und jedenfalls ſo lange dieſe ernſten Kriegs=
männer bei der Fahne waren, behielt ihr ſchöner Beiname der
frommen deutſchen Landsknechte ſeine richtige Bedeutung. —
Sobald es zur offnen Feldſchlacht ging, fielen ſie nach alter
Sitte zum Gebet auf’s Knie und ſangen ein geiſtlich Lied, was
Paul Jovius gründlich mißverſteht, wenn er meint, die Deutſchen
fielen aus Furcht vor Kanonenkugeln zu Boden und ermuthigten
ſich dann durch wilde Schlachtgeſänge. — Waren die Regimenter

vom fußfälligen Gebet aufgestanden, so schüttelten sie nach altem Kriegerbrauch den Staub von den Wämsern und warfen eine Hand voll Erde hinter sich, als entledigten sie sich alles Schlechten und Gemeinen, bevor sie sich dem Schlachtengeschick weihten. Dann wirbelten die Trommeln, dann senkten sie die Spieße, dann rückten sie vor zum Angriff, Gott im Herzen und den heiligen Georg auf den Lippen. Auch während des Kampfes knieten zuweilen ganze Rotten nieder, den Beistand des Lenkers der Schlachten anrufend, oder Dank sagend für eben erfahrene Rettung. Das geschah zu jenen Zeiten, da deutsche Kriegsvölker, z. B. bei Ravenna, nicht des Soldes sondern der Ehre wegen fochten, und zum Staunen wälscher Cameraden, die reiche Beute hochherzig verschmähend, ausriefen: wir stehen hier um Ehre und Ruhm deutscher Nation, nicht um Gewinn. — Daher auch ihre ritterliche Sitte der Herausforderung einzelner Feinde zum ehrbaren Zweikampf, vor Beginn der Schlacht, durch einen Ehrenhold, wobei die deutschen Krieger mit Kränzen geschmückt auf dem Kampfplatz erschienen; welch' ehrlich altfränkischer Brauch allerdings mit der fortgeschrittenen Kriegführung unvereinbar wurde und aufgehoben werden mußte.

Wie groß die kriegerische Selbstachtung war, wie viel besser und höher stehend die Wehrmänner sich schätzten im Vergleich mit dem Nährstande, das geht aus allen Einrichtungen der äußerst wohl organisirten Soldatenrepublik mit absolutistischer Spitze hervor. Jede Gemeinschaft mit dem Bürger und Bauer war so anstößig, daß die Scheidung sich bis auf die Strafrechtspflege erstreckte. Der mittelalterliche soldatische Maleficant beanspruchte andere Gerichtsformen und Strafarten, als sie dem Civilisten zu Theil wurden; keineswegs mildere, oft entschieden viel härtere, aber es waren doch andere Strafen, und, nach seinem Begriff, ehrenvollere. Der zum Recht der langen Spieße verurtheilte Soldat, welcher die enge Martergasse der von 2 Reihen Cameraden ihm entgegengehaltenen Hellebarden durchlaufen mußte, an deren Ende der Fähnrich, der Träger der Kriegerehre, den Sterbenden auffing, — fürwahr, er würde nicht getauscht haben

mit dem bürgerlichen Delinquenten, dem ein rascher Tod durch
Henkershand bevorstand. — Während Bürger und Bauer zu
Stock und Gefängniß verurtheilt wurden, ließ der Soldat sich lieber
in Eisen setzen. Kam in späteren Zeiten, statt des Rechts der
Spieße, auch das Henken für Soldaten in Gebrauch, so war's
kein gewöhnlicher Bürgergalgen, der sie aufnahm, sondern der
militairische Quartiergalgen, in Städten das Soldatenschaffot auf
offnem Marktplatze (z. B. in Hamburg auf dem Pferdemarkte);
eigentlich am liebsten: ein grüner Baum auf freiem Felde,
wie einst in der Urzeit allen Gerichteten zu Theil wurde.
Denn in der von Cameraden gesprochenen Sentenz hieß es: der
Profos soll den soldatischen Maleficanten führen „zu einem grü=
nen Baum, und ihn aufknüpfen an dessen besten Hals (an des
Baumes stärksten Ast), daß der Wind unter und über ihm zu=
sammenschlägt; und so soll ihn die Sonne 3 Tage lang an=
scheinen, dann soll er abgenommen und begraben werden, nach
Kriegsgebrauch,“ — also wie ein ehrlicher Soldat!

Bei den Soldaten waren selbst die Profose und deren Ge=
hülfen, die Steckenknechte, ganz andere Leute als die Henker und
Büttelsknechte der Bürger und Bauern, — nämlich in viel min=
derer Weise unehrlich. Namentlich der Profos, den Barthold in
seinem trefflichen Werke über das deutsche Kriegshandwerk zur
Zeit der Reformation, eine tapfere, ernstliche, ehrliche Kriegs=
person nennt, welchem die Regimentspolizei aufgetragen war, die
er, zur Erhaltung makellos reiner Soldatenehre, rechtschaffen
handhabe; im heißen Kampfe focht er mit und schlug drein
wie ein anderer ehrlicher Krieger; und Claus Seidenstücker, der
gestrenge Profos, schwang beim Sturme auf Rom 1527 sein
zweihandiges Schlachtschwert im Vortreffen und war einer der
Ersten derer, die bei San Spirito die Mauer erstiegen und die
italienischen Knechte erschlugen. — Kann man nun auch so viel
Ehrenhaftes den Steckenknechten unmöglich nachsagen, welche ge=
meiniglich wohl arge Strolche, Landfahrer und entlaufene Ver=
brecher gewesen sein mögen, so waren doch auch sie weniger
unehrlich als die Henkersknechte. Auch sie hatten Gelegenheit

genug, sich durch gutes Verhalten zu rehabilitiren, und benahmen sie sich während des Krieges nur halbwegs brav, so konnten sie beim Friedensschluß, bevor das Regiment auseinander ging, wobei Rangerhöhungen nicht ungewöhnlich, auch förmlich ehrlich gemacht werden, worauf sie ihren Freipaß als ehrliche Soldaten empfingen. Konnte also ein bürgerlich unehrlicher Mensch, z. B. ein Büttelknechtssohn, die ersehnte Ehrlichkeit nicht anders erreichen, so versuchte er als frommer Landsknecht aufgenommen zu werden; gelang auch dies nicht, so konnte er als des Profosen Steckenknecht beim Friedensschluß das ersehnte Ziel sicher erreichen.

Das eben erwähnte Ehrlichmachen im Kriegerstande geschah in der eigenthümlichen Form des Fahnenschwingens über den zu begnadenden Mann, und war von einem so schönen Gedanken beseelt, daß hierüber wohl noch ein Mehreres gesagt werden darf.

Die Fahne war was sie noch jetzt ist, das voranleuchtende Symbol der Kriegerehre, und der sie trug, der Fähndrich, der hochschlanke Recke im schimmernden Waffenrock und wallenden Federschmuck, ein ritterlich Schwert an der Seite, der stellte (nach Barthold) „das tapfere fröhliche Gewissen der Kriegerschaar" vor.

War ein Verbrechen im Regimente verübt, so erlitt dasselbe einen Ehrenmakel. Sobald die Schandthat vom Ankläger der zum Gericht berufenen freien Soldatengemeinde kund gethan war, durften die Fähndriche ihre Fahnen nimmer fliegen lassen, sie umhüllten sie, bis das Urtheil ergangen, der Frevel gebüßt und das Regiment wieder ehrlich geworden war. Wenn dann von den Kriegsgenossen das Strafurtheil gesprochen war, dann traten die Fähndriche zu ihren Haufen, und sagten Dank für „willige Stärkung der Ehrenhaftigkeit im Regimente." Bevor dann der Verurtheilte seinen letzten Gang antrat, nahm er Abschied von allen Waffenbrüdern, welche er um Verzeihung bat wegen seiner Kränkung der Fahnenehre. Die Fähndriche sprachen ihm Muth ein: er dulde ja um guter kriegerischer Ehre willen, und nach letztem Gebet that er, wie's die Soldatenehre gebot: er rannte fest und todesmuthig in die Gasse voll entgegenstarrender Schwer= ter und Spieße, um durch Muth und Blut von jeglicher Schuld und Schande gereinigt, dem Träger der Ehre, dem Fähndrich, sterbend als ehrlicher Soldat in die Arme zu sinken. Um seine Leiche fielen die Waffenbrüder, betend für seiner Seelen Selig= keit, auf's Knie, dann gaben sie ihm die dreimalige Ehrensalve aus ihren Feuerröhren, die Trommeln wirbelten, der Gewaltiger bedankte sich für willige ehrliche Regimentshaltung, und die Fähndriche ließen ihre Fahnen wiederum frei und lustig im Winde fliegen.

Fast scheint es, daß die sinnvolle Bedeutung der Fahne, als Symbol der von sittlichen Motiven beseelten Soldatenehre, nicht besser darzustellen sei, als durch diese Skizze eines jener an er= hebenden Momenten nicht armen Trauerspiele, welche man mili= tairische Executionen nennt. Darnach wird man es begreiflich finden, wenn der Kriegsmann seinem Palladium, der Fahne, auch eine gewisse heiligende, mindestens heilende und reinigende Allmacht beimaaß. Und so geschah's, daß die Fahne, wenn sie in milder Gnade wallte über den in Makel gefallenen Soldaten, demselben seine Ehre wiedergab.

Und dieser schöne Gebrauch des Ehrlichmachens mittelst Fahnenschwenkung war bei allen deutschen Regimentern heimisch. Natürlich waren's keine ehrlosen Verbrechen, welchen solche Gnade nach Schiedsspruch des ehrlichen Genossen zu Theil wurde, son= dern leichtere Vergehen, welche einen tilgbaren Makel zurück= gelassen, wozu auch wohl die unfreiwilligen oder leichtsinnigen Berührungen der anerkannt unehrlichen Leute und Dinge zu rechnen waren. Wen im feierlichen Acte die vom Fähndrich dreimal über ihn geschwungene Fahne, dies Heiligthum des Kriegergeistes, umwallte, den durfte fortan Niemand schelten, dem gab sie Leben durch Ehre zurück.

Mit dem Sinken der ehrbaren, frommen Kriegsmannschaft, namentlich während des 30jährigen Krieges, büßte der Stand natürlich viel von seiner innern sittlichen Ehrenhaftigkeit ein, aber der äußern Ehre blieb noch genug, um den Makel derjenigen unehrlichen Leute zu decken, welche jetzt viel leichter erwarten durften, zum Fahneneide zugelassen zu werden. Und in der That kann man es als eine der nicht häufigen guten Folgen dieses verderblichen Krieges ansehen, daß er die Zahl der unehrlichen Leute im deuschen Reiche ungemein verminderte, und zwar nicht nur in einfachster Weise durch Todtschlagen, sondern viel humaner durch Ehrlichmachen derselben. Ganze Schaaren anrüchiger Subjecte strömten zu den Werbetrommeln, die aller Orten wirbelten, und fanden gewiß mit wenigen Ausnahmen willkommene Aufnahme. Freilich soll es auch mitten im größten Wirrsal der Kriegsunruhe einzelne Regimenter gegeben haben, welche nach wie vor das Examen rigorosum puncto der Ehrlichkeit, keinem Rekruten erließen. Darunter soll das kaiserliche Regiment Tieffenbach gewesen sein. Vielleicht war es Anfangs zufällig, daß gerade unter diesem Regimente eine Menge ehrlicher Handwerksbursche Dienste nahmen, welche beim Darniederliegen der Gewerbe in den Städten keine Arbeit finden konnten und sich deshalb zur Muskete bequemen mußten. Diese mögen denn ihre, dem angeborenen Zunftgeiste entsprechenden, spießbürgerlichen Ehrlichkeitsbegriffe mit zur Fahne gebracht haben, und so kam's, daß „die Tieffenbacher, Gevatter Schneider und Handschuhmacher", keinen Unehrlichen, — „weder Bartscherers-, noch Badstövers-, noch Linnenwebers-, noch Spielmanns-Kind" unter sich duldeten, bis im Verlauf des aufräumenden Krieges die pedantische Frage nach der Herkunft verstummte vor dem immer drängender klingenden Werben der Lärmtrommel. Da zogen sie von allen Seiten herbei, die bisher am Ehrenmakel gelitten, da sprengten die Verwegenen unter den Söhnen der gemißachteten Stände aller Art, die engen Fesseln ihrer Geburtsverhältnisse und fanden in den Reihen der Krieger den freiesten Spielraum zur ersehnten Gewinnung von Ehre und Ruhm. Unter denen, welche ihn am besten ausgebeutet haben, steht wohl Hans Sporf obenan, der Westphale vom Sporfhofe im

delbrücker Lande bei Paderborn. Er, der leibeigene Bauern-
sohn, ein „verwerflicher Servitut unterworfener" junger Vieh-
hirte, der ganz zuverlässig von jeder ehrbaren Schuster = und
Schneidergilde als unehrlicher Beflecker der Zunftehre zum
Henker gejagt worden wäre, wenn er sich unterfangen hätte,
als bemüthiger Lehrling anzuklopfen, er that zum Glück dies
nicht, sondern er folgte 1620 der lustigen Trompete eines ligui-
stischen Dragoner = Regiments, und wurde ein Reitergeneral, wie
die deutsche Kriegsgeschichte kaum einen zweiten aufzuweisen hat.
Freilich brauchte er wohl zehn Jahre, bis er sich zum Officier
aufschwang, dann aber, und zumal als Obrist eines eigenen Regiments, verrichtete er die unerhörtesten Thaten kühnster Reiter-
tugend. Nach dem westphälischen Frieden trat der 48jährige
Mann, der sich inzwischen auch ein schönes Fräulein aus dem
edeln Geschlechte von Linsingen erobert hatte, in kaiserliche Kriegs-
dienste, und nun begann der rühmlichste Abschnitt seiner Helden-
laufbahn, als deren Krone sein glänzender Sieg über den Groß-
vezier Achmed Köprili und seine 250,000 Türken in Ungarn
im Jahre 1664 gelten kann. „Spork", sagte damals der fromme
Kaiser Leopoldus zu ihm, indem er auf ein Crucifix hinwies,
„Spork, wenn Der es nicht gethan hätte?!" Und Spork
schlug an seinen guten Degen, daß er klirrte, und erwiederte in
seinem nie verleugneten westphälischen Plattdeutsch: „den Duivel
ook, Majestät, be hett et dahn!" Freilich erkannte das auch der
Kaiser an, und erhob seinen Spork zum Feldmarschall und zum
Reichsgrafen mit Türkenköpfen im Wappen, und dotirte ihn mit
reichen böhmischen Gütern. Da lernte Spork denn auch die
edle Schreibekunst und unterfertigte seine Befehle eigenhändig
„Spork, Graf", wie gekrönte Regenten zu thun pflegen: „Karl,
Herzog", oder „Friedrich, Kurfürst"; und wer das bekrittelte, dem
sagte er: „ick was eher Spork als Graf." Und damals entließ
auch der Fürstbischof von Paderborn des Herrn Reichsgrafen
Bruder und dessen Nachkommen, die Bewohner des Sporkhofes,
ihrer Leibeigenschaft, und machte sie zu freien ehrlichen Leuten. —
Das ist, nach Levin Schücking, die Geschichte von Hans Spork,

dem's beinah so gut glückte, wie weiland dem Schäferknaben David, welcher seine Ritterspornen an dem Riesen Goliath verdiente, und sich dann mittelst fernerer kriegerischer Thaten zum König in Israel emporgeschwungen hat.

———

Auch der Soldatenstand hat seine Zopfzeit gehabt, und auf eine jeweilige Verjüngung des altgermanischen Krieger- und Heldengeistes ist im vorigen Jahrhundert regelmäßig wieder eine Periode des Kamaschendienstes gefolgt. Dennoch haben sich manche Ueberreste alter Kriegersitten noch bis auf unsere Zeiten erhalten, und damit auch eine Art Nachklang des Ehrlichmachens durch Fahnenschwung. Es gereicht dem Verfasser zum besondern Vergnügen, daß er zum Schlusse von solcher Heilung kranker Ehre noch drei erbauliche Geschichten erzählen kann, welche sich in seiner Vaterstadt Hamburg zugetragen haben.

Es war im Februar des Jahres 1770, als bei Gelegenheit einer Staupbesen-Execution vor der Frohnerei, ein Soldat des dabei Ordnung haltenden Militair-Detachements, in einen Conflict gerieth mit dem Henkersknecht Schwartz. Die Händel entstanden durch die Schuld der Engel Pipers, einer der Mägde des Frohns. Der Soldat (Joh. Jac. Plath, von der Leibcompagnie des Commandanten, Generallieutenants Freiherrn Jahnus von Eberstädt) nahm die Sache leicht und setzte dem Frohnknecht das volle Gewicht seiner verachteten Condition entgegen, worauf diesen alle Besonnenheit dergestalt verließ, daß er sich nicht entblödete, dem ehrlichen Musketier einen Faustschlag zu versetzen. Es folgte ungeheure Aufregung, sofortiges durch den Frohn vollzogenes Festnehmen des frechen Kerls, welcher damit der Gefahr, gesteinigt zu werden, entging. Der Prätor ließ ihn in Eisen legen. Der Commandant berichtete unmittelbar an den Senat und forderte Satisfaction und Ehrenerklärung für seinen wackern Musketier. Der Senat ging vollständig darauf ein, Engel Pipers wurde zu vier Wochen niedrigsten Gefängnisses (in den Thurm, ge-

nannt Roggenkiste), Frohnknecht Schwartz zur Stadtverweisung
verurtheilt, und für den Musketier Plath die Ehrlichmachung
in folgender Manier erkannt. Drei Tage nach einander wurde
auf der Wachtparade, nach voraufgegangenem Trommelwirbel,
unter Präsentirung des Gewehrs, vom Ober=Auditeur ein Se=
natsbeschluß verlesen, in welchem dieser Stadt ordentliche Obrig=
keit erklärte: daß der Musketier Plath durch jenen Schlag nicht
für unehrlich geworden zu achten sei, daß er vielmehr nach wie
vor seiner vollen Ehre theilhaftig bleiben solle, weshalb einem
Jeglichen bei strenger Ahnung befohlen werde, ihm deshalb nie=
mals den geringsten Vorwurf zu machen oder „allerhand üble
Discourse dieserwegen zu halten.“ Ja der Senat ging in stadt=
väterlicher Fürsorge noch weiter, er ersuchte den ältesten Bürger=
meister als Generalissimus, dem Musketier Plath zu weiterem
Avancement behülflich zu sein, „damit jede Macula noch völliger
von ihm genommen werde.“

Die zweite Geschichte ist diese. Zu Ende des vorigen oder
Anfangs dieses Jahrhunderts schlendert eines schönen Morgens
ein rothröckiger Stadtsoldat hiesiger Garnison, dienstfrei und
müssig durch die Straßen. Da gewahrt er einen Mann in
schwerer Arbeit beschäftigt, um ein von der Schleife gefallenes
todtes Pferd wieder hinauf zu laden. Gutmüthig von Natur
und gefälligen mitleidigen Gemüths, kann er's nicht länger un=
thätig ansehen, wie der arme alte Mann sich so abplagen muß,
und doch das Beest nicht auf die „Slöpe“ bringen kann, — er
besinnt sich also keinen Augenblick, sondern folgt unwillkürlich
dem raschen Antriebe seines guten Herzens: greift das todte
Roß mit kräftigen Fäusten an und fördert das nützliche Werk
alsobald zu Ende. Durch das Bewußtsein einer guten That
und den dankbaren Händedruck des greisen Mannes reichlich be=
lohnt, will er seines Weges gehen, und so eben einen guten Be=
kannten unter den inzwischen zahlreich versammelten Zuschauern
anreden, als dieser vor ihm zurückweicht, und aus dem Haufen
vielfache Rügen seines Verfahrens laut werden. Da wird ihm
sein Verbrechen gegen das Gesetz der Volksehre klar, welches

denn auch so mächtig sich erweist, daß seine Cameraden ihn
meiden, daß die ganze Compagnie einhellig beschließt, nicht länger
mit Dem zu dienen, der freiwillig dem Schinder bei seiner
Arbeit geholfen, der dem Abdecker die Hand gegeben.

Als einst der treffliche Herzog Karl August von Weimar
der Section eines Lieblingsrosses beigewohnt und nun dem fun-
girenden Scharfrichterknecht durch den Leibjäger einen Laubthaler
reichen lassen wollte, legte dieser das Geldstück nicht in die bereits
dargebotene Hand des unehrlichen Mannes, sondern auf eine
Karre. Der edle Herzog, dies gewahrend, sagte: „Albernheit“, —
nahm den Thaler und händigte ihn mit den freundlichen Worten: „Da, Landsmann, nimm ein Trinkgeld von mir“, dem hierdurch zur Menschenwürde erhobenen Knecht ein, der dann hoch-
erfreut in die durchlauchtige Hand griff und dazu sagte: „Ich
bin nur ein sehr armer Kerl, aber dieser Thaler soll in meiner
Familie vererben und niemals kleingemacht werden.“

Wenn diese schöne Geschichte damals schon passirt oder in
Hamburg bekannt gewesen wäre, — wer weiß, vielleicht hätte
einer der erleuchteten vier Bürgermeister eben so kühn dem alber-
nen Vorurtheil die Stirn geboten, um durch eine ähnliche Demonstration dem armen Soldaten eine Reparation d'honneur
zu verschaffen. Aber Magnifici erfuhren vermuthlich von der
Sache damals noch nichts. Und so schien denn der gute Mensch
sonder Gnade der Weltstellung eines kastenlosen Paria anheim
zu fallen, als endlich seine Officiere, die ihn ungern entließen,
seine Rettung versuchten. Es wurde also ein ordentliches Kriegs-
gericht über ihn gehalten. Unter dem Vorsitz eines Lieutenants
erkannten 2 Sergeanten, 2 Corporale und 4 Gemeine zu Recht,
daß der gute Kerl, allerdings unehrlich geworden, dennoch, dieweil sein Makel aus keiner moralisch ehrlosen That entsprungen,
mittelst Fahnenschwenkens über ihn nach Soldatenbrauch wieder
ehrlich gemacht werden könne und dürfe. Dictum factum! Tags
darauf formirten die dienstfreien Compagnien des Regiments
auf dem Pferdemarkte ein Quarré. Der Kerl, ohne Waffen,
mußte vortreten. Nachdem der Ober-Auditeur die Sentenz ver-

lesen, kniete Jener nieder, der Fähnbrich trat vor und schwenkte
dreimal die Fahne über ihn, worauf der Capitain ausrief: „nun=
mehro stehe auf als ein ehrlicher Soldat.“   Und er stand auf
als ein ehrlicher Mann und Soldat, die Waffen wurden ihm
zurückgegeben, er trat in Reih' und Glied, und verblieb bis an
sein selig Ende in allen Ehren und Würden eines Grenadiers
hiesiger Garnison.   Ja, er hatte aus diesem Handel noch die
besondere Auszeichnung davon getragen, daß er in Hamburg
unter dem Beinamen „der ehrliche Mann“ eine Stadtmerkwürdig=
keit geworden war.   Und da außer ihm Niemand in Hamburg
existirte, dem die Ehrlichkeit in solcher Weise öffentlich documentirt
war, so nannte man ihn auch wohl „den einzigen ehrlichen Mann
in Hamburg.“

Die dritte Geschichte ist noch neuer und hat zu unserer Zeit
in Ritzebüttel unter der Amtmannschaft des trefflichen Abendroth
stattgefunden.   Es sollten dort zwei arme Sünder hingerichtet
werden, Complicen einer verruchten Räuberbande der Nachbar=
schaft, wozu, wie gebräuchlich, der hamburgische Scharfrichter
(Hennings V.) mit seinen Leuten auf eine Gastrolle geladen war,
da das Amt Ritzebüttel wohl einen Abdecker, aber wegen glück=
licher Seltenheit hochnothpeinlicher Fälle keinen geschulten Nach=
richter unterhält.   Am Vorabende des großen Tages hatten die
gefürchteten und dennoch mit angenehmen Grauen angestarrten
Gäste sich hierhin dorthin zerstreut, um sich das Meer und die
Gelegenheit des Ländchens zu besehen.   Einer der Knechte, von
der salzigen Seeluft durstig geworden, tritt in eins der vielen
Wirthshäuser, wo er sich von den wenigen Gästen nicht erkannt
sieht, also ganz fröhlich zu kneipen beginnt.   Sein Gegenüber
am Tische, ein junger, vielleicht etwas angetrunkener Bauerbursch
von den Geestdörfern, findet Gefallen an dem kräftigen Mann,
dessen Manieren den gewandten Großstädter verrathen, und der
doch so leutselig mit dem ungehobelten Sohn der Haide verkehrt.
Der Unglückliche rückt ihm harmlos immer näher, und der ham=
burger Gast, seinerseits erfreut über sein seltenes Incognito und
über die so ungewohnte reinmenschliche Berührung mit „ehrlichen“

Leuten, läßt feinen Wein kommen, und ladet den Bauerburschen ein, mit zu trinken. Und der Unselige thut's, thut das Uner= hörte, trinkt mit einem Henkersknecht. Kaum klingen zum dritten Male, unter Lebehoch und Bruder=du, die Gläser an einander, da erhebt sich unter neuangekommenen Gästen, die das Incognito des kecken Fremdlings durchschauen, ein dumpfes Gemurmel. Der, dem es zunächst galt, verstand dergleichen schon, er legte gelassen ein großes Stück Geld auf den Tisch und verschwand. Nun fiel Alles über den armen betölpelten Burschen her, welcher ganz umnebelt dastand, und endlich, als ihm der Staar ge= stochen war, im Zustande grenzenloser Bestürzung von dan= nen rannte.

Die Execution war längst geschehen, das Gespräch über ihren Verlauf bereits verstummt und Alles wieder im gewohnten Gleise, als der Amtmann Abendroth Kunde erhielt von einem verwilderten Menschen, der in des Amtes ödestem Revier hause, von Wurzeln und Kräutern sich nähre wie Nebukadnezar, oder von Muscheln und Krabben wie Robinson Crusoe; der unter freiem Himmel in Moorgesträuppen übernachte, und sicherlich nahe daran sei zu verschmachten. Es war derselbe Bauerbursch, der mit dem Henker getrunken, dadurch unehrlich geworden, von seiner Familie, seiner Genossenschaft, ja von allen Dorfmarken des Amtes ausgestoßen, als ein Geächteter, fried=, echt= und rechtlos umherirrte, im Zustande allervollkommenster Verzweif= lung. Der Amtmann ließ sogleich die beiden Schultheißen des Amtes rufen, und beauftragte sie, für den armen Teufel bestens zu sorgen und durch geeignete Vorstellungen bei der Familie und Dorfschaft seine Rückkehr zu bewirken. Die Schultheißen aber nahmen eine Prise nach der andern, machten äußerst bedenkliche Mienen und erklärten endlich rund heraus: das ginge nicht, das Factum wäre notorisch, und deshalb weder jenes Menschen Unehrlichkeit, noch seine Ausstoßung rückgängig zu machen. „Dummes Zeug, dummes Zeug", unterbrach sie wohl zehnmal der Amtmann (er sagte in seiner cordialen Weise diese Worte plattdeutsch: „Dumm' Tüüg!") und stellte ihnen das Thörichte, ja das Unmenschliche solchen Vorurtheils und dessen grausame Folgen recht energisch vor. Vergebens! Vergebens auch bewies er ihnen, daß das Reichsgesetz von 1731 (XIII, 1.) das Un-ehrlichhalten solcher Personen, „die unwissend oder unversehens mit Abdeckern getrunken, gefahren oder gegangen sind", aus-drücklich und strenge verboten habe, — die Schultheißen mußten das zugeben, aber dennoch blieben sie dabei, daß Volksstimme und Volksurtheil sich nicht ändern und durch kein Reichsmandat aufheben lasse; und als der Amtmann diese Ansicht wiederholt als Unsinn und dummes Zeug bezeichnete, replicirten sie, mit feiner Beziehung auf eine Stelle der erst kürzlich erschienenen neuesten Schrift des Amtmanns: Se. Hochweisheit habe ja selbst geäußert und drucken lassen, daß Volksstimme Gottesstimme sei, — daß man Volksbräuche und =Ansichten allerdings respec-tiren müsse! — „Was soll denn aber aus dem armen Kerl werden?" fragte der Amtmann. „Was Gott will!" entgegneten die Schultheißen und empfahlen sich rasch in diesem Augenblick, als der Amtmann in Nachdenken versunken schien.

Dieser, bekanntlich ein ebenso praktischer und energischer als humaner Mann, hatte den einzig möglichen Weg der Hülfe bald gefunden. Er erinnerte sich des militairischen Verfahrens zur Ehrlichmachung eines in Makel gefallenen Soldaten, und traf augenblicklich Anstalten, dasselbe auf den vorliegenden Fall analogisch anzuwenden.

Vorerst wurde der halbverhungerte Sohn der Wildniß irgendwo ausgekundschaftet und in Gewahrsam der Schloßwache gebracht, allwo der Gerichtsactuar Lt. Eybe ihn verhörte, wor-auf der Amtmann unter das Protocoll ein motivirtes Buß= und Gnaden=Erkenntniß schrieb, so leserlich als er's vermochte, denn bekanntlich war er gerade kein Kalligraph.

Das erst einige Zeit vorher neu erschaffene und vom Amt-mann trefflich organisirte Bürgermilitair im Amte Ritzebüttel hatte täglich neben einigen andern Posten, die Schloßwache zu besetzen. Zu deren Ablösung befahl er nun heute eine ganze Compagnie mit der Bataillons=Fahne und dem übrigen Officier=

Corps. Als nun diese Mannschaft vor dem Schlosse aufgestellt war, und eine ansehnliche Versammlung ehrbarer Amtsbürger, nebst dem nie fehlenden Jan-Hagel der neugierigen Schuljugend sich freiwillig eingefunden hatte, da erschien der Herr Amtmann, gefolgt vom Gerichtspersonale, worauf der unehrliche Bauerbursch, eine blasse vergrämte Leidensgestalt, vom Polizeidiener herbeigeholt wurde. Der arme Mensch zitterte wie Espenlaub, denn Angesichts der Menge bewaffneter Krieger fuhr ihm der Gedanke in die abgemagerten Glieder, er solle jetzt stracks standrechtlich erschossen werden. Es konnte ihm den schreckhaften Sterbegedanken nicht bannen, als nun der alte Actuarius mit ernster eintöniger Stimme das Protocoll nebst Erkenntniß verlas, da er dessen Sinn nicht im Entferntesten begriff. Dasselbe legte des Burschen Verbrechen unwürdiger Gemeinschaft mit einem Henkersknechte dar, bemäntelte es aber thunlichst mit Annahme sinneverwirrender Berauschtheit, fand ferner jedenfalls, nach Ertheilung eines gehörigen Verweises, in billiger Anrechnung seines darauf ausgestandenen Elends, einen genugsamen Grund zur Pardonirung, und erkannte schließlich diese Begnadigung durch Ehrlichmachen mittelst Fahnenschwenkens.

Da der Bursch, wie gesagt, von der ganzen Procedur nicht das Geringste begriff, so erreichte seine Todesangst den Gipfel, als es nun hieß: „Knie nieder." Die Augen schließend folgte er mechanisch dem Befehl, mechanisch öffnete er sie wieder, als er ein wundersames Wehen und Wallen, wie Adlersfittige oder Engelsflügel, über sich spürte. Und höchlichst erstaunt begleitete sein Blick die Bewegungen der Fahne, welche der vorgetretene Fähndrich langsam und feierlich dreimal über ihn schwenkte. Kaum vom Vorgefühl wiedergewonnenen Lebens durchrieselt, erhob sich der arme Schächer und starrte den Amtmann an, als dieser nun sprach: „Stehe auf, mein Sohn, als ein ehrlicher Mann, und bleibe fortan der Ehre eingedenk, die dir jetzt widerfahren, damit du bereinst als ehrlicher Mann vor Gott treten kannst." Er fügte noch einige schöne passende Worte hinzu, die sowohl den Hergang jenes Vergehens, als den eben erfolgten

Act nachträglich erläuterten, und als er seine entschiedene Ab=
sicht verkündete, den Burschen von nun an wieder von Jeder=
mann als ehrlich anerkannt zu wissen, da verfehlte seine kräftige
Sprache des besten Eindrucks auf die zahlreich Versammelten
nicht. Zur Bestätigung alles Gesagten reichte er nun dem Bur=
schen die Hand, Actuar und Schultheißen des Gerichts folgten
mit vorurtheilsfreiesten Händedrücken. —

Hiermit war der officielle Act des Drama's zu Ende. Da
der Amtmann aber sah, daß der von Todesangst zur Lebensluft
nur sehr langsam erwachende Bursch noch immer ganz schwach=
müthig da stand, und wohl einiger Stärkung bedürfe, so that er
aus gutem Herzen noch ein Uebriges. Er ließ aus seinem Schloß=
keller einen Pokal edeln Rheinweins kommen; den nahm er,
trank daraus und ließ auch den Burschen daraus trinken,
sprechend: „Nun hast Du mit einem hamburger Senator, Dei=
nem Amtmann, getrunken, nun wird kein ehrlicher Ritzebütteler
sich weigern, wieder mit Dir zu trinken."

Und er trank, der Bursch, in langen durstigen Zügen, und
der Wein goß neues Leben in die Adern des Wiedergeborenen,
der dem Zauber des Ueberganges von tiefster Schmach zur
höchsten Ehrenfülle nun endlich völlig traute. Mit einem lauten
Freudenschrei sprang er baumhoch in die Luft, dann nahmen ihn
zwei wiedergewonnene Freunde in die Mitte, ein ganzer Schwarm
von Augenzeugen des Actes schloß sich an, und so wurde der=
selbe, der noch kurz zuvor ein Gegenstand allgemeiner Aechtung
war, wie im Triumphzuge in sein Heimathsdorf, in sein Eltern=
haus zurückgeführt. Die frohe Kunde seiner Begnadigung war
ihm durch die fliegende Post der Schulbuben schon vorangeeilt:
er wurde fröhlich willkommen geheißen, und blieb fortan lebens=
lang, als ein vor allen Amtseingesessenen hoch Ausgezeichneter,
der sehr geehrte Gegenstand des Stolzes seiner Markgenossen.

Diese letzte Geschichte hat dem Verfasser ein kürzlich verstor=
bener, sehr ehrenwerther Mitbürger erzählt, der damals, als junger
Kaufmann nach London reisend und wegen widrigen Windes in
Curhaven weilend, des Herganges Augenzeuge gewesen ist. Und
bestätigt hat die Hauptmomente dieser Erzählung ein alter
ritzebütteler Ehrenmann und Würdenträger, dessen briefliche Mit=
theilung mit den Worten schließt: „in dem ganzen Verfahren
offenbart sich die schöne Denk= und Handlungsweise des uns
ewig lieben Abendroth!" —

18**

Druck der Hofbuchdruckerei in Altenburg.
(H. A. Pierer.)